Train Kids

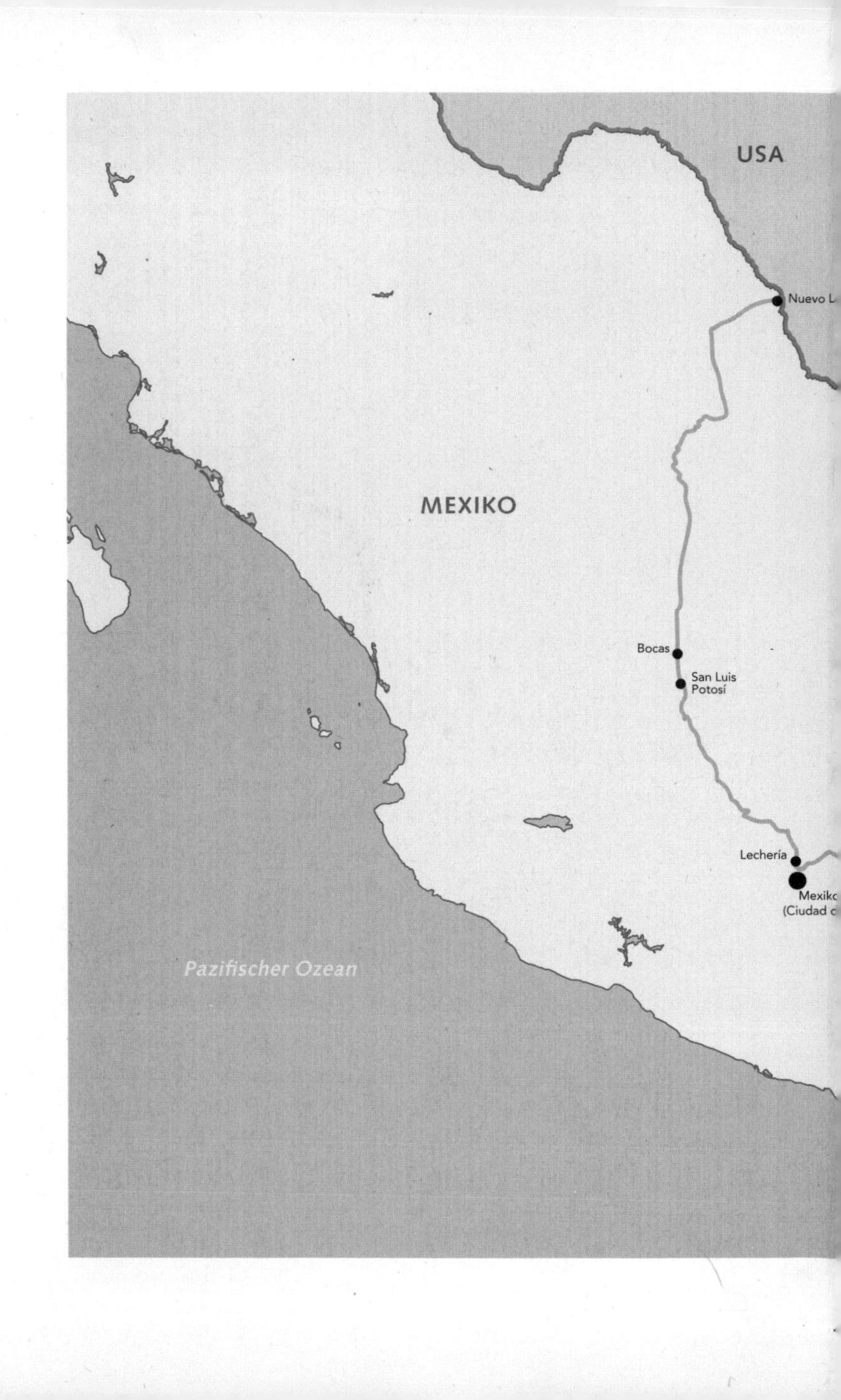
USA
Nuevo L
MEXIKO
Bocas
San Luis
Potosí
Lechería
Mexiko
(Ciudad d
Pazifischer Ozean

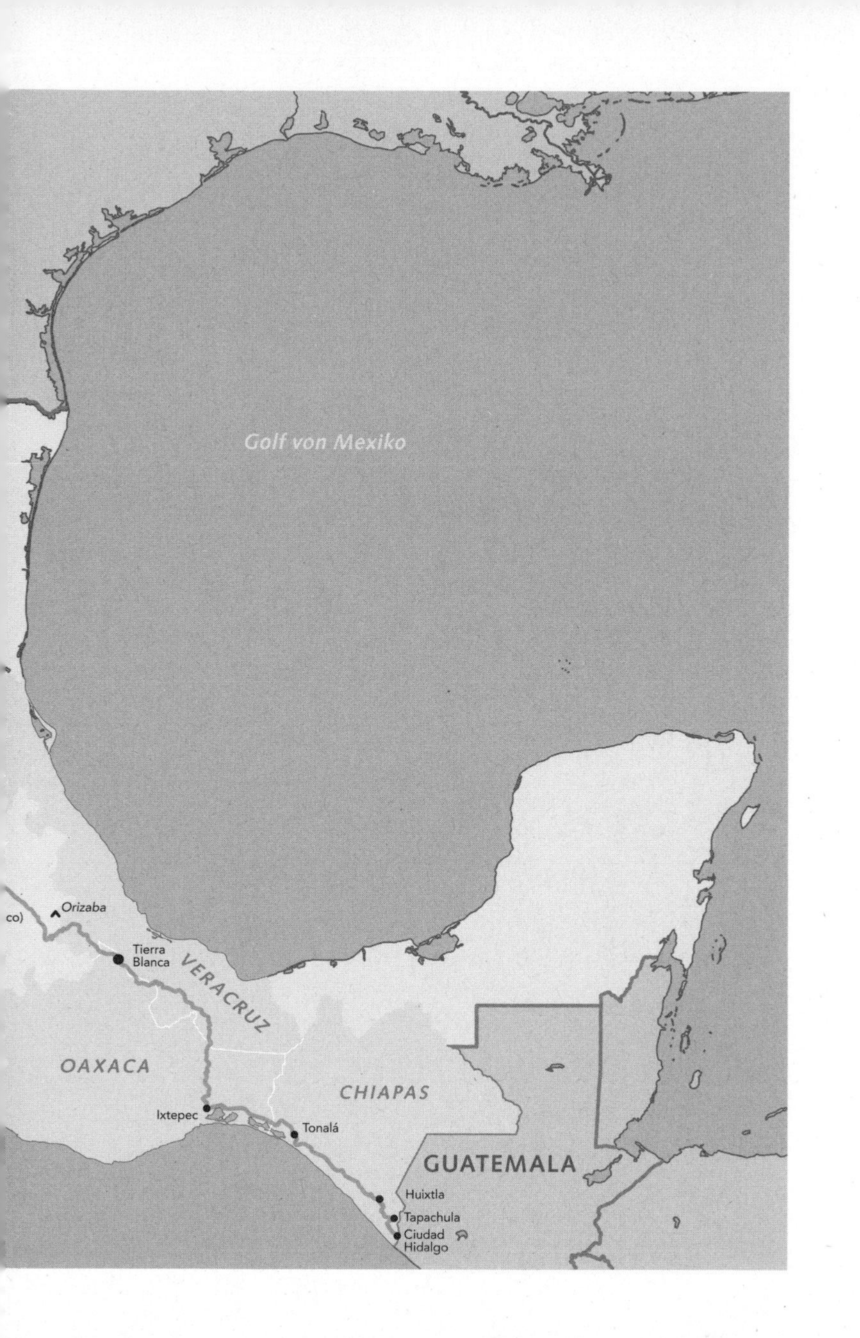

Golf von Mexiko
co)
Orizaba
Tierra
Blanca
VERACRUZ
OAXACA
CHIAPAS
Ixtepec
Tonalá
GUATEMALA
Huixtla
Tapachula
Ciudad
Hidalgo

Dirk Reinhardt, Jahrgang 1963, studierte Geschichte und Germanistik. Nach seiner Promotion war er bis 1994 als wissenschaftlicher Mitarbeiter am Historischen Seminar der Universität Münster tätig, anschließend arbeitete er als freier Journalist. 2009 erschien sein erstes Kinderbuch, dem bald weitere folgten.

Dirk Reinhardt

Für Felipe, Catarina, José und León
(wo immer sie jetzt sind)

Veröffentlicht im Carlsen Verlag
Mai 2017
Mit freundlicher Genehmigung des Gerstenberg Verlages

Umschlagbild: © Thinkstock!/iStock
Umschlaggestaltung: formlabor
Corporate Design Taschenbuch: bell étage
Satz: Dörlemann Satz, Lemförde
ISBN: 978-3-551-31614-1

»Wenn wir über den Fluss setzen«, sagt Fernando, »dann sind wir im Krieg. Vergesst das nicht!«

Er zeigt hinüber. Ich versuche, etwas zu erkennen am anderen Ufer, aber es gibt nichts zu sehen. Schon gar nichts Bedrohliches oder Gefährliches. Auch der Fluss selbst sieht ganz harmlos aus, wie er so träge vor sich hin fließt, im frühen Morgenlicht, mit den vielen schwer bepackten Flößen auf dem Wasser.

Krieg – das klingt nach Toten und Verwundeten, Bomben und Gewehren. Hat Fernando einen Witz gemacht? Er dreht sich um und sieht mir in die Augen. Nein, kein Witz. Dafür ist er zu ernst.

»Tu's nur, wenn du sicher bist, dass du es willst«, sagt er. »Wenn nicht, hau besser wieder ab. *Es la última oportunidad, hombre*. Ist die letzte Gelegenheit.«

Für einen Moment bin ich unsicher. Bisher war alles so weit weg: die Grenze und das Land dahinter und der lange Weg hindurch. Jetzt liegt es vor mir. Was mich wohl auf der anderen Seite der Grenze erwartet? Im Grunde habe ich nicht die geringste Ahnung, aber als ich aufgebrochen bin, habe ich mir geschworen, dass es kein Zurück geben darf. Nie wieder.

»Ich kann nicht anders«, höre ich mich sagen. »Ich muss es tun. Ich hab's viel zu lange vor mir hergeschoben.«

Fernando dreht sich von mir weg und sieht die anderen an. Sie sagen nichts. Sie nicken nur stumm.

Es ist erst wenige Stunden her, dass ich sie getroffen habe. Und nicht viel länger, seit ich von zu Hause aufgebrochen bin. Trotzdem kommt es mir vor wie eine halbe Ewigkeit. So weit entfernt ist es inzwischen: unser kleines Haus in Tajumulco, in den Bergen von Guatemala. Mein Zuhause. Vielleicht sehe ich es nie wieder.

Ich weiß nicht, wie oft ich es mir vorgenommen habe: abzuhauen und meine Mutter zu suchen. Unendlich oft. Vor sechs Jahren hat sie uns verlassen, meine Schwester Juana und mich, und ist nie zurückgekehrt. Ich war acht damals, Juana vier. Erst war ich zu jung, um zu gehen. Später hatte ich nicht den Mut. Bis zur vorletzten Nacht. Da ging es nicht mehr anders, nach all den Dingen, die passiert waren: Ich *musste* los.

Während wir daliegen und den Fluss beobachten, sind die Bilder aus jener Nacht wieder da. Ich sehe es vor mir: wie ich aufstehe, Juana wecke und ihr erzähle, was ich vorhabe. Sie will mich zurückhalten. Als sie merkt, dass es zwecklos ist, holt sie ihre Ersparnisse unter der Matratze hervor und hält sie mir hin. Erst will ich das Geld nicht haben, doch sie droht, unseren Onkel und die Tante aufzuwecken. Also nehme ich es. Aber ich schwöre mir, es zurückzugeben – irgendwann, wenn wir uns wiedersehen. Dann umarme ich sie und schleiche nach draußen.

Es ist kalt und sternenklar. Über der Stadt ist der weiße Kegel des Vulkans zu sehen. Ich laufe, um warm zu werden. Später, als es schon hell ist, nimmt mich ein Lastwagenfahrer mit. Wir fahren aus den Bergen hinab in die Ebene und am Mittag bin ich weiter von zu Hause entfernt als je zuvor. Am Nachmittag setzt der Fahrer mich ab. Ich laufe zu Fuß weiter, nach Tecún Umán. Davon haben sie mir in Tajumulco erzählt: von der Stadt am Fluss, in der sich alle treffen, die über die Grenze nach Mexiko wollen.

Auf der Straße frage ich einen Jungen nach dem Weg. Er sagt, ich soll zur Migrantenherberge gehen, das sei der einzig sichere Ort in der Stadt. Da könnte ich zum letzten Mal in einem Bett schlafen und ein Frühstück kriegen, bevor es hinübergeht. »*A la bestia*«, sagt er. Zu der Bestie.

In der Herberge übernachte ich in einem Schlafsaal. Alles ist so fremd, dass ich kaum ein Auge zutun kann. Zum Frühstück setze ich mich an einen leeren Tisch und da stoßen nach und nach die anderen dazu. Ich habe sie vorher nie gesehen, keinen von ihnen.

Wir finden heraus, dass wir alle das gleiche Ziel haben: durch Mexiko nach Norden bis in die USA. Als wir mit dem Frühstück fertig sind und jeder für sich losziehen will, schlägt Fernando vor, wir könnten die Sache ebenso gut zusammen angehen. Dann wären unsere Chancen besser, als wenn es jeder alleine versucht. Ich überlege kurz, dann bin ich einverstanden, die anderen auch. Und so hocken wir jetzt alle zusammen hier – am Río Suchiate, dem Grenzfluss, versteckt hinter einem Gebüsch, und überlegen, wie wir am besten hinüberkommen.

Ich weiß nicht viel über die anderen. Nur das Wenige, das sie beim Frühstück erzählt haben. Fernando ist der Älteste von uns, sechzehn oder so. Er stammt aus El Salvador und will zu seinem Vater nach Texas. Er ist der Einzige, der Mexiko kennt, weil er die Reise schon ein paarmal versucht hat. Was dabei schiefgelaufen ist und warum er es nie geschafft hat, habe ich mich nicht getraut zu fragen. Aber er weiß eine Menge über das Land. Jedenfalls mehr als ich und die anderen. Wir wissen so gut wie gar nichts.

Die anderen, das sind Emilio, Ángel und Jaz. Emilio ist aus Honduras, mehr hat er nicht von sich erzählt. Dass er Indio ist, sieht man ihm auch so an. Ángel stammt aus Guatemala, genau wie ich. Aber nicht aus den Bergen, sondern aus der Hauptstadt. Er ist erst elf oder zwölf und will sich zu seinem Bruder nach Los Angeles durchschlagen. Und Jaz, die heißt eigentlich Jazmina. Sie ist aus El Salvador, hat sich die Haare abgeschnitten und als Junge verkleidet. Damit sie auf der Fahrt nicht dumm angemacht wird, sagt sie.

Wir hocken nebeneinander und sehen durch das Gebüsch hinunter zum Fluss. Er ist ganz schön breit und hat eine ziemliche Strömung. Das Ufer auf unserer Seite ist schlammig, es stinkt bis zu uns herauf. Wahrscheinlich von den Abwässern, die eingeleitet werden. Auf der anderen Seite steigt Nebel hoch, er liegt wie ein Schleier über den Bäumen. Irgendwie sieht es geheimnisvoll aus. Als ich es betrachte, fällt mir der Junge wieder ein, dem ich in Tecún Umán begegnet bin.

»Hey, Fernando.« Ich stoße ihn mit dem Ellbogen an. »Was ist eigentlich mit der ›Bestie‹ gemeint?«

Fernando zögert. »Wieso fragst du?«

»Na, ich hab drüben in Tecún Umán einen Jungen getroffen, der mir von der Herberge erzählt hat. Er meinte, ich könnte mich da ein letztes Mal ausruhen, bevor es rübergeht. *A la bestia*, hat er gesagt. Was heißt das?«

Fernando starrt auf die andere Seite, dann spuckt er aus. »Chiapas. Das heißt es. Die Gegend im Süden von Mexiko, durch die wir zuerst müssen. Die Leute nennen es ›die Bestie‹ und sie haben verdammt recht damit. Es ist die Hölle. Jedenfalls für Typen wie uns.«

Er blickt finster vor sich hin. Eine Zeit lang ist es still, nur die Geräusche vom Fluss sind zu hören. Jaz hebt den Kopf und sieht mich an, dann zieht sie die Kappe, die sie trägt, noch ein Stück tiefer ins Gesicht. Ich habe das Gefühl, sie weiß auch nicht so recht, was sie von Fernando und seiner Art halten soll.

»Jeder, der nach Norden will, muss durch Chiapas«, sagt Fernando. »Und die einzige Möglichkeit dazu sind die Güterzüge. Also sammelt sich entlang der Bahnlinie das übelste Pack, das ihr euch vorstellen könnt. Sie haben es auf eure Kröten abgesehen – oder auf euch selbst. Außerdem sind die Gleise total hinüber. Ständig gibt's Unfälle, Leute kommen unter die Räder. Deshalb heißt der Zug auch *el tren de la muerte*, Todeszug.«

Er setzt sich auf, mit dem Rücken zum Gebüsch, und fährt sich durch die Haare. »Beim letzten Mal hab ich einen kennengelernt, der hat mir erzählt, von hundert Leuten, die den Fluss überqueren, packen es gerade mal zehn durch Chiapas, drei bis zur Grenze im Norden und einer schafft's rüber.« Er schüttelt den Kopf. »Eigentlich wollte ich das gar nicht erzählen, aber so ist es nun mal.«

Er wendet sich ab, irgendetwas Seltsames ist in seinen Augen. Ich weiß nicht, warum, aber ich werde einfach nicht schlau aus ihm. Will er uns nur auf die Probe stellen? Erzählt er gerne Horrorgeschichten? Oder ist es wirklich so, wie er sagt?

»Ich dachte, wir hätten bessere Chancen«, murmelt Jaz von der anderen Seite. »Weil wir zu fünft sind und nicht allein.«

»Ach, mach dir nichts vor«, sagt Fernando. »Allein oder nicht, am Ende ist doch jeder auf sich gestellt. Dann musst du deinen Arsch zusammenkneifen und sehen, wo du bleibst. Alles andere ist Träumerei.«

Er deutet auf den Fluss. »Jedenfalls müssen wir jetzt rüber, sonst ist der Zug weg. Also: Wer noch abhauen will, soll abhauen. Wer mitwill, soll mitkommen. Erzählt nur später nicht, ich hätte euch nicht gewarnt.«

Er kriecht durch das Gebüsch und lässt uns zurück. Keiner sagt etwas. Dann macht sich auch Emilio auf den Weg. Der scheint sich für Fernandos Geschichten nicht besonders zu interessieren. Er sieht aus, als würde ihn alles nichts angehen – oder als würde er sowieso immer mit dem Schlimmsten rechnen.

Jaz und Ángel rühren sich nicht. Ich habe das Gefühl, sie warten darauf, was ich tue. Also nehme ich meinen Mut zusammen und krieche ebenfalls los.

Auf der anderen Seite des Gebüschs wartet Fernando auf uns. Als er sieht, dass ihm alle folgen, nickt er kurz, dann zeigt er auf den Fluss. Die Flöße auf dem Wasser sind jetzt besser zu erkennen. Es gibt Dutzende davon. Die meisten bestehen nur aus ein paar Brettern, die auf Lkw-Reifen genagelt sind. Sie sind voll mit Leuten und Sachen, die sie von einem Ufer zum anderen schmuggeln. Manche sind so schwer beladen mit Kisten und Säcken, dass sie fast auseinanderbrechen.

»Wir nehmen den Dicken da«, sagt Fernando, nachdem er eine Weile mit schmalen Augen auf den Fluss gestarrt hat.

Er zeigt auf einen Flößer, der gerade vom anderen Ufer zurückkehrt und sein Floß mit einer langen Stange über das Wasser steuert. Es sieht komisch aus, wie er gegen die Strömung kämpft. Ich muss grinsen, als ich ihn sehe. Unter seinem T-Shirt quillt sein Bauch hervor, er erinnert mich an eine Qualle.

»Warum gerade den?«, fragt Ángel.

»Weiß nicht«, sagt Fernando. »Irgendwie gefällt mir der Kerl.

Schätze, wir können ihn auf hundert Pesos pro Nase runterhandeln. Gebt mir das Zeug schon mal. Muss ja nicht die ganze Welt sehen, wo ihr's habt.«

Mein Geld steckt im Schuh, zwischen der Sohle und der Einlage. Es ist alles, was ich besitze, dazu kommen noch – ganz vorn, wo es bestimmt keiner findet – die Ersparnisse von Juana. Ich nehme hundert Pesos heraus, lasse den Rest drin und ziehe den Schuh wieder an. Auch die anderen geben Fernando das Geld. Er nickt uns zu, dann rennen wir los.

Als wir den Fluss erreichen, macht der Mann gerade sein Floß am Ufer fest. Fernando geht zu ihm und fragt, ob er uns auf die andere Seite bringen kann. Der Mann arbeitet einfach weiter, er sieht uns nicht mal richtig an.

»Fünf sind einer zu viel«, knurrt er nur.

Fernando schüttelt den Kopf. »Alle oder keinen«, sagt er und zeigt auf Jaz und Ángel. »Und die Kleinen da zählen nur halb.«

Jaz verzieht beleidigt das Gesicht. Sie ist so alt wie Emilio und ich, nur ein bisschen kleiner. Aber mit Ángel will sie deswegen offenbar noch lange nicht verglichen werden.

»Außerdem haben wir kein Gepäck«, fügt Fernando hinzu.

Das stimmt: Wir haben kaum etwas dabei. Ich besitze nur einen kleinen Rucksack mit meiner Wasserflasche, meinem Handtuch, einem zweiten T-Shirt und ein bisschen Unterwäsche. Dann sind da noch die Briefe von meiner Mutter, ihre Adresse habe ich mir am Tag vor meinem Aufbruch unter die Fußsohlen tätowieren lassen. Auch die anderen haben nicht mehr bei sich.

Der Flößer richtet sich auf und sieht Fernando an. »*¡Madre* *de Dios!*«, seufzt er und verdreht die Augen. »Heilige Mutter Gottes! Na gut, von mir aus. Aber ich sag dir eins, Junge: Jeder zahlt den vollen Preis. Zweihundert Pesos, ob mit oder ohne Gepäck. Das ist mein letztes Wort.«

Fernando nickt – und bietet zwanzig. Ich traue meinen Ohren nicht. Zwanzig Pesos? Das kann doch nicht sein Ernst sein! Der Flößer sieht ihn an, als würde er ihn am liebsten im Fluss ersäufen, und presst einen Fluch zwischen den Lippen hindurch. Fernando tut, als hätte er nichts gehört. Er sieht den Mann nur aus großen, unschuldigen Augen an.

Für einen Moment ist es still. Dann folgt ein zweiter Fluch und gleich darauf fängt der Flößer an, mit Fernando zu handeln. Ich beobachte die beiden. Wie cool Fernando ist! Egal was der Flößer ihm an den Kopf wirft, es scheint ihn gar nicht zu interessieren. Es geht hin und her zwischen den beiden und am Ende einigen sie sich auf genau die hundert Pesos, die Fernando wollte. Er zieht das Geld hervor und drückt es dem Mann in die Hand.

Der Flößer faltet die Scheine zusammen und steckt sie in die Hosentasche. Dann bindet er sein Gefährt wieder los und winkt uns, wir sollen hinaufklettern. Das lassen wir uns nicht zweimal sagen. Wir steigen auf die Bretter, hocken uns hin und sehen zu, wie er die Stange in den Grund rammt und sich dagegenstemmt. Das Floß löst sich vom Ufer und treibt auf den Fluss. Fernando schiebt es an, bis das Wasser ihm an die Hüften reicht, dann schwingt er sich ebenfalls hoch und setzt sich zu uns.

»Alles klar so weit«, flüstert er so leise, dass der Flößer es nicht hören kann. »Hoffentlich gibt's keine böse Überraschung mehr!«

Die Strömung erfasst uns, das Floß fängt an, auf den Wellen zu schwanken. Ich sehe nach unten ins Wasser, die trübe braune Brühe macht mir Angst. Wie tief der Fluss wohl ist? Ich kann nicht schwimmen, vorsichtshalber kralle ich mich an einem der Bretter fest. Fernando, der neben mir sitzt, hat anscheinend keine Sorgen wegen des Floßes. Er mustert nur misstrauisch das andere Ufer, so als ob er der Ruhe dort nicht traut.

Es gibt ein paar Strudel im Wasser, aber der Flößer scheint sie zu kennen und umfährt sie. Nur einmal wird es ungemütlich, als seine Stange im Grund stecken bleibt. Er schwankt und verliert das Gleichgewicht, sofort fängt das Floß an, sich zu drehen. Bevor ich kapiere, was los ist, springt Fernando auf und hilft ihm. Irgendwie kriegen sie die Stange frei und das Floß wieder auf Kurs. Als Fernando zu uns zurückkehrt, habe ich den Eindruck, als läge ein schwaches Grinsen auf seinem Gesicht.

Nach ein paar Minuten haben wir die Mitte des Flusses hinter uns und treiben aufs mexikanische Ufer zu. Plötzlich taucht dort, wie aus dem Boden gewachsen, eine Grenzpatrouille auf. Rings um uns wird es unruhig. Mehrere Flöße stoppen, alles starrt auf die Polizisten, die sich am Ufer aufbauen. Für einen Moment ist es fast, als würde die Welt den Atem anhalten.

»Scheiße, ich hab's geahnt!«, ruft Fernando und springt auf. »Was jetzt?«

Der Flößer überlegt kurz, er wirkt erstaunlich gelassen. »Wenn wir anlegen, verhaften sie euch«, sagt er. »Am besten drehen wir um und fahren zurück. Euer Geld kann ich euch aber nicht wiedergeben. Wir sind schon über der Mitte.«

»*¿Estás loco?*«, fährt Fernando ihn an. »Spinnst du? Sehen wir aus, als hätten wir was zu verschenken?«

Der Mann hebt die Schultern. »So sind nun mal die Regeln«, sagt er. »Ich habe sie mir nicht ausgedacht.«

Fernando tritt auf ihn zu. »Deine Scheißregeln sind mir egal. Wir setzen über, kapiert? Lass dir gefälligst was einfallen!«

»Na ja«, der Flößer grinst, »jetzt, wo du es sagst: Es gibt vielleicht eine Möglichkeit. Zufällig kenne ich diese Polizisten.«

»Was soll das heißen, du kennst sie?«

»Das heißt, dass ich sie eben kenne. Ich bin jeden Tag hier. Da trifft man schon mal den einen oder anderen.«

»Na und? Was haben wir davon?«

»Kommt ganz auf euch an. Wenn wir ihnen zum Beispiel eine kleine Aufmerksamkeit zustecken, sind sie darüber möglicherweise so erfreut, dass sie euch – sagen wir – gar nicht bemerken.«

»Du meinst, wir sollen sie schmieren?«

Der Flößer antwortet nicht. Er dreht sich zur Seite und spuckt ins Wasser.

»Also schön«, sagt Fernando. »Angenommen, wir machen's so: Wie viel brauchst du?«

»Oh, nicht viel. Sagen wir – noch mal hundert Pesos für jeden.«

Fernando sieht ihm kalt ins Gesicht. »Jetzt wird mir die Sache klar. Du hast gewusst, dass die Typen auftauchen. Wahrscheinlich steckst du sogar mit ihnen unter einer Decke.«

Der Flößer verzieht beleidigt das Gesicht. »Ich stecke mit gar keinem unter einer Decke. Ich will nur leben. Und meine Frau und meine Kinder wollen auch leben. Wenn du das nicht kapierst, kann ich dir nicht helfen.«

Für einen Augenblick habe ich das Gefühl, Fernando würde sich am liebsten auf ihn stürzen. Aber dann beherrscht er sich, wendet sich von ihm ab und kommt zu uns.

»So ein Scheißkerl!«, zischt Jaz. »Ich könnte ihn umbringen.«

»Ja, aber nicht gerade jetzt«, sagt Fernando. »Passt auf: Wenn wir am Ufer sind, zählt jede Sekunde. Wir müssen sofort abhauen – bevor sie merken, was los ist.«

Mir ist völlig schleierhaft, wovon er redet. »Was hast du vor? Du willst ihm das Geld doch nicht etwa geben? Dann sind wir bald pleite!«

Fernando legt mir die Hand auf die Schulter. »Tut einfach, was ich sage«, flüstert er. Dann geht er zu dem Flößer und knallt ihm ein paar Scheine in die Hand.

»Oh! Danke, mein Freund«, sagt der Mann und grinst. »Meine Kinder werden für dich beten.«

»Lass deine Kinder aus dem Spiel«, sagt Fernando. »Und jetzt hör auf zu labern und bring uns ans Ufer.«

Der Flößer tut, was er sagt. Als wir uns dem Ufer nähern, winkt er den Polizisten zu. Sie nicken gnädig. Die meisten anderen Flöße sind schon auf dem Rückweg. Ein paar treiben noch in der Mitte des Flusses, nur unseres und zwei andere setzen ihren Weg fort.

Mir schlägt das Herz bis zum Hals. Der Flößer hält direkt auf die Polizisten zu. Ich versuche, sie nicht anzusehen. Jetzt sind wir da. Wir warten gar nicht erst ab, bis der Mann das Floß festmacht, sondern springen sofort in das flache, schlammige Wasser und rennen los. Ohne dass uns jemand aufhält, erreichen wir die Büsche oberhalb des Ufers.

Dort bleibe ich einen Moment stehen und drehe mich um. Unten am Wasser kann ich den Flößer erkennen, er steht bei den Polizisten und bietet ihnen eine Zigarette an. Sie unterhalten sich lachend und zeigen in unsere Richtung.

»Los, weiter!«, zischt Fernando. Wir laufen durch die Büsche und weg vom Fluss, so schnell wir können. Irgendwann tauchen Häuser auf. Das muss Ciudad Hidalgo sein, die mexikanische Grenzstadt, die Tecún Umán gegenüberliegt. Erst jetzt wird Fernando langsamer. Er wirft noch einen Blick über die Schulter, dann fängt er mit einem Mal an zu lachen.

»Was hast du?«, sage ich zu ihm, noch ganz außer Atem. »Was ist so komisch?«

Fernando zieht ein Bündel Geldscheine aus der Tasche und zeigt es herum. »Inzwischen hat er bestimmt gemerkt, dass es weg ist. Aber jetzt kriegt er uns nicht mehr.«

»Du meinst – der Kerl auf dem Floß? Hast du ihn etwa ...«

Fernando antwortet nicht.

»Ich hab's gesehen«, ruft Ángel von hinten mit seiner hellen Stimme. »Du hast ihm in die Hosentasche gepackt. Als du ihm geholfen hast, das Floß wieder auf Kurs zu bringen. Es ging sooo schnell!« Er macht eine blitzartige Handbewegung.

Fernando grinst. »Hab von Anfang an gewusst, dass du ein kluges Bürschchen bist.«

Jaz bleibt stehen. »He, Moment«, sagt sie. »Heißt das, du hast den Typen von dem Geld bezahlt, das du ihm vorher geklaut hast?«

»Na logisch«, erwidert Fernando. »Glaubst du, ich geb ihm mein eigenes?«

Jaz schüttelt entgeistert den Kopf. Anscheinend ist sie genauso verblüfft wie ich.

»Wie viel ist es denn?«, fragt sie.

»Hab auf die Schnelle nicht alles erwischt«, sagt Fernando.

»Vielleicht tausend, vielleicht mehr. Jedenfalls können wir die Kohle verdammt gut brauchen.«

Er will weitergehen, aber wir anderen zögern. Da dreht er sich um und mustert uns spöttisch. »Ihr habt doch nicht etwa ein schlechtes Gewissen wegen der Sache?«

Als keiner antwortet, geht er zu Jaz und hält ihr das Geld hin. »Hier, nimm's. Bring's ihm zurück, wenn du willst.«

Jaz reagiert nicht. Fernando wendet sich zu mir und versucht das Gleiche. Ich weiche einen Schritt zurück, irgendwie bin ich total verwirrt. Ist das, was er gemacht hat, wirklich richtig? Ich weiß es nicht. Nur eins steht fest: Ich bin heilfroh, dass Fernando bei uns ist. Und was er gesagt hat, stimmt: Wir werden das Geld noch bitter nötig haben. Also schüttele ich nur den Kopf.

Fernando nickt. »Was hab ich euch vorhin gesagt? Über Chiapas und so?«

»Na, dass es die Hölle ist.«

»Genau.«

»Dass von hundert Leuten nur zehn durchkommen.«

»So ist es.«

»Dass einem kein Mensch hilft.«

»Verdammt richtig. Hier wollen euch alle nur ans Leder. Und glaubt bloß nicht, dagegen könnt ihr was tun, indem ihr lieb und nett seid. Wenn euch einer übers Ohr hauen will, ist es das Beste, ihr zahlt's mit gleicher Münze heim.«

Er lässt die Scheine durch die Finger gleiten. »Alles von armen Schweinen ergaunert, und zwar immer mit der gleichen Masche. Wenn der Typ mit seinem Floß fast auf der mexikanischen Seite ist, tauchen die Grenzer auf. Er macht den Leuten Angst und presst ihnen noch mehr Kohle ab. Wahrscheinlich kriegen die Grenzer die eine Hälfte und er die andere. Also: Wenn man's genau nimmt, hat er das Zeug geklaut. Und deswegen können wir's ihm auch wieder wegnehmen, ohne dass wir uns deswegen vor lauter schlechtem Gewissen gleich in die Hose machen müssen.

Er sieht uns an, dann schüttelt er den Kopf und seufzt. »Ihr habt echt noch ganz schön was zu lernen. Aber los jetzt, wir sind in Mexiko. Der Zug wartet nicht auf uns!«

Seit über einer Stunde liegen wir am Güterbahnhof von Ciudad Hidalgo, versteckt hinter ein paar verrosteten Waggons auf einem Abstellgleis, und beobachten, was auf den Schienen los ist. Kurz nachdem wir eingetroffen sind, ist auch der Flößer mit den Polizisten aufgetaucht, um den Bahnhof nach uns abzusuchen. Wir sind unter einen der Waggons gekrochen, tief zwischen die Räder. Zum Glück haben sie uns nicht entdeckt und sind nach einer Weile wieder abgezogen. Aber dafür sind jetzt Wachposten aufmarschiert, überall entlang der Gleise.

»Empfangskommando angetreten«, sagt Fernando und zeigt auf sie.

Von da, wo ich liege, kann ich die Gleise zwischen den Rädern des alten Waggons hindurch gut erkennen. Bahnarbeiter stellen einen Güterzug zusammen, ein Wagen nach dem anderen wird angekoppelt. Auf beiden Seiten stehen jetzt die Wachposten, in langen Reihen von der Spitze des Zugs bis zum Ende. Als ich sie sehe mit ihren Schlagstöcken, habe ich plötzlich ein mulmiges Gefühl.

»Worauf warten die?«, frage ich Fernando.

»Na, auf uns«, sagt er.

Alle sehen ihn an, er lacht. »Natürlich nicht nur auf uns. Auch auf die anderen. Ihr könnt sie nicht sehen, aber ich wette, dass jetzt rund um den Bahnhof ein paar Hundert Leute auf der Lauer liegen. Von hier geht nämlich nur ein einziger Zug am Tag. Wer den verpasst, sitzt in dem Drecksloch fest.«

Ich drehe mich um und suche den Rand des Bahnhofs ab. Zuerst kann ich nichts erkennen, doch dann fällt mir zwischen dem Gerümpel, das dort liegt, eine schnelle, heimliche Bewegung auf. Ich sehe genauer hin. Ein paar Männer hocken da und starren auf die Gleise. Plötzlich verlassen sie ihr Versteck und schleichen auf den Zug zu. Aber schon haben die Wachposten sie entdeckt, einer brüllt, sie sollen stehen bleiben. Die Männer rennen in alle Richtungen davon, einige der Wächter folgen ihnen. Was weiter passiert, kann ich nicht mehr sehen.

Fernando schüttelt den Kopf. »*Idiotas*«, murmelt er. »Viel zu früh, um auf den Zug zu steigen.«

»Wann ist denn die richtige Zeit?«, fragt Ángel.

Fernando deutet die Schienen entlang. »Auf der Strecke nach Tapachula gibt's nur ein einziges Gleis. Sie müssen auf den Gegenzug warten, vorher können sie nicht los. Der Moment, wenn der eintrifft, ist richtig. Dann herrscht nämlich Chaos.«

»Und weißt du, wann das ist?«

»Nein. Macht aber nichts, du kannst es an den Wachposten sehen. Kurz bevor er da ist, werden sie nervös. Scheint also noch zu dauern.«

Einige Zeit später ist das Zusammenkoppeln der Wagen beendet, der Zug steht abfahrbereit da. Er ist viele Hundert Meter lang, mit Dutzenden von Waggons. Manche sind Tankwagen mit Benzin oder Gas, andere Container, bei denen man nicht weiß, was sie geladen haben, wieder andere sind offen, mit Sand, Zement oder Steinen darauf.

Fernando zeigt auf einen der offenen Wagen. »Der da«, sagt er. »Der ist wie für uns gemacht. Zu dem müssen wir.«

Mir ist nicht ganz klar, wie er darauf kommt. Für mich sieht der Wagen aus wie alle anderen. Er hat Holz geladen, Stapel von

Brettern, Latten und Balken, und befindet sich ziemlich genau in der Mitte des Zuges – ausgerechnet da, wo besonders viele Wachposten sind.

»Gegen die Typen haben wir keine Chance«, sagt Jaz. »Den Wagen kannst du dir abschminken.«

»Ich schmink mir gar nichts ab«, sagt Fernando. »Bin schließlich keine verdammte Schwuchtel. Los, kommt!«

Er steht auf und schleicht geduckt zur Seite davon. Wir anderen folgen ihm, obwohl wir keine Ahnung haben, was er vorhat. Immer in Deckung hinter den alten Waggons, geht es die Gleise entlang. Erst als wir ungefähr dort sind, wo der Zug aufhört und auch die Reihe der Wachposten zu Ende ist, bleibt Fernando hinter einem Zementhaufen stehen.

»Passt auf«, sagt er. »Wir warten, bis die Typen durch irgendwas weiter vorne abgelenkt sind. Dann mogeln wir uns an ihnen vorbei. Wir klettern aber nicht auf den Zug, da würden sie uns entdecken, wenn sie sich wieder umdrehen. Nein, wir kriechen drunter und dann geht's unter den Wagen nach vorn. Alles klar?«

»Aber wenn der Zug losfährt und wir sind noch drunter«, sagt Ángel und ich kann die Angst in seiner Stimme hören. »Dann werden wir zerquetscht!«

Fernando beugt sich zu ihm. »Vertraust du mir?«

Ángel zögert. »Ja, schon.«

»Na also. Ich sag dir, keiner wird zerquetscht. Ich geh als Erster und du bleibst direkt hinter mir. Ich pass auf dich auf, okay?«

Ángel nickt. Fernando dreht sich zu uns anderen um.

»Wir kriechen bis zu dem Wagen, den ich euch gezeigt hab«, sagt er. »Da warten wir, bis der Gegenzug kommt, dann ist hier der Teufel los. Wenn alle Wachposten beschäftigt sind, klettern wir rauf und verstecken uns zwischen dem Holz. Das ist alles.«

Er sagt es, als wäre es die einfachste Sache der Welt. Aber das ist es nicht, es ist verdammt gefährlich. Mir graust bei dem Gedanken, mitten zwischen den Wachposten unter dem Zug entlangzukriechen. Jaz und Emilio sehen auch nicht gerade glücklich aus. Doch dann muss ich daran denken, dass Fernando schon am Fluss gewusst hat, was das Richtige für uns ist. Außerdem bleibt uns gar nichts anderes übrig, als ihm zu folgen. Wir müssen auf diesen Zug – wir *müssen*! Nur er kann uns nach Norden bringen.

Wir hocken uns hin und warten. Immer öfter versuchen Leute, an den Zug heranzukommen, aber jedes Mal fangen die Wachposten sie ab und treiben sie zurück. Einige haben jetzt ihre Schlagstöcke in den Händen.

Dann schaffen es ein paar Männer, durchzubrechen und einen der Wagen zu entern. Sofort steigen die Wachposten ihnen nach, packen sie und zerren sie zurück auf die Schienen. Die Männer brüllen, es gibt ein wüstes Getümmel. Auch die Wächter bei uns am Ende des Zuges wenden sich nach vorn.

»Jetzt!«, zischt Fernando und rennt los.

Wir laufen, so schnell wir können, im Rücken der Wachposten über die Gleise. Zum Glück schluckt der Tumult weiter vorn jedes Geräusch, das wir machen. Völlig außer Atem erreichen wir den letzten Wagen und verschwinden darunter. Geschafft! Keiner hat uns bemerkt! Auf Ellbogen und Knien schlängeln wir uns nach vorn. Fernando übernimmt die Führung, dahinter folgen Ángel und Jaz, dann ich, am Schluss Emilio.

Es ist heiß unter dem Zug, ich kriege kaum Luft. Überall liegen Steine zwischen den Schienen, die sich tief in die Haut bohren. Manchmal tut es so weh, dass ich aufpassen muss, nicht laut aufzustöhnen. Außerdem ist es so eng, dass wir kaum vorwärtskommen. Und auf beiden Seiten stehen die Wachposten, ich kann fast ihre Stiefel berühren, wenn ich den Arm ausstrecke.

Irgendwann stoppt Fernando. Anscheinend haben wir den Wagen mit den Holzstapeln erreicht. Ich weiß nicht, wie er ihn erkannt hat, für mich sieht von unten alles gleich aus. Ich bin so kaputt, als wäre ich stundenlang gerannt, lege nur den Kopf auf den Boden und schließe die Augen. Es stinkt nach Benzin und verbranntem Gummi. Ich bin von oben bis unten mit Öl und Ruß beschmiert, meine Knie und Ellbogen bluten.

Nachdem ich ein paar Minuten so gelegen habe, beginnen die Schienen plötzlich zu vibrieren. Ich schrecke hoch, weil ich fürchte, der Zug könnte losfahren. Aber dann ertönt ein lautes Pfeifen: Der Gegenzug läuft in den Bahnhof ein. Er bremst mit schrillem Kreischen und gleich darauf bricht auf allen Seiten ein ohrenbetäubender Lärm los. Erst kapiere ich nicht, was los ist, dann wird es mir klar: Die Schlacht zwischen den Wachposten und den blinden Passagieren hat angefangen.

Fernando brüllt irgendwas. Das ist unser Startsignal, wir kriechen ins Freie. Ich versuche, nicht darauf zu achten, was rings um uns geschieht, sondern drehe mich sofort um und klettere an dem Wagen hoch. Oben angekommen, verschwinde ich in der erstbesten Lücke zwischen den Holzstapeln, die ich finden kann.

Es ist nicht mehr als ein kleiner Spalt zwischen den Brettern und der Außenwand des Wagens. Zum Glück bin ich dünn genug, um durchzupassen. Unten ducke ich mich auf den Boden. An einer Stelle hat der Rost ein Loch in die Wand gefressen, ungefähr da, wo ich sitze. Ich beuge mich vor: Aus allen Richtungen rennen Leute über die Gleise. Viele sind erwachsene Männer, viele auch erst so alt wie ich. Die Wachposten können sie nicht mehr aufhalten. Erst drängen sie noch einige von ihnen zurück, dann werden sie regelrecht überrannt.

Plötzlich gibt es einen Ruck, der Zug fährt an. Die Holzstapel schwanken und knirschen und drücken mich in meiner Ecke zusammen. Ich schreie auf, weil ich Angst habe, sie könnten über mir einstürzen, aber zum Glück lässt der Druck wieder nach. Der Zug nimmt Fahrt auf, als wolle er dem Tumult entfliehen.

Ich sehe erneut nach draußen, kann gar nicht fassen, was da passiert. Überall die verzerrten Gesichter der Leute, die hinter dem Zug herlaufen. Ich höre die dumpfen Geräusche, wenn sie gegen die Waggons springen, sich festkrallen und nach einem Halt suchen. Und ich höre die verzweifelten Schreie, wenn sie abrutschen und fallen – so gefährlich nah an den stampfenden Rädern, die alles zermalmen, was daruntergerät.

Der Zug wird nochmals schneller, dann liegt der Bahnhof hinter uns, Häuser und Straßen ziehen draußen vorbei. Mit einem Mal ist es fast still. Aber die Schreie vom Bahnhof gellen mir noch in den Ohren.

Ich lasse mich zurücksinken und lege die Arme um die Knie. Worauf habe ich mich nur eingelassen? Erst seit ein paar Stunden bin ich jetzt in Mexiko und fühle mich doch schon ganz elend und habe Sachen gesehen, die einen richtig fertigmachen können. Aber eigentlich habe ich keinen Grund, mich zu beklagen. Ich habe es selbst so gewollt, keiner hat mich gezwungen hierherzukommen. Ich bin freiwillig hier, auf dem Zug, der nach Norden geht.

Ich lehne den Kopf gegen die Holzstapel und schließe die Augen. Es gibt kein Zurück mehr: Die Fahrt hat begonnen.

Eine ganze Zeit lang bleibe ich in meinem Versteck, ohne mich zu rühren, immer in Angst, es könnte mich noch jemand entdecken. Dann muss ich an die anderen denken. Ob es alle geschafft haben? Nach einer Weile halte ich es nicht mehr aus und steige nach oben.

Als ich den Kopf ins Freie strecke, sehe ich Fernando: Er sitzt seelenruhig auf den Brettern und schnippt einen Holzspan von seinem Hemd. Ein paar Meter weiter taucht gerade Emilio auf und es dauert nicht lange, da erscheinen auch Jaz und Ángel aus irgendwelchen Ecken und klettern nach oben.

»*¿Todo bien?*«, fragt Fernando, als er uns sieht. »Alles klar?«

»Nein«, sagt Ángel und fährt sich mit der Hand durch die Haare. »Da unten sind jede Menge Spinnen. Ich wollte sie verjagen, aber sie haben sich überhaupt nicht stören lassen.«

Fernando lacht. »Wenn du keine anderen Sorgen hast, kann's dir ja so schlecht nicht gehen«, sagt er. »Immerhin bist du nicht zerquetscht worden, oder? Also hat der Plan funktioniert!«

Ich stehe auf und suche vorsichtig einen festen Halt auf den Brettern. Der Fluss, der Bahnhof und die Stadt sind in der Ferne verschwunden. Von allen Seiten wuchert ein grünes Pflanzenmeer an die Gleise heran, die Schienen ziehen sich hindurch wie ein Pfad, über den der Zug nun schnauft und stampft. Und alle Wagen, so weit ich sie überblicken kann, sind voll mit Leuten. Sie hängen an den Leitern und Trittbrettern und hocken auf den Dächern. Es sind Dutzende, vielleicht sogar hundert oder noch mehr, die es geschafft haben.

Der Zug fährt in eine Kurve. Es kracht und scheppert, die

Räder quietschen. Unser Wagen schlingert so stark, dass ich das Gleichgewicht verliere. Schnell setze ich mich wieder.

»Das ist ja der reinste Wahnsinn! Wie viele sind denn hier auf den Zügen unterwegs?«

»Ach, Tausende«, sagt Fernando. »Hat nie einer gezählt. Kann auch keiner zählen.«

»Und die wollen alle nach Norden – so wie wir? In die USA?«

»Klar, wohin sonst?« Fernando lehnt sich auf die Ellbogen zurück. »Auf Urlaubsreise sind sie bestimmt nicht. Suchen alle ihr großes Glück da oben.«

»Ich hätte nicht gedacht, dass so viele in unserem Alter dabei sind«, sagt Jaz leise. Sie wirkt niedergeschlagen, anscheinend haben die Szenen am Bahnhof sie ganz schön mitgenommen.

»Ach, das werden immer mehr«, erwidert Fernando. »Erst ziehen die Alten los, weil sie von dem Elend die Schnauze voll haben und da oben in einem Jahr so viel verdienen können wie hier unten im ganzen Leben. Aber dann geht's doch nicht so glatt, wie sie denken. Die meisten werden übers Ohr gehauen. Aus dem einen Jahr werden zwei, dann drei und dann kommen sie gar nicht mehr zurück. Also machen sich die *niños perdidos* auf den Weg, man nennt sie nicht umsonst verlorene Kinder. Und schon rollt die nächste Welle an.«

Als ich ihn so reden höre, muss ich an meine Mutter denken. Bei ihr war es genauso. Ein Jahr nur, Miguel, hat sie gesagt. Nur ein Jahr, Juana. Dann bin ich wieder bei euch – vielleicht schon früher, wenn alles gut geht. Aber das war eine gottverdammte Lüge. Sie ist nie zurückgekehrt, nicht nach einem Jahr, nicht nach zweien und nicht nach dreien. In jedem Brief hat sie es versprochen und nie hat sie es gehalten – was am Ende schlimmer war, als wenn wir nie wieder was von ihr gehört hätten.

Ich blicke den Bäumen nach, die hinter dem Zug zurückbleiben. Erst jetzt fällt mir auf, dass unter den Leuten, die ich am Bahnhof und auf den Wagen gesehen habe, kaum Frauen oder Mädchen sind. Wie meine Mutter wohl durch Mexiko gekommen ist? Sie hat nie ein Wort darüber verloren.

»Was ist mit den Frauen?«, frage ich Fernando. »Welchen Weg nehmen die?«

»Ach, auf den Zügen sind selten welche. Zu gefährlich. Hab gehört, die meisten lassen sich von Schleppern durch Mexiko lotsen, im Lastwagen oder so, zwischen der Ladung versteckt – falls sie das nötige Kleingeld haben oder sonstwie bezahlen können.«

»Wieso lassen sie uns denn nicht einfach gehen, wohin wir wollen?«, unterbricht Ángel ihn mit seiner hellen Stimme. »Wir tun doch keinem was.«

Fernando lacht verächtlich. »Glaubst du, danach fragt hier einer? Sie wollen uns eben nicht! Denken, wir nehmen ihre Jobs weg oder brechen in ihre Häuser ein oder stecken sie mit irgendwelchen Krankheiten an.« Er macht eine wegwerfende Handbewegung. »Ist doch egal, wir werden's nicht ändern.«

Jaz seufzt. »Das heißt: Wir werden überall gejagt, ganz gleich wohin wir gehen? Wir sind nirgendwo sicher?«

»Sicher!«, wiederholt Fernando und schnaubt. »Das Wort kannst du aus deinem Gedächtnis streichen. Hier gibt's keine Sicherheit. Nicht mal, wenn du zum Kacken in einem Busch hockst. Oder wenn du …«, er starrt plötzlich nach vorn, »nur in Ruhe Zug fahren willst. Passt auf die verdammten Äste auf!«

Wir schrecken hoch. Direkt vor uns streckt ein Baum seine Äste so tief über den Zug, dass sie fast über die Dächer schleifen. Fernando wirft sich der Länge nach hin und schützt sein

Gesicht mit den Händen, wir anderen machen es ihm nach. Es ist höchste Zeit: Schon spüre ich den Luftzug, einer der Äste streift meinen Kopf, Blätter schlagen mir gegen die Hände. Alles geht blitzschnell. Dann ist der Spuk vorbei, genauso rasch, wie er gekommen ist.

»Scheißbäume«, flucht Fernando, als wir uns wieder aufgerappelt haben. »Hab mal gesehen, wie ein Ast gleich zwei Leute auf einmal erwischt hat. Der hat sie richtig vom Zug gefegt – direkt vor mir. War kein schöner Anblick, könnt ihr mir glauben.«

Jaz fährt sich mit der Hand übers Gesicht. Sie hat einen blutenden Striemen auf der Wange, anscheinend hat es sie heftiger erwischt als mich. »Gibt es eigentlich irgendwas, das uns hier *nicht* passieren kann?«, fragt sie wütend.

»Wenn mir was einfällt, erzähl ich's dir«, sagt Fernando. »Aber das mit den Ästen geht schon, wir müssen nur die Augen aufhalten. Schlimmer sind die *cuicos*. Die Bullen. Die haben inzwischen bestimmt gehört, was am Bahnhof los war und dass der Zug voll mit Leuten ist. Also werden sie irgendwo zwischen hier und Tapachula auf der Lauer liegen und uns stoppen.«

»Was, auf offener Strecke?«, fragt Emilio ungläubig.

»Natürlich auf offener Strecke«, fährt Fernando ihn an. »Was denkst du? Dass sie uns in ein feines Hotel umleiten?«

Emilio zieht den Kopf ein. Für einen Moment bin ich genauso erschrocken wie er. Dass Fernando schnell aus der Haut fährt, habe ich schon gemerkt, aber Emilio hat er gerade richtig angeschrien. Ich muss an das Frühstück in der Herberge denken. Als Emilio sich zu uns gesetzt hat, lag plötzlich ein seltsamer Ausdruck auf Fernandos Gesicht. Etwas Düsteres. Damals habe ich nicht weiter darüber nachgedacht, jetzt fällt es mir wieder ein.

»Das kann er doch nicht wissen, Fernando«, sagt Jaz beschwichtigend. »Für uns ist alles neu.«

»Ja, was passiert eigentlich, wenn die Polizisten uns erwischen?«, fragt Ángel. »Werfen sie uns dann ins Gefängnis?«

Fernando wendet sich von Emilio ab, sein Blick wird wieder freundlicher. »Kann man bei Typen wie denen nie sagen. Vielleicht bringen sie uns nur zurück zur Grenze, vielleicht haben sie auch Übleres im Sinn. Jedenfalls sollten wir höllisch aufpassen, dass wir ihnen nicht in die Hände fallen.«

»Und wie kriegen wir das hin?«, frage ich ihn. »Weißt du, an welcher Stelle sie warten?«

»Na ja, in der Zeitung werden sie's nicht gerade ankündigen«, sagt Fernando. »Wir müssen abwarten. Und wenn es so weit ist, gibt's zwei Möglichkeiten: Entweder wir sind verdammt schnell – oder wir haben ein gutes Versteck.« Er schlägt mit der flachen Hand auf die Bretter. »Deshalb hab ich den Wagen hier ausgesucht. Holz ist einfach das Beste. Die *cuicos* sind zu fein, um sich die Hände schmutzig zu machen und da unten nach uns zu suchen. Wir dürfen uns nur nicht verraten.«

Der Zug fährt so langsam, dass ich mit äußerster Anstrengung gerade ein kleines Stück nebenherlaufen könnte. Mehr halten die alten Gleise und die verfaulten Schwellen anscheinend nicht aus. Unser Wagen rumpelt und schlägt von einer Seite zur anderen, als wollte er am liebsten aus den Schienen springen und sich in die Büsche schlagen.

Wir sitzen schweigend nebeneinander, beobachten die Gegend und versuchen, etwas zu erkennen in dem Blättermeer, durch das wir fahren. Aber viel zu entdecken gibt es nicht. Ab und zu huscht ein Dorf vorbei, ein paar halb verfallene Hütten zwischen schief stehenden Strommasten. Manchmal überqueren wir einen Fluss, der sich breit und schlammig zur Küste wälzt. Dahinter schließen sich dann die grünen Wände wieder und alles, was wir noch sehen können, sind die Wagen direkt vor uns und die Leute, die darauf hocken.

Es ist heiß und schwül geworden, meine Sachen kleben mir auf der Haut. Ich kann den Fahrtwind spüren, es tut gut, sich ihn ins Gesicht wehen zu lassen. Nicht nur, weil es dadurch ein wenig kühler wird. Auch weil er so etwas wie der lebendige Beweis dafür ist, dass es vorwärtsgeht. Dass ich meinem Ziel näher komme. Dass die Zeit des Wartens und Zweifelns endlich vorbei ist.

Aber vor mir liegt nicht nur die Hoffnung. Da ist auch die Angst. Seit ich aufgebrochen bin, ist mir klar geworden, dass das zwei Dinge sind, die zusammengehören. Die Hoffnung aufs Ankommen, aufs Wiedersehen, auf ein besseres Leben, irgendwo da oben im Norden – und die Angst davor, was bis dahin passieren kann. So sind auch die Blicke der Leute auf dem Zug: In dem einen Auge ist Hoffnung, in dem anderen Angst.

Ein Ruck lässt mich hochschrecken. Der Zug bremst. Vor uns stehen die Bäume nicht mehr ganz so nah an den Schienen, die Strecke wird freier. Viel erkennen kann ich trotzdem nicht, die Lokomotive verschwindet gerade in einer Biegung. Ich sehe nur, dass die Leute auf den Wagen weiter vorne auf einmal aufspringen und durcheinanderrennen.

Fernando schlägt wütend mit der Hand auf die Bretter. »*¡Puta madre!*«, flucht er. »Verdammte Scheiße! Sie warten extra in der Kurve, die Schweine. Los, runter! Und keinen Mucks!«

Im nächsten Augenblick verschwindet er in seinem Versteck. Ich springe ebenfalls auf und klettere in den Spalt, den ich schon am Bahnhof entdeckt habe. Unten angekommen, mache ich mich so klein wie möglich. Zuerst hoffe ich noch, Fernando könnte sich irren und wir werden doch nicht angehalten. Aber dann wird mir klar, dass es nur ein frommer Wunsch ist. Der Zug bremst erneut, ein lautes Zischen ertönt, dann steht er still.

Mit einem Auge blinzele ich durch das Loch in der Wand nach draußen. Der Zug hält mitten in der Kurve, ich kann ein ziemlich langes Stück überblicken. Entlang der Gleise warten die Polizisten, während weiter hinten, auf der Straße, ihre Streifenwagen parken. Sie tragen schwarze Uniformen, stehen dick und breitbeinig da, die klobigen Waffen an ihren Gürteln wirken wie stumme Drohungen.

Ein paar Männer von den vorderen Wagen laufen über den Zug, ich kann sie hören und ihre Schatten auf dem Boden sehen. Sie springen von einem Wagen zum nächsten, anscheinend in der Hoffnung, sie könnten irgendwo entkommen. Die Polizisten bewerfen sie mit Steinen. Einer verliert das Gleichgewicht, schreit auf und stürzt in den Schotter neben den Gleisen.

Andere springen von alleine ab und versuchen zu fliehen. Die Polizisten schreien, sie sollen stehen bleiben, aber sie hören nicht darauf und rennen weiter. Einer wird abgefangen, ganz in meiner Nähe, und zum Zug zurückgeschleppt. Er wehrt sich, will sich losreißen und tritt um sich. Da ziehen die Polizisten ihre Stöcke und prügeln auf ihn ein.

Es passiert direkt vor meinem Versteck. Ich kann die Schläge hören, das dumpfe Knallen, es ist ein furchtbares Geräusch. Fast als würde ich selbst getroffen, es geht mir durch Mark und Bein. Am liebsten würde ich die Augen schließen und wegsehen, aber ich kann den Blick nicht abwenden. Das Opfer ist ein Junge, vielleicht so alt wie Fernando. Er bricht zusammen und rührt sich nicht mehr. Die Polizisten reißen ihn hoch und tragen ihn davon.

Plötzlich fallen Schüsse. Eine Gruppe von Männern rennt über ein Feld. Mehr kann ich nicht erkennen, auch nicht, wer die Schüsse abgegeben hat, ob es nur Warnschüsse waren oder ob jemand getroffen wurde, denn im nächsten Moment läuft einer der Polizisten direkt auf unseren Wagen zu. Ich schaffe es gerade noch, den Kopf einzuziehen und mich zur Seite zu ducken. Dann höre ich, wie er nach oben klettert und auf den Brettern herumpoltert.

Vorsichtig krieche ich tiefer in mein Versteck, in den hintersten Winkel, den ich finden kann, und krümme mich dort zusammen. Eine ganze Weile höre ich die Schritte von oben, es fühlt sich wie eine Ewigkeit an, bis es endlich wieder ruhiger wird. Trotzdem bleibe ich, wo ich bin, und wage mich nicht zu rühren – auch wenn mir inzwischen alles wehtut. Einige Zeit später ertönt von draußen ein lautes Pfeifen. Der Zug ruckt an, die Fahrt geht weiter.

Ich hole tief Luft, richte mich auf und lehne den Kopf gegen die Wand des Wagens. Mir ist übel, das Geräusch der Schläge und Schüsse dröhnt mir in den Ohren. Klar, schon in Tajumulco habe ich Geschichten gehört über das, was manchen Leuten in Mexiko zugestoßen sein soll, aber irgendwie habe ich sie nie geglaubt. Auch Fernandos Gerede habe ich für übertrieben gehalten. Jetzt weiß ich, dass alles stimmt. Jede einzelne verdammte Kleinigkeit ist wahr.

Wieso lassen sie uns nicht einfach gehen, wohin wir wollen?, höre ich Ángels Stimme in meinem Kopf. Ja: Wieso eigentlich? Warum jagen sie uns, als wären wir Schwerverbrecher? Wir wollen doch nichts von ihnen, wir wollen nur ihr Land durchqueren auf dem Weg zu unseren Eltern. Ich schließe die Augen und versuche, an gar nichts mehr zu denken.

Diesmal dauert es noch länger, bis ich mich endlich wieder nach oben traue. Fernando ist schon da, nach und nach tauchen auch die anderen auf. Ich weiß nicht, wie viel sie mitgekriegt haben von dem, was passiert ist, aber sie sehen alle ziemlich blass aus, die Stimmung ist gedrückt. Auf den anderen Wagen sitzen jetzt kaum noch welche. Ein paar, die sich versteckt hatten, so wie wir, und ein paar vielleicht, die abhauen konnten und dann wieder aufgesprungen sind: Das ist alles.

Fernando flucht und schleudert ein Holzstück in die Büsche, an denen wir vorbeifahren. »Scheiße, Mann, sie haben echt viele erwischt«, sagt er. »Nur gut, dass der Typ auf unserem Wagen so blind war, sonst wär unsere Reise jetzt vorbei.«

Eine Zeit lang ist es still. Dann sagt Jaz: »Habt ihr die Schüsse gehört?«

Keiner antwortet. Natürlich haben alle die Schüsse gehört. Wahrscheinlich ist es der Moment gewesen, in dem jeder von uns endgültig kapiert hat, dass wir in Mexiko alles verlieren können – sogar unser Leben. Die Frage ist nicht, wo wir in ein paar Wochen sein werden, ob wir dann unser Ziel erreicht haben oder nicht. Die Frage ist, ob wir überhaupt noch da sein werden.

»Dürfen die auf uns schießen?«, fragt Ángel.

»Natürlich nicht«, sagt Fernando düster. »Die dürfen nur schießen, wenn sie bedroht werden. Aber es geht nicht darum, was sie dürfen, sondern was sie tun. Und was soll ihnen schon passieren, wenn sie einen von uns umlegen? Wir sind *indocumentados*, Leute ohne Papiere. Eigentlich gibt's uns gar nicht.« Er lacht heiser. »Hier kräht kein Hahn danach, wenn einer von uns abkratzt. Pech gehabt! Und dann geht's weiter, als wär nichts passiert.«

Wir sitzen da und vermeiden es, uns anzusehen. Ich muss daran denken, wie wir mit Fernando am Fluss gehockt haben. Er hat uns gewarnt. Er hat uns alle gewarnt, auf die andere Seite zu gehen. Aber wir wollten ja nicht hören, wir haben es besser gewusst. Jetzt müssen wir verdammt noch mal sehen, wie wir damit fertigwerden.

»Gibt es viele Kontrollen wie die?«, fragt Jaz.

»In Chiapas schon«, sagt Fernando. »Weiter im Norden wird's weniger. Aber wenn wir Glück haben, war's die einzige vor Tapachula und da springen wir sowieso erst mal ab.«

»Wieso denn das?« Ich verstehe nicht, was er damit sagen will. »Ich dachte, der Wagen hier ist genau der richtige für uns. Hast du selbst gesagt.«

»Ja, stimmt schon.« Er zögert kurz, dann senkt er die Stimme. »Ich hab euch noch nichts davon erzählt, aber – wir haben in Chiapas so was wie einen Schutzengel. Und in Tapachula treffen wir ihn.« Er sieht mir in die Augen. »Es ist ein Mara.«

Ich zucke zusammen. Ein Mara? Da, wo ich her bin, erschreckt man mit diesem Wort die kleinen Kinder – und nicht nur die. Die Maras sind Verbrecher, junge Typen, die sich in Banden zusammenschließen und alles tun, was verboten ist und schnelles Geld bringt. Jeder hat Angst vor ihnen. Wer einem Mara auf der Straße begegnet, wechselt schleunigst die Seite. Alle können üble Geschichten über sie erzählen. Wie zum Teufel kommt Fernando auf die Idee, wir sollten uns ausgerechnet mit einem von denen zusammentun?

»Ich weiß, was du denkst«, sagt er. »Aber auf den Zügen herrschen eigene Gesetze. Wer hier überleben will, darf nicht wählerisch sein. Und ich sag euch, der Typ ist der Beste, den wir kriegen können. Wenn uns einer heil durch Chiapas bringt, dann er.«

Die anderen scheinen auch nicht zu wissen, was sie von der Sache halten sollen. Ángel wirkt eingeschüchtert. Emilio starrt vor sich hin, bei ihm weiß man eigentlich nie, was er denkt. Jaz wirft mir einen kurzen Blick zu, dann nickt sie langsam.

»Woher kennst du den Typen?«, frage ich Fernando.

»Ach, ein paar von meinen Freunden sind Maras geworden. *Mara Salvatrucha*, ihr wisst schon, die Gangs aus El Salvador. Hab überlegt, ob ich mitmachen soll. Ich hatte genug davon, immer nur in die Fresse zu kriegen, wollte auch mal austeilen. Aber dann hab ich's doch gelassen. Egal, jedenfalls hab ich bei meiner letzten Fahrt einen von den Typen wiedergetroffen. In Tapachula, das ist ihr Hauptquartier in Chiapas. Er heißt jetzt

El Negro, der Schwarze – ist sozusagen sein Mara-Name –, und kümmert sich ums Zuggeschäft.«

»Du meinst: Es ist sein Job, Leute durch Chiapas zu bringen?«

»Ja, ist seine Aufgabe bei den Maras. Er kassiert Schutzgeld und bringt die Leute bis Tonalá. Bei meiner letzten Fahrt hat's mich böse erwischt, weil ich so dämlich war und alles alleine schaffen wollte. Deshalb hab ich mich diesmal an ihn erinnert. Hab schon von Guatemala aus mit ihm gesprochen. Wenn wir wollen, nimmt er uns mit.«

»Und das Schutzgeld? Wie hoch ist es?«

»Normalerweise fünfhundert pro Nase. Aber er macht's billiger, weil er mich kennt. Vielleicht reicht die Kohle von dem Dicken am Fluss schon aus, vielleicht müssen wir auch noch was drauflegen. Aber nicht viel, schätze ich.«

Er sagt es ganz beiläufig, als wenn er seiner Sache sicher ist. Aber irgendwie kann ich mir trotzdem nicht vorstellen, wie uns ausgerechnet einer von den Maras helfen soll, wenn die Polizei den Zug kontrolliert. Macht es nicht alles nur schlimmer, wenn so einer bei uns ist?

»Ihr glaubt vielleicht, das, was wir gerade erlebt haben, war schlimm«, sagt Fernando, als er unsere zweifelnden Gesichter sieht. »Aber verglichen mit dem, was auf uns wartet, war's nicht mehr als ein Kindergeburtstag. Mit ein bisschen Versteckspielen unter Holzstapeln kommen wir nicht durch. Glaubt mir, ich weiß, wovon ich rede: Wir brauchen einen wie ihn. Alleine schaffen wir's nicht.«

Als wir in Tapachula eintreffen, ist es schon spät, die Sonne ist hinter dem Horizont verschwunden. Kurz bevor wir in den

Bahnhof rollen, klettern wir vom Zug und springen ab, damit wir keiner Kontrolle in die Arme laufen. Fernando führt uns durch ein paar verlassene Straßen, bis wir einen alten Friedhof erreichen.

»Da ist es«, sagt er und zeigt auf die Gräber. »Da treffen wir El Negro.«

Jaz stöhnt. »Konntest du keinen anderen Platz finden? Ich mag keine Friedhöfe.«

»Bald wirst du sie mögen«, sagt Fernando gelassen. »In der Nacht gibt's keinen besseren Platz. Schließlich geht da im Dunkeln keiner freiwillig hin – außer Leuten wie uns.« Er lacht und nickt uns zu. »Na los! Tote beißen nicht.«

Inzwischen ist es vollständig dunkel. Als wir durch das Friedhofstor gehen, sehen wir, dass auf einigen Grabsteinen kleine Lampen brennen, die etwas Licht geben. Zwischen den Gräbern kann ich schattenhafte Gestalten erkennen, die in der Dunkelheit flüstern. Es ist ein unheimliches Geräusch. Auch Jaz ist die Sache anscheinend nicht geheuer, sie drängt sich von der Seite her näher an mich.

Fernando dagegen marschiert an den Gräbern vorbei, als wäre es die natürlichste Sache der Welt. Ich habe das Gefühl, dass er etwas sucht, etwas ganz Bestimmtes. Nach einiger Zeit bleibt er stehen und winkt uns zu sich.

»Hier ist es«, sagt er und zeigt auf einen Baum.

Zuerst kann ich nichts erkennen, nur dass etwas in die Rinde geschnitzt ist, also gehe ich hin. »MS« steht da in großen Buchstaben, daneben ein Totenkopf. Das Erkennungszeichen der Mara Salvatrucha, ich habe schon in Tajumulco davon gehört. Es ist tief in den Baum geschnitten und niemand hat gewagt, etwas danebenzusetzen.

Während ich die Zeichen noch betrachte, taucht plötzlich ein Schatten aus der Dunkelheit auf. Wie aus dem Boden gewachsen steht eine Gestalt vor mir, erschrocken weiche ich zurück. Dann wird es mir klar: Das muss der Mara sein, von dem Fernando gesprochen hat. Er sieht ziemlich finster aus, hat den Kopf kahl geschoren und ist an den Armen, am Hals und im Gesicht tätowiert. Erst als ich genauer hinsehe, fällt mir auf, dass er fast noch ein Junge ist – nur wenig älter als wir selbst.

Er geht zu Fernando und begrüßt ihn. Dann mustert er uns. Bei mir ist sein Blick spöttisch, bei Emilio verächtlich, bei Jaz und Ángel wird er ablehnend.

»Was soll das werden?«, knurrt er Fernando an und zeigt auf die beiden. »Ein Kindergarten?«

Fernando zuckt mit den Schultern. »Ist doch egal, Mann. Wir gehören zusammen. Und wir bleiben zusammen.«

Der Mara sieht ihn düster an. »Hör zu, wir kennen uns von früher«, sagt er. »Aber das heißt nicht, dass du Bedingungen stellst. Hier sagt nur einer, was gemacht wird.«

Fernando hebt die Hände, als wollte er sich entschuldigen. »War nicht so gemeint«, murmelt er. Seine Stimme klingt ganz anders, als wenn er mit uns spricht. Nicht mehr so locker und überlegen. Sie ist rauer geworden – und vorsichtiger.

Er geht einen Schritt auf den Mara zu. »Sie sind okay, ich kenne sie«, sagt er leise. »Nimm sie mit. Sie machen keine Schwierigkeiten, das versprech ich dir.«

Der Mara dreht den Kopf zur Seite und spuckt aus.

»Sie wissen, dass du der Einzige bist, der uns durchbringen kann«, fügt Fernando hinzu. »Sie tun alles, was du sagst.«

Einen Moment zögert der Mara noch, dann hält er Fernando mit einer schnellen Bewegung die Hand hin. »Zweitausend«, sagt er. »Die eine Hälfte hier, die andere in Tonalá. Wer Scheiße baut, fliegt vom Zug.«

Fernando überlegt kurz. Doch diesmal versucht er nicht, zu handeln, wie er es am Fluss getan hat, sondern schlägt nur wortlos ein, zieht das Geld aus der Tasche und übergibt es.

Der Mara zeigt zur Seite, auf ein kleines steinernes Haus, das zwischen den Gräbern steht. »Auf der Hütte da könnt ihr pennen. Keiner stört euch. Morgen früh hol ich euch ab.«

Er nickt Fernando noch einmal zu, für uns andere hat er keinen Blick mehr übrig. In der nächsten Sekunde verschwindet er genauso leise in der Dunkelheit, wie er aufgetaucht ist.

Ich bin erleichtert, dass die Begegnung mit ihm so schnell vorbei ist. Etwas Düsteres, Bedrohliches geht von ihm aus. Vielleicht liegt es am Friedhof oder an der Dunkelheit, vielleicht an seinen Tätowierungen, ich weiß nicht – jedenfalls hatte ich die ganze Zeit das Gefühl, ein einziges falsches Wort oder auch nur ein einziger falscher Blick würde reichen, um den Typ ausrasten zu lassen.

Fernando deutet auf das Gemäuer, von dem der Mara gesprochen hat. Es gibt mehrere davon auf dem Friedhof, sie wirken wie kleine Grabmäler. Als wir näher kommen, sehe ich, dass auf den Wänden die gleichen Zeichen sind wie auf dem Baum. Anscheinend gehört beides zum Herrschaftsbereich der Maras. Wir klettern hoch und setzen uns aufs Dach, das noch ganz warm von der Sonne ist.

»Was soll das heißen: Wer Scheiße baut, fliegt vom Zug?«, zischt Jaz. »Der Kerl hat sie ja wohl nicht mehr alle!«

»Ach!« Fernando winkt ab. »Du darfst nicht alles so ernst nehmen, was er sagt. Die Arbeit auf den Zügen ist von allem, was die Maras tun, so ziemlich das Ungefährlichste. Das machen nur die, die sich für die richtigen Sachen noch bewähren müssen. Oder gar nicht erst dafür in Frage kommen.«

»Du meinst – er ist nicht so hart, wie er tut?«, frage ich ihn.

»Jedenfalls nicht so hart, wie er gern wäre. Verglichen mit den wirklich üblen Jungs ist er harmlos. Zeigt schon sein Name. Die brutalen Typen geben sich gern niedliche Namen, so wie *El Gorrino*, das Schweinchen, oder *La Lagartija*, die Eidechse. Vor denen musst du dich in Acht nehmen. Die mit den finsteren Namen sind kleine Fische, die sich erst noch hocharbeiten müssen.«

»Und ich hab schon gedacht, aus der Sache wird nichts«, sagt Jaz. »Als er Ángel und mich so blöd angesehen hat. Du meinst also wirklich, es geht klar mit ihm?«

Fernando nickt. »Haltet euch einfach zurück und überlasst das Reden mir, dann läuft's schon. Tut, was er sagt, und widersprecht ihm nicht. Denn egal ob er selbst harmlos ist oder nicht: Er gehört zu den Maras. Und sich mit denen anzulegen, ist noch keinem bekommen.«

Eine Zeit lang unterhalten wir uns noch über alles Mögliche, das uns durch den Kopf geht: was wir erlebt haben und was noch vor uns liegt und was für ein beschissener und trotzdem irgendwie ganz guter Tag das gewesen ist. Schließlich werden wir müde und legen uns hin. Ich verschränke die Hände hinter dem Kopf und sehe nach oben. Der Himmel ist klar, überall sind Sterne, der Wind weht durch die Bäume und über die Gräber. Es wird allmählich kühler, die schwüle Hitze verschwindet.

Ich schließe die Augen und dann fällt sie mit einem Mal über mich her: die Sehnsucht nach den Bergen, nach unserem Haus, nach meiner Tante und meinem Onkel, meinen Freunden, nach Juana – nach allem, was ich zurückgelassen habe und das jetzt so unendlich weit entfernt scheint. Es schmerzt, als hätte mir jemand mit voller Wucht in den Magen geboxt.

Ich drehe mich von den anderen weg. Was um Himmels willen habe ich eigentlich hier verloren? Ich liege irgendwo in einem fremden Land, in dem ich keine Menschenseele kenne, auf einem gottverlassenen Friedhof und weiß weder, wohin ich gehöre, noch, wohin ich will. Weiter nach Norden, zu meiner Mutter? In ein noch viel fremderes Land, von dem ich nur ein paar Geschichten kenne, die wahrscheinlich sowieso nicht stimmen? Oder zurück nach Tajumulco, in meine Heimat? In einen Ort, der keine Zukunft hat?

Im nächsten Moment bin ich wütend auf mich selbst. Wie lächerlich! Jahrelang wollte ich weg, zu meiner Mutter, sie wiedersehen, sie fragen, warum sie mich verlassen hat. Und jetzt, wo ich endlich unterwegs bin, endlich den Mut dazu aufgebracht habe, denke ich schon nach zwei Tagen ans Umkehren, als hätte es all die Jahre nie gegeben!

Hinter mir höre ich die leisen Atemzüge von Jaz und Ángel, es klingt, als wären sie schon eingeschlafen. Fernando und Emilio liegen ein Stück weiter weg. Ich kann sie weder hören noch sehen, aber ich weiß, dass sie da sind – und das ist gut so. Nicht auszudenken, wie es wäre, jetzt allein zu sein. Allein in dieser Gegend, in der alles so feindselig und abweisend wirkt und in der wir gejagt werden wie Sträflinge.

Ja: Ich bin einfach nur froh, dass die anderen bei mir sind. Das ist der letzte Gedanke, der mir noch durch den Kopf geht. Ich kenne sie erst seit heute – und trotzdem sind sie irgendwie alles, was mir geblieben ist.

Als ich aufwache, wird es gerade hell. Ich stütze mich auf die Ellbogen und sehe mich um. Über dem Friedhof hängen dünne, feuchte Nebelschwaden, überall liegen schlafende Gestalten zwischen den Gräbern.

Auch Jaz und Ángel schlafen noch. Aber gerade als ich sie betrachte, schlägt Jaz die Augen auf und Ángel wälzt sich herum und streckt die Arme nach oben. Emilio ist anscheinend schon länger wach, er hockt auf einer Ecke des Daches und kehrt uns den Rücken zu. Nur Fernando ist nirgends zu sehen, weder bei uns noch unten zwischen den Gräbern.

Jaz scheint ihn ebenfalls zu vermissen. »*¿Dónde está Fernando?*«, fragt sie und richtet sich auf.

»Keine Ahnung. Bin auch gerade erst wach geworden.«

Jaz sieht zu Emilio hin und beobachtet, wie Ángel sich den Schlaf aus den Augen reibt. Dann dreht sie sich mit nachdenklicher Miene wieder zu mir um.

»Sag mal – hast du dich auch schon gefragt, warum Fernando das alles macht?«

»Warum er was macht?«

»Na, warum er uns hilft. Warum tut er das?«

»Na ja, weil er …« Ich stocke, eigentlich weiß ich es auch nicht. Mir ist Fernando ja selbst ein Rätsel. Nur eins fällt mir ein. »Als er über den Mara geredet hat, weißt du noch? Da hat er gesagt, dass es ihn beim letzten Mal so böse erwischt hat. Vielleicht will er deshalb dieses Mal nicht allein sein.«

»Ja, schon, aber – wir sind ihm doch keine Hilfe. Eigentlich halten wir ihn nur auf, oder?«

Emilio dreht sich zu uns um. »Fernando weiß, was er tut«, sagt er. »Der weiß, wofür er uns braucht. Die Fahrt ist noch lang.«

Ich sehe ihm in die Augen. Er scheint nie an etwas zu zweifeln. Aber mir kommt plötzlich ein übler Verdacht.

»Vielleicht – ich meine – vielleicht ist er ja ohne uns los. Nur mit dem Mara, versteht ihr? Weil er auch gemerkt hat, dass er alleine besser dran ist.«

Jaz sieht mich erschrocken an, auch Ángel reißt die Augen auf. Den beiden ist genauso klar wie mir, wie hilflos wir ohne Fernando wären.

Nur Emilio schüttelt entschieden den Kopf. »So was darfst du nicht denken«, sagt er. »Fernando bleibt bei uns. Verlass dich drauf.«

Ein paar Minuten später taucht Fernando tatsächlich mit dem Mara auf. Mir fällt ein Stein vom Herzen, aber gleichzeitig habe ich auch ein schlechtes Gewissen. Ich sehe zu Emilio hin, doch der guckt weg. Hoffentlich verrät keiner, was ich eben gesagt habe!

Während der Mara, ohne uns zu beachten, an dem Haus vorbeigeht und auf der anderen Seite zwischen den Gräbern verschwindet, klettert Fernando zu uns herauf. Irgendwo in der Stadt hat er ein paar Tortillas gekauft – oder geklaut. Jetzt verteilt er sie an uns.

Ich merke erst jetzt, wie ausgehungert ich bin. Gestern habe ich nach dem Frühstück den ganzen Tag über nichts mehr gegessen, aber vor lauter Aufregung meinen knurrenden Magen gar nicht gespürt. Gierig falle ich über die Maisfladen her, die Fernando mitgebracht hat, die anderen machen es genauso.

»Wo ist El Negro hin?«, fragt Jaz, als wir alles hinuntergeschlungen haben.

»An der Rückseite grenzt der Friedhof an die Bahnlinie«, sagt Fernando. »Da wartet er auf uns. Na los, gehen wir!«

Wir marschieren los. Überall auf dem Friedhof wird es jetzt laut. Die Leute, die zwischen den Gräbern geschlafen haben, packen ihre Sachen. An einer Stelle gibt es Streit, weil einer meint, ihm wäre was gestohlen worden, aber niemand achtet darauf. Alle strömen auf die Mauer an der Rückseite des Friedhofs zu.

Als wir da sind, bleibt Fernando plötzlich stehen und sieht Jaz für einen Moment nachdenklich an. Dann bückt er sich, hebt eine Handvoll Erde auf und hält sie ihr hin.

»Hier, hau dir was von dem Dreck ins Gesicht.«

Jaz weicht einen Schritt zurück. »Bist du noch ganz dicht?«, sagt sie. »Was soll das?«

»Kein Junge wär so sauber wie du«, antwortet Fernando. »Na los, mach schon! Sonst tust du doch auch alles für deine Verkleidung.«

Jaz verzieht das Gesicht. »Blödmann«, murmelt sie vor sich hin. Aber dann nimmt sie die Erde und schmiert sie sich auf die Stirn und das Kinn.

»Bei den Maras gelten Frauen nicht viel«, erklärt Fernando, als sie fertig ist. »Und Mädchen schon mal gar nicht. Die sind in ihren Augen nur für eins gut – du weißt schon.« Er zeigt mit dem Daumen auf die andere Seite der Mauer. »Besser, wenn er nichts merkt. Halt dich einfach so weit weg von ihm wie möglich, ja?« Er grinst. »Deine Augen verraten dich nämlich – wenn du verstehst, was ich meine.«

Er geht zu der Mauer und schwingt sich hoch, Emilio und Ángel tun es ihm nach. Jaz zögert und sieht mich an. Ihr Blick ist trotzig, aber auch irgendwie hilfesuchend. Er geht mir durch und durch. Mit einem Mal begreife ich, dass sie noch weit mehr allein ist als wir anderen. Ich will irgendwas Nettes zu ihr sagen, aber es fällt mir nichts ein. Sie zuckt mit den Schultern, dann klettern wir ebenfalls über die Mauer.

Auf der anderen Seite zieht sich eine lange Reihe von Büschen hin, zwischen denen schon eine Menge Leute versteckt sind. Dahinter ist ein Abwassergraben und jenseits davon der Bahndamm mit den Gleisen.

El Negro kniet ein Stück von uns entfernt hinter einem der Büsche. Links und rechts von ihm ist alles frei. Vermutlich wagt sich keiner in seine Nähe, weil alle wissen, was seine Tätowierungen bedeuten. Nur Fernando geht zu ihm hin, wir anderen bleiben lieber, wo wir sind.

Der Mara redet auf Fernando ein und zeigt dabei immer wieder auf den Bahndamm. Es sieht aus, als würden sie besprechen, wie es weitergehen soll. Dann kommt Fernando zu uns zurück.

»Also, passt auf«, sagt er. »Bald ist es so weit, dann wird's ernst.« Er zeigt nach links. »Dahinten ist der Bahnhof, er liegt schon hinter uns. Der Zug, der gleich kommt, hält nicht an. Wir müssen also aufspringen, während er an uns vorbeifährt. Schätze, ihr habt das noch nie gemacht, oder?«

Wir sehen uns an, keiner sagt etwas.

Fernando seufzt. »Na schön, ich erklär's euch. Ihr habt ja gemerkt, dass die Züge in Chiapas ziemlich langsam fahren, weil die Gleise hinüber sind. Deshalb kann man's eigentlich ganz gut schaffen. Jedenfalls wenn man weiß, wie's geht, und sich nicht allzu dämlich anstellt.«

Er zeigt nach rechts. »Seht ihr die Brücke dahinten?«

Ein paar Hundert Meter weiter sind gerade noch die orangeroten verrosteten Stahlträger einer Brücke zu erkennen, die einen Fluss überspannt.

»Davor wird der Zug noch ein bisschen langsamer. Deshalb ist hier genau die richtige Stelle. Wir warten, bis er da ist. Wenn ich das Signal gebe, lauft ihr los. Ihr müsst durch den Graben und den Bahndamm hoch, was die Sache natürlich nicht leichter macht. Wenn ihr oben seid, rennt ihr neben dem Zug her. Ihr müsst so schnell wie möglich sein und dürft mit dem Aufspringen nicht lange warten. Wenn ihr nämlich zu langsam seid, werdet ihr mitgerissen und der Luftzug zieht euch unter die Räder.«

Als ich das höre, habe ich das Kreischen und Stampfen des Zuges wieder im Ohr, das uns gestern den ganzen Tag über begleitet hat – das Geräusch von tonnenschwerem Metall, das über die Schienen walzt. Ich muss schlucken, meine Kehle ist auf einmal staubtrocken.

»Und wie schaffen wir es hochzuklettern?«, fragt Jaz von der Seite.

»An jedem Wagen sind zwei Leitern«, sagt Fernando. »Eine hinter den Vorderrädern, eine vor den Hinterrädern. Ihr müsst unbedingt die vordere nehmen. Wenn was passiert und ihr abrutscht, habt ihr mehr Zeit, bis die Räder kommen. So schafft ihr's vielleicht noch von den Schienen weg.«

Mir wird übel, ein würgendes Gefühl ist in meinem Hals. Auch Jaz und Ángel sind blass geworden. Nur Emilio hat den gleichen unbewegten Gesichtsausdruck wie immer.

»Ihr packt die Leiter und springt aus vollem Lauf ab«, fährt Fernando fort. »Dann folgt der gefährlichste Teil. Irgendwie müsst ihr mit den Füßen die unterste Sprosse erreichen, die ist ziemlich hoch. Wenn ihr das geschafft habt, ist es nicht mehr so schwer, aufs Dach zu klettern.«

»Und wenn es einer nicht schafft?«, fragt Ángel. »Springen die anderen dann wieder ab?«

»Nein«, sagt Fernando. »Wer's nicht schafft, hat Pech gehabt. Die anderen können nicht warten.«

Emilio zeigt auf El Negro. »Will er das so?«

»Ist doch egal!« Fernando winkt wütend ab. »Ich hab's euch gesagt, oder? Ich hab euch gesagt, wenn's hart auf hart kommt, ist jeder auf sich gestellt. Wer's nicht schafft, bleibt zurück. Und muss sich alleine durchschlagen.«

Damit ist alles gesagt. Wir kauern uns hinter die Büsche und warten. Inzwischen ist die Sonne aufgegangen und steigt langsam höher, mit jeder Minute wird es wärmer. Immer mehr Leute klettern über die Mauer, bald hockt eine lange Reihe abgerissener Gestalten neben uns. Ein paar Gesichter kenne ich schon, ich muss sie am Fluss oder auf dem Weg hierher gesehen haben.

Die Zeit dehnt sich endlos, alle fiebern dem Zug entgegen. Dann ist – noch ganz in der Ferne – sein Pfeifen zu hören. Ein Raunen geht durch die Reihen, alle stehen auf und laufen durcheinander. Wieder pfeift der Zug und im nächsten Moment taucht die Lokomotive auf, sie faucht und stampft heran. Die Ersten rennen schon los und verschwinden im Abwassergraben.

»Jetzt!«, brüllt Fernando und macht einen Satz nach vorn.

Wir springen ebenfalls auf. Aus den Augenwinkeln sehe ich,

dass überall entlang der Strecke die Leute aus den Büschen kommen. Ich folge Fernando, der schon dabei ist, den Graben zu durchqueren. Eine eklige, stinkende Brühe dümpelt da unten vor sich hin. Irgendwie, mit großen Schritten, stapfe ich auf die andere Seite. Dann klettere ich den Bahndamm hoch, hole tief Luft und renne los.

Vor mir sind Fernando und der Mara. Sie laufen neben dem Zug her, packen die Leiter und schwingen sich hoch, als hätten sie in ihrem ganzen Leben nichts anderes getan. Auch Jaz ist da, direkt vor mir. Bei Fernandos Schilderungen habe ich Angst um sie gehabt, aber jetzt sehe ich, dass es keinen Grund dafür gibt. Wie eine Katze springt sie auf den Zug und klettert nach oben.

Danach bin ich selbst an der Reihe. Die Schwellen neben den Schienen sind morsch und uneben. Ich rutsche aus und verliere das Gleichgewicht, finde es aber wieder, nehme alle Kraft zusammen und renne, so schnell ich kann. Direkt neben mir kreischen die Räder auf den Gleisen. Ich bete, keinen Fehltritt zu tun, dann taucht die Leiter neben mir auf.

Als ich sie mit beiden Händen packe, reißt die Kraft des Zuges mich regelrecht nach vorn. Irgendwie schaffe ich es trotzdem abzuspringen. Im nächsten Augenblick knallen meine Knie auf die unterste Sprosse, ein stechender Schmerz durchzuckt mich. Ich beiße die Zähne zusammen und ziehe mich mit den Armen so weit hinauf, dass auch die Füße Halt finden. Schließlich klettere ich Stufe um Stufe nach oben.

Auf dem Dach angekommen, zittere ich vor Anstrengung und Aufregung am ganzen Körper. Hinter mir steigt auch Emilio herauf. Aber wo ist Ángel?

Wir beugen uns über den Rand des Daches und suchen ihn.

Zuerst ist nichts von ihm zu sehen, dann entdecken wir ihn plötzlich einen Wagen weiter hinten. Er hängt an der untersten Sprosse der Leiter und klammert sich fest, hat aber anscheinend nicht mehr die Kraft, sich nach oben zu ziehen. Schon saugt der Luftstrom seine Beine in Richtung der Räder.

Emilio zögert keine Sekunde und läuft los, ich renne ihm nach. Mit einem Satz springen wir auf das Dach des nächsten Wagens. Dann klettern wir die Leiter hinunter und packen Ángel, jeder an einem Arm. Wir haben kaum Platz und Ángel haben inzwischen auch die letzten Kräfte verlassen. Aber zum Glück ist er klein und leicht, und so schaffen wir es irgendwie, ihn nach oben zu zerren.

Emilio verrichtet die Hauptarbeit, er hat kräftige Hände und starke Arme und zieht Ángel fast alleine die Leiter hoch. Kaum sind wir auf dem Dach, ist auch schon die Brücke da und das Geländer rauscht an uns vorbei – so nah an der Wand des Zuges, dass es uns von der Leiter gefegt hätte, wenn wir jetzt noch dort gewesen wären.

Ich lasse mich auf das Dach sinken, mir ist schwarz vor Augen. Es dauert eine Weile, bis es besser wird. Dann merke ich, dass Jaz und Fernando inzwischen auch da sind und sich um Ángel kümmern. Er liegt auf dem Rücken und sieht ziemlich blass aus, aber es scheint ihm nichts Schlimmes passiert zu sein. Nur seine Hose ist zerrissen und er blutet am Arm. Er rappelt sich auf und sieht Emilio und mich an.

»*Gracias*«, murmelt er. »Das war knapp.«

Der Zug rattert über die Brücke, fährt durch eine Kurve und beschleunigt. Von vorne kommt El Negro auf uns zu. Er springt mit einem weiten Satz auf unseren Wagen und baut sich vor uns auf. Dann sieht er verächtlich zu Ángel hinunter.

»Ich hab dir gesagt, ich kann keinen Kindergarten brauchen«, knurrt er Fernando an.

»Er hat's doch geschafft«, sagt Fernando und steht auf. »Und er wird es auch weiter schaffen.«

Der Mara funkelt ihn an. »Merk dir eins: Wenn er uns aufhält, war's das für ihn. Und es ist mir scheißegal, was du darüber denkst.«

»Er hält uns nicht auf«, sagt Fernando. »Ich kümmere mich um ihn. Du wirst keinen Ärger mit ihm haben.«

»Das hoffe ich für ihn«, erwidert El Negro kalt. Dann geht er zum anderen Ende des Wagens, um zwei Männer zu verscheuchen, die sich dort niedergelassen haben. Aber er muss gar nichts tun. Als sie seine Tätowierungen sehen, springen sie schon von selbst auf und verschwinden.

Fernando hockt sich wieder zu uns. »Okay, wir sind oben«, sagt er leise. »Alles in Ordnung, wir kriegen's schon hin.«

»Tut mir leid, Fernando«, sagt Ángel mit dünner Stimme. »Ich bin ausgerutscht.«

»Ich weiß«, antwortet Fernando. »Beim nächsten Mal schaffst du's allein.«

Er dreht sich zu mir um und wirft mir einen anerkennenden Blick zu. »Gut gemacht.«

Ich winke ab. »Mir musst du das nicht sagen. Bedank dich lieber bei Emilio.«

Aber der schüttelt den Kopf, noch ehe Fernando etwas tun kann. »Manchmal ist man eben doch nicht nur auf sich gestellt«, sagt er auf seine bedächtige, etwas schwerfällige Art. Er sieht Ángel an, aber alle wissen, dass er in Wahrheit Fernando meint.

»Selbst dann nicht, wenn es hart auf hart kommt.«

Es dauert eine ganze Weile, bis wir uns von dem Aufstieg erholt haben. Dann richten wir uns auf dem Wagen ein. Für unsere Zwecke ist es einer der besten des Zuges. Er hat Längsstreben auf dem Dach, an denen wir uns festhalten können. Die Wagen vor und hinter uns sind weniger gut ausgestattet. Die Leute, die dort sitzen, sehen immer wieder zu uns rüber, wagen sich aber nicht her. Wahrscheinlich weil sie Angst vor dem Mara haben, der drohend auf dem Dach steht.

Als die letzten Ausläufer von Tapachula hinter uns liegen, tauchen wir wieder in den Wald ein. Aus den Bäumen steigt der Morgennebel in dampfenden Schwaden. Ab und zu wird es lichter, dann fahren wir an Plantagen mit Kaffee oder Kakao und kleinen Dörfern vorbei.

Die Gleise sind uralt. An manchen Stellen sind sie so von Gras überwuchert, dass es wirkt, als wären sie regelrecht im Boden versunken. Der Zug bremst und beschleunigt in einem fort. Die Puffer der Waggons knallen zusammen und lösen sich wieder, die Räder stampfen und rumpeln. Oft schlingert es so stark, dass man sich mit beiden Händen festhalten muss, um nicht vom Wagen geschleudert zu werden.

Aber irgendwann gewöhne ich mich an den Lärm und das Schaukeln und es fällt mir kaum noch auf. Ich sitze neben den anderen, lasse mir den Fahrtwind um die Nase wehen und höre Fernando zu, der ein paar von den Geschichten erzählt, die er auf seinen Fahrten aufgeschnappt hat.

»Wenn ihr denkt, dass hier jeder Zug heil ankommt, seid ihr schief gewickelt«, fängt zum Beispiel eine davon an. »Die Leute sagen, allein in Chiapas entgleist jede Woche einer.«

»Heißt das, er kippt um?«, fragt Ángel, der immer noch ziemlich blass ist von seinem Beinahe-Unfall.

»Nicht unbedingt, aber er springt aus den Schienen«, sagt Fernando. »Weil die Gleise so hinüber sind, dass der Zug einfach seinen Weg nicht mehr findet. Die Lok springt also raus und dann gibt's den großen Crash. Alle Wagen donnern zusammen und es sieht aus wie auf einem Schlachtfeld, könnt ihr euch ja denken.«

Als wir das hören, greifen wir unwillkürlich nach den Dachstreben und klammern uns fest. Fernando lacht nur, als er es sieht.

»Wenn so was passiert, könnt ihr euch nicht mehr festhalten«, sagt er. »Da hilft nur noch eins: beten. Weil ihr nämlich einen Abflug macht, der sich gewaschen hat.«

Für ein paar Augenblicke ist es still, dann fällt ihm schon wieder etwas Neues ein.

»Einmal hab ich eine total abgefahrene Geschichte gehört. Hat mir so ein älterer Typ erzählt, der hat's von einem anderen und der wieder von einem Dritten. Da ist ein Zug mitten auf der Brücke entgleist. Stellt euch das vor! Die Leute, die drauf waren, sind über das Brückengeländer geflogen und dann in den Fluss, viele Meter tief. War so ein schlammiges, sumpfiges Teil. Sie sind reingestürzt, im Grund stecken geblieben und nie wieder aufgetaucht.«

Und so geht es weiter. Fernando erzählt und erzählt, er hört gar nicht mehr auf damit. Einige seiner Geschichten klingen, als wären sie erfunden oder enthielten nur ein Körnchen Wahrheit, zu dem jeder, der sie erzählt, noch etwas dazuerfindet. Andere sind kurz und düster, man kann ihnen anhören, dass sie stimmen. Aber alle handeln vom Fahren, vom Unterwegssein, vom Pfeifen der Züge, von Hoffnungen und Träumen und wie sie irgendwann zerplatzen. Es gibt Hunderte davon, Tausende – wahrscheinlich genauso viele, wie Leute auf den Zügen sind.

Als Fernando genug vom Erzählen hat, steht die Sonne schon hoch am Himmel. Die Landschaft hat sich verändert. Der Wald ist zurückgetreten, auf beiden Seiten der Strecke sind jetzt offene Felder, dazwischen Dornenhecken. Als ich nach vorne sehe, kann ich erkennen, dass wir auf eine größere Stadt zufahren. Dann fällt mir auf, dass die Leute auf den vorderen Wagen unruhig werden. Sie stehen auf, manche gehen zu den Leitern und klettern nach unten. Ich stoße Fernando in die Seite und zeige es ihm.

»Ja, ich weiß«, sagt er nur, steht auf und geht zu El Negro. Die beiden reden kurz, dann kommt Fernando zurück.

»Macht euch fertig. Wir müssen runter und von den Schienen weg. Ich erklär's euch später.«

Wir streifen unsere Rucksäcke über und klettern nach unten. Der Zug fährt nur noch Schritttempo, er hat die Stadt bereits erreicht, in der Ferne ist der Bahnhof zu sehen. Einer nach dem anderen springen wir ab, als Letzter El Negro. Er wartet, bis der Zug vorbei ist, dann steigt er über die Schienen und marschiert los. Fernando nickt uns zu und folgt ihm.

»Das ist Huixtla«, sagt er, während wir die Gleise überqueren. »Bei meiner ersten Fahrt hab ich's genau bis hier geschafft. Dann war Schluss.«

Auf der anderen Seite der Schienen gehen wir eine Gasse

entlang und biegen dann ab. El Negro, der uns ein paar Meter voraus ist, scheint den Ort genau zu kennen.

»Was ist passiert?«, frage ich.

Fernando winkt ab. »Das Problem ist nicht die Stadt, sondern das, was dahinter wartet: La Arrocera. Einer der gefährlichsten Orte in ganz Chiapas – was ich aber damals nicht wusste. Da ist ein Kontrollpunkt von La Migra, diese Typen von der Migrationsbehörde halten dort jeden Zug an. Weglaufen ist nicht, überall sind Soldaten. Und verstecken geht auch nicht, die Züge werden von oben bis unten gefilzt. Da hat's mich erwischt, und die meisten anderen auch.«

»Was haben sie mit euch gemacht?«

»Erst die Fresse poliert und dann mit einem Bus zurück zur Grenze geschafft. Die Leute nennen ihn *bus de lágrimas*, Bus der Tränen. Und sie haben verdammt recht damit, die Stimmung ist nämlich zum Heulen da drin. Die meisten sitzen rum mit total leerem Blick, du kannst ihnen ansehen, wie fertig sie sind. Aber manche versuchen's auch wieder. So wie ich eben.«

»Und dann bist du ihnen nicht mehr in die Falle gegangen?«

»Bin vorher abgesprungen, so wie jetzt. Wollte den Kontrollpunkt umgehen und dahinter wieder aufspringen. Aber da hab ich nicht gewusst, dass es in La Arrocera schlimmere Sachen gibt als Kontrollen. In dem Dickicht neben der Strecke liegen Banditen auf der Lauer. Die wissen genau, dass es hier viele zu Fuß versuchen. Sie überfallen die Leute, klauen ihr Geld und …«, er bricht kurz ab, »na ja, gehen ihnen an den Kragen. Jedenfalls ist die Gegend widerlich. Viele Tote, sagt man.«

»Aber da gehen wir doch nicht lang?«, fragt Jaz, die alles mit angehört hat. »Wir nehmen einen anderen Weg, oder?«

»Gibt keinen anderen Weg«, sagt Fernando. »Hilft nichts, wir müssen durch.«

»Können wir denn was gegen die Banditen tun?«

Fernando zeigt nach vorn. »Wir haben schon was getan.«

»El Negro?«, flüstert Jaz. »Alleine kann der ja wohl auch nichts gegen sie ausrichten.«

»Wenn sie's auf einen Kampf anlegen, nicht. Nur werden sie das hübsch bleiben lassen, wenn sie nicht komplett verblödet sind.«

»Du meinst – weil er ein Mara ist?«

Fernando nickt. »Die Maras sind wie Brüder, eine total verschworene Gemeinschaft. Deshalb schließen sich ihnen ja so viele Jungs an, die nie eine richtige Familie hatten. Jedenfalls: Wenn du einem von den Maras was antust, machst du am besten noch am selben Tag dein Testament. Viel älter, als du bist, wirst du dann nämlich nicht mehr.«

Er sieht zu El Negro hin und senkt die Stimme. »Die Maras bringen solche Leute nicht einfach um, das wäre nicht abschreckend genug. Nein, sie foltern sie schön langsam zu Tode. Das wissen die Typen, die da vorne lauern, auch. Also werden sie El Negro und uns in Ruhe lassen.« Er versucht ein Lächeln, aber es gelingt nicht richtig. »So ist zumindest die Theorie.«

Wir gehen weiter durch die Außenbezirke der Stadt. Ich kann spüren, dass Fernando nervös ist. Zum ersten Mal, seit ich ihn kenne, wirkt er unsicher. Ich würde ihn gerne fragen, was er bei seinem ersten Versuch, den Kontrollpunkt zu umgehen, erlebt hat. Aber irgendwie habe ich das Gefühl, dass ich keine Antwort bekommen würde.

Es geht über einen Fluss, dann liegt die Stadt hinter uns. Ein Stück weiter vorn ist eine Gruppe von Leuten, die vermutlich auch vom Zug gesprungen sind; sie rennen über ein Feld und verschwinden in einem Dickicht. Rechts von uns zieht sich in der Ferne die Bahnlinie hin. Der Zug ist nicht zu sehen, wahrscheinlich steht er schon am Kontrollpunkt.

Wir laufen auch über das Feld. Überall sitzen Schwärme von Krähen. Dann erreichen wir das Dickicht, in das ein Pfad hineinführt, und halten an.

»Bleibt immer eng zusammen«, sagt Fernando, seine Stimme klingt angespannt. »Und merkt euch eins: Egal was links oder rechts passiert, seht nicht hin. Ihr könnt es nicht ändern – und daran erinnern wollt ihr euch später auch nicht.«

Wir dringen in das Dickicht ein. An der Spitze geht El Negro. Er hat sein Hemd ausgezogen, die Tätowierungen, die seinen ganzen Oberkörper bedecken, sind jetzt gut zu sehen. Hinter ihm folgt Emilio, ich selbst halte mich zwischen Ángel und Jaz. Den Schluss bildet Fernando.

Eine Zeit lang marschieren wir vorwärts, ohne dass etwas passiert. Um uns herum ist alles still. Ich bin so nervös, dass ich zittere. Immer wenn es im Gebüsch knackt oder ein Vogel auffliegt, zucke ich zusammen und erwarte das Schlimmste. Bald läuft mir der Schweiß übers Gesicht. Es ist heiß und stickig zwischen den Büschen – und ich habe Angst.

Wir biegen um eine Kurve. Auf einmal stehen vier Männer neben dem Pfad, wie aus dem Boden gewachsen. Regungslos – so als hätten sie nur auf uns gewartet. Sie tragen Macheten, halb hinter dem Rücken versteckt, aber so, dass man sie sehen kann.

El Negro bleibt ebenfalls stehen. Er und die Männer starren sich an, ihre Blicke bohren sich richtig ineinander. Keiner von ihnen sagt was, keiner rührt sich. Nur die Hände der Männer zucken, als könnten sie sich kaum noch beherrschen.

Es dauert eine halbe Ewigkeit, ich traue mich fast nicht zu atmen. Dann wenden die Männer sich langsam von El Negro ab. Die Hände, mit denen sie die Macheten umklammern, entspannen sich. Ich höre Fernando aufatmen. Einer der Männer gibt den anderen einen Wink, sie drehen sich um und verschwinden.

El Negro, der während der ganzen Zeit nicht ein einziges Mal die Miene verzogen hat, führt uns weiter. Mein Herz rast. In den Gesichtern der Männer hat etwas derart Rohes und Brutales gelegen, dass es mich wie ein Schlag getroffen hat.

Kurz darauf öffnet sich das Dickicht, wir erreichen eine Lichtung. Und da wird mir klar, was ohne El Negro mit uns passiert wäre. Ich sehe die Leute, die vor uns über das Feld gelaufen sind. Sie liegen am Boden, nackt, die Gesichter nach unten, Arme und Beine ausgebreitet. Eine Gruppe von Männern steht über ihnen. Einer hat drohend seine Machete erhoben und brüllt sie an, zwei weitere durchsuchen ihre Kleider, die am Boden liegen, und ein vierter schlägt einen von ihnen zusammen, der es wahrscheinlich gewagt hat, sich zu wehren.

El Negro geht weiter, ohne den Kopf zu heben. Aber wir haben seine Kaltblütigkeit nicht. Einer nach dem anderen werden wir langsamer, irgendwie können wir nicht anders.

»*¡Adelante!*«, zischt Fernando von hinten. »Weitergehen! Seht nicht zur Seite!«

Eine Hand schubst mich nach vorn. Wir verlassen die Lichtung und folgen einem weiteren Pfad, alle trotten mit gesenkten Köpfen vor sich hin. Ich würde am liebsten schreien, den ganzen Ekel aus mir rausschreien. Alles in mir sträubt sich dagegen weiterzugehen. Ich möchte zurücklaufen, irgendetwas tun, nur irgendwas – aber zugleich weiß ich, dass es zwecklos wäre. Ich fühle mich hilflos. Hilflos und gedemütigt.

Noch eine ganze Weile sind wir in dem Dickicht unterwegs. Ein paarmal höre ich Geräusche aus den Büschen, Schreie und Schläge, die denen von der Lichtung ähneln, aber jetzt sehe ich wirklich nicht mehr hin. Ich will nur noch weg.

Dann liegen die Gleise wieder vor uns. Endlich! Sie kommen mir vor wie gute alte Bekannte. Als ich sie sehe, habe ich das Gefühl, dass sie in der kurzen Zeit, seit wir den Grenzfluss überquert haben, schon fast so etwas wie unser Zuhause geworden sind. Eigentlich sind sie alles, woran wir uns jetzt noch orientieren können. Das Einzige, was uns hindurchführen kann durch dieses große, fremde, gefährliche Land.

Fernando zeigt nach vorn, wo die Schienen einen schlammigen Fluss überspannen. »Die Cuil-Brücke«, sagt er. »Wenn wir da rüber sind, haben wir das Schlimmste hinter uns.«

Wir laufen über die Brücke und lassen uns ins Gras am Rand des Bahndamms fallen. Alle sind total erledigt. Ich sehe die anderen an, aber keiner erwidert meinen Blick. El Negro sowieso nicht, der lehnt ein Stück entfernt an einem Baum und tut, als würde ihn alles nichts angehen. Fernando und Emilio wirken bedrückt. Jaz und Ángel lassen die Köpfe hängen, sie haben Tränen in den Augen.

»Die Leute dahinten«, sagt Jaz nach einer Weile. »Müssen wir nicht irgendwas tun?«

»Und was?«, erwidert Fernando. »Na los, sag's mir: Was willst du tun?«

»Ich weiß nicht. Was ist mit der Polizei?«

Fernando schnaubt verächtlich. »Glaubst du, die wissen nicht, was hier abgeht? Jede Wette, dass sie kräftig dran mitverdienen. Die rühren keinen Finger, da kannst du sicher sein.«

»Aber …«

»Vergiss es. Recht und Gesetz gelten nicht für Leute wie uns. Wir sind vogelfrei. Jeder kann mit uns machen, was er will, die Bullen interessieren sich einen Dreck dafür. Die sind doch froh, wenn ihnen einer die Arbeit abnimmt.«

Er nickt in die Richtung, aus der wir gekommen sind. »Die einzige Chance, die wir haben, fährt bald über die Brücke. Oder hat einer von euch die Schnauze voll und will nicht mehr?«

Keiner rührt sich. Alle sind total fertig, aber was sollen wir schon tun? Es führt kein Weg mehr zurück. Hinter uns ist es inzwischen genauso gefährlich wie vor uns – so weit haben wir es immerhin gebracht.

Also bleiben wir neben den Schienen hocken und warten. Ab und zu kommen weitere Gruppen aus den Büschen. Manche haben Glück gehabt und sind unverletzt. Anderen sieht man sofort an, dass sie den Banditen in die Hände gefallen sind. Sie bluten und humpeln, manche sind barfuß und haben alles verloren.

Fernando kramt in seinem Rucksack. Er holt ein T-Shirt heraus und wirft es einem Mann zu, der – nackt und am ganzen Körper zerschunden – auf der anderen Seite der Gleise kauert. Emilio sieht mich an. Wir packen ebenfalls unsere Shirts aus und geben sie zwei Jungen, die ein Stück weiter im Gebüsch sitzen. Als wir zu den anderen zurückgehen, schnappe ich einen Blick von El Negro auf. Er zieht die Augenbrauen in die Höhe und wendet sich von uns ab.

Der Zug lässt auf sich warten, anscheinend erledigen die Kontrolleure ihre Arbeit gründlich. Ich liege zwischen Jaz und Emilio. Auf der anderen Seite des Bahndamms, ein ganzes Stück entfernt, kann ich einen Bauern sehen, der sein Feld bestellt. Er geht hinter einem Pflug, der von einem Ochsen gezogen wird, und macht den Eindruck, als hätte er nicht die geringste Ahnung von all dem, was um ihn herum passiert. Der Staub, den das Tier aufwirbelt, hängt in der Luft, als wenn er sich nie wieder legen will.

In den Bäumen zwitschern Vögel. Bisher habe ich sie gar nicht bemerkt, obwohl sie bestimmt die ganze Zeit da waren. Auf einmal wirkt alles so friedlich, still und harmlos – fast unwirklich. Fast so, als gäbe es zwei verschiedene Welten, die gar nichts miteinander zu tun haben und nur zufällig an dieser Stelle aufeinandertreffen. Nur: Welche ist die eigentliche, die wahre Welt?

Bevor ich weiter darüber nachdenken kann, höre ich den Zug. Die anderen springen auf und laufen zu den Gleisen. Ich schnappe meinen Rucksack und folge ihnen.

Sie singen. Am Anfang war es noch leise, ich dachte, meine Ohren spielen verrückt, aber jetzt ist es deutlich zu hören. Laut und klar in der Dunkelheit. Wahrscheinlich ist das auch der Grund: Sie singen, *weil* es dunkel ist. Dunkel und gefährlich und einsam. Weil sie Angst haben und sich Mut machen müssen. Und weil sie vergessen wollen, was sie auf dem Weg hierher gesehen haben.

Seit ein paar Stunden sitzen wir wieder auf demselben Wagen, von dem wir heute Mittag abgesprungen sind. Von den Leuten auf den anderen Waggons sind die meisten nicht mehr da, der Kontrolle und den Banditen von La Arrocera zum Opfer gefallen. Wo sie heute früh noch gesessen haben, ist es jetzt leer. Sie sind einfach verschwunden – als hätte es sie nie gegeben. Nur ein paar von ihren Gesichtern habe ich noch im Kopf.

Vor einigen Minuten hat es angefangen zu dämmern, jetzt ist es dunkel. Die Nacht ist da. Die erste Nacht, die wir auf dem Zug verbringen.

Irgendwie ist es ein komisches Gefühl: dazusitzen und durch die Dunkelheit zu rumpeln, ohne zu wissen, was auf einen zukommt und hinter einem zurückbleibt. Blind und allem ausgeliefert, so erscheint es mir. Aber trotzdem ist es auch schön. Die Lichter der Dörfer und Städte funkeln zu uns rüber, und ich versuche mir die Leute vorzustellen, die dort leben. Der Gedanke, dass sie hier zu Hause sind, dass es so etwas wie ein Zuhause überhaupt gibt, ist beruhigend – und traurig zugleich.

Wir rücken enger zusammen. Dann legen wir uns hin, denn die Bäume stehen dicht an den Schienen und die Äste rauschen nur so über unsere Köpfe hinweg. Ab und zu ertönen Schmerzensschreie von den vorderen Wagen und dann die Rufe: »*¡Ramas!* Achtung! Äste!« Wenn wir das hören, drücken wir uns tief aufs Dach, halten die Hände über den Kopf und hoffen, dass uns nur ein paar Blätter streifen und wir keinen Schlag aus der Dunkelheit erhalten.

»Ich bin müde«, sagt Ángel, nachdem eine Zeit lang alles ruhig geblieben ist, und gähnt. »Dürfen wir hier schlafen?«

»Besser nicht«, sagt Fernando. »Hier in Chiapas sollte man der Ruhe nie trauen. Die Nacht halten wir schon irgendwie durch.«

Also kämpfen wir gegen die Müdigkeit an, so gut wir können. Ich höre Jaz und Ángel zu, die sich Geschichten aus ihrer Heimat erzählen. Auch sonst gibt es viele Geräusche in der Dunkelheit. Das Kreischen und Scheppern des Zuges ist fast noch lauter als am Tag. Ab und zu fahren wir über eine Brücke, dann wird es leiser, ich kann den fauligen Gestank des Wassers riechen und höre manchmal sogar ein paar Frösche quaken.

Und jetzt also der Gesang. Er kommt von einem Wagen weiter vorn, mal lauter und mal leiser, je nachdem wie der Wind gerade steht. Er setzt kurz aus, aber gleich darauf fängt ein neues Lied an.

»Das klingt schön«, sagt Jaz, nachdem wir eine Weile zugehört haben. Sie liegt direkt neben mir.

Fernando lacht. »Werdet ihr noch öfter hören. Kann mich an einen Zug erinnern, da haben sie auf jedem Wagen gesungen. Erst alle durcheinander, dann haben sie sich auf ein Lied geeinigt. War wie ein riesiger Chor, der durchs Land rollt.«

Ich drehe mich auf den Rücken und sehe nach oben. Viel zu erkennen ist nicht am Himmel, hier und da ein paar Sterne, anscheinend sind Wolken davor. Aber die, die ich sehen kann, sind dieselben wie da, wo ich herkomme. Wenigstens die ändern sich nicht, geht es mir durch den Kopf. Wenigstens die bleiben immer gleich – egal welcher Mist hier unten gerade passiert.

Wieder ein neues Lied. Es kommt mir bekannt vor. Den Text kann ich nicht verstehen, aber die Melodie habe ich schon mal gehört. Für einen Moment taucht ein verschwommenes Bild in meinem Kopf auf, so als ob meine Mutter mir das Lied vorgesungen hätte – damals, als sie noch da war. Aber ich weiß es nicht, vielleicht habe ich es auch nur auf der Straße aufgeschnappt.

Jetzt werden die Worte deutlicher, der Wind trägt sie zu uns her. *Sueño loco*, singen sie. Es ist ein Lied über einen verrückten Traum. Einen völlig verrückten, abgedrehten Traum, der sowieso nie in Erfüllung geht. Und darüber, wie traurig und langweilig es doch wäre, wenn man so einen Traum nicht hätte.

Bloß nicht einschlafen!, geht es mir durch den Kopf. Ich muss daran denken, was Fernando gesagt hat. Bloß nicht einschlafen und mit kaputten Knochen neben den Gleisen wieder aufwachen – falls überhaupt. Ich schlage die Augen auf. Wieso ist es hell? Für einen Moment bin ich verwirrt. Dann schießt mir das Blut in den Kopf: Ich muss die ganze Nacht verpennt haben!

Hastig setze ich mich auf und sehe mich um. Aber es scheint nichts Schlimmes passiert zu sein. Der Zug stampft und schnauft vor sich hin und frisst einen Kilometer nach dem anderen. Am vorderen Ende des Wagens steht El Negro wie eine

Statue auf dem Dach und dreht uns den Rücken zu. Muss der Typ eigentlich nie schlafen? Wird er nie müde oder hungrig oder durstig oder schwach? Kennt er so was nicht? Oder hat er nur gelernt, es keinem zu zeigen?

Fernando und Emilio hocken ein Stück entfernt, halb wach und halb dösend, Ángel schläft zwischen den Dachstreben. Jaz sitzt neben mir und räkelt sich. Anscheinend hat sie auch die Augen nicht offen halten können.

»Morgen«, murmelt sie, als sie sieht, dass ich wach bin. »Gut geschlafen?«

»Ach, ich weiß nicht.« Ich fühle mich wie gerädert. Meine Beine sind taub, ich reibe sie, damit das Blut wieder fließt. »Wie ein Zugvogel eben.«

Jaz lacht laut. Dann hält sie sich erschrocken die Hand vor den Mund und sieht zu El Negro hin, aber der achtet nicht auf sie. Sie senkt die Stimme. »Ich hab nur von Katastrophen geträumt«, flüstert sie. »Kommt sicher von Fernandos Horrorgeschichten.«

Wohl eher von dem echten Horror, den wir erlebt haben, denke ich, behalte es aber lieber für mich. »Ich hab gar nichts geträumt«, sage ich nur und spüre dann, wie mein Magen knurrt. »Bist du hungrig?«

»Ja, aber ich hab nichts mehr«, sagt Jaz. »Und du?«

Ich wühle in meinem Rucksack. Alles, was ich finde, ist ein angebissenes Tortillastück. Wir wecken Ángel und setzen uns zu Fernando und Emilio. Dann legen wir unsere Vorräte zusammen und teilen. Viel ist es nicht, immerhin hilft es gegen den allerschlimmsten Hunger.

»Hoffentlich hält der Zug bald«, sagt Fernando. »Dann müssen wir dringend was zu beißen auftreiben. Sonst fallen wir vor lauter Schwäche vom Dach, da braucht's gar keinen Ast mehr.«

Leider tut uns der Zugführer den Gefallen nicht. Bei jedem Ort, auf den wir zufahren, hoffen wir, dass er am Bahnhof hält, aber jedes Mal braust er durch. Also bleiben wir hocken und versuchen unseren Hunger zu vergessen. Wir haben inzwischen den Wald verlassen und fahren an Feldern und Wiesen vorbei, über die man bis zum Horizont sehen kann. Auf der linken Seite muss irgendwo das Meer sein, ich kann es fast riechen. Auf der rechten Seite sind hinten die Berge und davor ein paar kleinere Hügel mit Plantagen, die sich an den Hängen emporziehen.

Eigentlich unterscheidet sich die Gegend kaum von dem, was ich aus Guatemala kenne. In den Dörfern gibt es viele kleine Hütten, die Bewohner sind meistens Indios in ihrer typischen bunten Kleidung. Die Bahnhöfe sind uralt, oft stehen verrostete Waggons neben den Schienen. Manchmal rennen wilde Hunde neben dem Zug her und kläffen die Wagen an, bis sie genug davon haben und wieder im Gestrüpp verschwinden.

Die Sonne steigt langsam höher. Es wird ein verflucht heißer Tag, das merkt man schon jetzt. Überall sind Wolken am Himmel, aber das macht es nicht kühler. Eher im Gegenteil, die Hitze staut sich darunter wie in einem Backofen. Unsere Wasserflaschen sind längst leer, es kommt mir vor, als würde ich austrocknen. Auch das Dach glüht fast. Es ist so heiß, dass man sich die Finger daran verbrennt.

Fernando zieht sein Shirt aus und setzt sich darauf. Als Emilio und Ángel es sehen, tun sie das Gleiche und schließlich mache ich es ihnen nach. Zuerst tut es gut, der Fahrtwind ist schön kühl auf der Haut und trocknet den Schweiß. Aber dann fällt mir auf, dass Jaz jetzt die Einzige ist, die ihr Hemd noch trägt. Sie sieht sich um, ich kann ihre Angst, sich zu verraten, regelrecht spüren. Seufzend zerre ich mein Shirt wieder unter dem Hintern hervor und ziehe es an. Es ist so heiß, dass es fast qualmt.

Jaz überlegt kurz, dann rückt sie näher zu mir heran. »Wollen wir sehen, ob es irgendwo Schatten gibt?«, fragt sie.

Gute Idee. Wir stehen auf und balancieren zum hinteren Ende des Wagens. Als wir die Köpfe darüberstrecken, sehen wir, dass es in der Lücke zwischen unserem und dem nächsten Waggon tatsächlich ein wenig Schutz vor der Sonne gibt. Wir müssen zwar auf die Kupplung steigen und sind dann gleich über den Schienen, aber das ist immer noch besser, als auf dem Dach gebraten zu werden. Vorsichtig klettern wir hinunter und drücken uns in den Schatten. Weil es nur ein schmaler Streifen ist, müssen wir eng nebeneinandersitzen, um beide etwas davon abzubekommen.

»Puh, schon besser«, sagt Jaz. »Ein paar Minuten noch und ich hätte angefangen zu kochen.«

»Immerhin werden wir auf der Fahrt nicht erfrieren.« Ich versuche mir den Schweiß von der Stirn zu wischen, aber es klappt nicht, weil meine Hand genauso nass ist wie mein Gesicht. »Ich wette, das ist die einzige Todesart, vor der wir sicher sind.«

»Wer weiß?«, sagt Jaz und lacht. »Hier in Mexiko würde ich auf gar nichts wetten. Und übrigens – danke.« Sie blickt auf mein T-Shirt.

Aus den Augenwinkeln sehe ich an ihr hinab. Seit ich sie kenne, frage ich mich, wie sie es schafft, so jungenhaft auszusehen. Man muss schon verdammt genau hingucken, um etwas zu entdecken, das an ein Mädchen erinnert.

Sie dreht den Kopf zu mir hin. Ich sehe schnell weg, aber sie hat meinen Blick trotzdem bemerkt. »Ich hab Bänder rumgewickelt«, sagt sie. »Ganz eng.«

»Tut das nicht weh?«

»Ach, geht. Erst schon, aber jetzt merke ich es nicht mehr.«

Eine Zeit lang sitzen wir nebeneinander, ohne etwas zu sagen. Wirklich kühl ist es auch hier nicht, von den Schienen weht immer wieder ein Schwall heißer Luft zu uns herauf.

»So ein ordentlicher Wind wäre jetzt das Richtige«, sagt Jaz irgendwann. »Kannst du nicht welchen herzaubern?«

Ich muss lachen, als ich das höre. »Witzig, dass du gerade mich das fragst. Ich bin nämlich zufällig aus der *ciudad del viento.*«

»Willst du mich verarschen?«

»Nein, im Ernst, die Leute nennen sie wirklich die Stadt des Windes. Sie liegt nämlich am Fuß eines Vulkans und ...«

»Am Fuß eines Vulkans?«, unterbricht Jaz mich. »Klingt ja mächtig gefährlich.«

»Ach was, der Berg ist überhaupt nicht gefährlich. Der schläft nur vor sich hin und rülpst ab und zu, das ist alles. Aber die Leute erzählen, da oben würden die Windgötter wohnen und alle, die in Tajumulco leben – so heißt die Stadt –, wären ihre Lieblinge. Sie sagen, wer aus Tajumulco kommt, geht nie in die Irre, weil der Wind ihn immer in die richtige Richtung bläst.«

»Hey, die Geschichte gefällt mir«, sagt Jaz. »Über meinen Ort gibt es auch so eine.«

»Auch über den Wind?«

»Nein. Aber es gibt da eine Höhle und die Leute sagen, sie

wäre heilig. Sie erzählen, da drin würden Erdgeister wohnen und die würden alle beschützen, die in der Nähe leben. Auch wenn sie weggehen oder längst schon woanders sind: Die Geister würden sich immer um sie kümmern. Denn Erde gibt es schließlich überall – egal wo du bist.«

Ich versuche mir den Ort vorzustellen, aus dem sie stammt. »Passt gut zusammen«, sage ich.

Jaz sieht mich von der Seite an. »Was passt zusammen?«

»Na, unsere Geschichten. Was sonst?«

Sie zögert, dann dreht sie sich zu mir hin. »Ja«, sagt sie und schiebt ihre Kappe nach oben, sodass ich ihre Augen sehen kann. »Windgötter und Erdgeister. Das passt wirklich gut zusammen.«

Kurz darauf bremst der Zug. Wir werden gegen den Wagen gepresst, das Kreischen der Bremsen ist so laut, dass wir uns die Ohren zuhalten müssen. Als wir stehen, beuge ich mich um die Ecke des Waggons und blicke nach vorn. Die Lokomotive hält in einem winzigen Kaff, den Grund dafür kann ich nicht erkennen. Ich sehe nur, dass der Zugführer aussteigt und in einem Gebäude am Rand der Strecke verschwindet.

»Hey, ihr da unten«, ist gleich darauf Fernandos Stimme zu hören. Er streckt den Kopf über das Wagendach. »Bewegt eure Ärsche, wir haben Auslauf!«

»Was hat der Lokführer denn vor?«

»Wenn wir Glück haben, will er was Ordentliches futtern«, sagt Fernando, klettert vom Wagen und springt an uns vorbei auf den Boden. »Wenn wir Pech haben, muss er nur kacken.«

Er rudert ungeduldig mit den Händen in der Luft. »Na los, ihr beiden! Wir brauchen Wasser – und was zu essen.«

Wir springen ebenfalls ab, auch Emilio und Ángel klettern vom Zug. In aller Eile machen wir uns auf die Suche. Ich merke erst jetzt, wie ausgedörrt ich bin, meine Zunge liegt dick und trocken wie ein Brett im Mund. Das Erste, was wir finden, ist ein Abwasserkanal, aber die Brühe darin stinkt so erbärmlich, dass wir sie lieber nicht anrühren – egal wie durstig wir sind. Ein Stück weiter stoßen wir auf eine Regentonne, die vom letzten Wolkenbruch noch halb gefüllt ist. Wir beugen uns darüber und trinken.

Dann füllen wir so viel von dem Wasser in unsere Flaschen, wie wir können. Fernando und Emilio entdecken eine kleine Pflanzung mit Bananen und laufen hin, um die Früchte zu pflücken, Ángel folgt ihnen. Ich will ebenfalls hinter ihnen her, aber Jaz hält mich zurück und zerrt mich zu einer Wiese. Kaum sind wir da, fängt sie an, das Gras auszurupfen.

»Hey, was tust du da?« Ich verstehe den Sinn der Aktion nicht. »Wir sind doch keine Kaninchen.«

Jaz verdreht die Augen. »Du sollst das Zeug ja auch nicht essen, du Witzbold. Du sollst drauf liegen. Los, mach mit!«

Während die anderen mit dicken Bananenbündeln zurückkehren, schleppen wir so viel Gras, wie wir tragen können, zum Zug und klettern wieder auf den Wagen. Oben polstern wir die Lücken zwischen den Dachstreben damit aus. Es ist kühl und weich, und als wir wenig später darauf liegen und die Bananen schälen, fühlen wir uns fast wie Könige.

»Ach, Leute, so lässt es sich aushalten«, sagt Fernando und wirft in hohem Bogen eine Bananenschale vom Wagen. »Ein paar Sonnenschirme wären auch nicht schlecht. Wir sollten den Antrag stellen, die Züge damit auszurüsten.«

»Ja«, sagt Jaz. »Und mit Kühlschränken. Und Hängematten.«

Als wir satt sind und die restlichen Bananen in den Rucksäcken verstaut haben, kommt der Zugführer zurück. In aller Gemütlichkeit schlendert er zur Lokomotive, die Leute auf den Dächern scheint er gar nicht zu sehen.

»Ob er nicht weiß, dass wir hier sind?«, fragt Ángel.

»Natürlich weiß er das, der Kerl ist doch nicht blind«, erwidert Fernando. »Aber was soll er schon machen? Verjagen kann er uns nicht. Wenn er die Bullen ruft, gibt's nur wieder Stress. Also tut er einfach, als gäb's uns nicht. Solange wir seinen Zug und die Ladung in Ruhe lassen, sind wir ihm scheißegal.«

Es gibt einen Ruck, der Zug fährt an. Wenig später liegt der namenlose kleine Ort hinter uns und wir sind wieder auf offener Strecke. Die Pause hat gutgetan. Der Durst ist weg und auch der Hunger ist erst mal vergessen.

Wie schön es wäre, jetzt einfach immer so weiterzufahren, stelle ich mir vor. Ich lasse mich auf das Gras sinken, schließe die Augen und gebe mich dem Schaukeln des Zuges hin. Die Sonne scheint durch die Wolken und brennt mir ins Gesicht. Es muss bald Mittag sein. Zu Hause in den Bergen, da habe ich den Mittag immer gemocht. O ja, sehr sogar – mehr als jede andere Zeit.

Es ist ein drückend heißer Tag. Die Sonne hat alles braun gefärbt, die Felder und die Wiesen und die Gesichter. Nur den Vulkan nicht. Er thront in seinen gewohnten Farben über dem dampfenden Nebel, der aus den Bergwäldern steigt. Es ist Markttag, die Händlerinnen haben das Obst zu kleinen Pyramiden gestapelt. Durch die Straßen streunen die herrenlosen Hunde. Alles ist wie immer. Nur der Wind fehlt. Nicht das leiseste Lüftchen ist zu spüren – zum ersten Mal in diesem Jahr.

Ich sitze vor dem Haus und spiele mit einem Käfer, den ich gefangen habe. Meine Mutter ist drinnen. Sie ist dick geworden in den letzten Wochen, ich erkenne sie kaum wieder. Sie keucht und schwitzt, manchmal habe ich Angst um sie. Dann beruhigt sie mich. Ich schenke dir ein Schwesterchen, Miguel, sagt sie. Das gefällt mir, ich freue mich darauf.

Die Comadrona kommt den Weg herauf, sie ist in Eile und wirft mir einen strengen Blick zu. Die Hebamme hat große, dunkle Hände. Hände, wie sie sonst keiner hat. Ohne mich weiter zu beachten, geht sie ins Haus. Ich stehe auf und folge ihr. Aber ich traue mich nicht hinein, an der Tür bleibe ich stehen.

Meine Mutter liegt im Bett, ihr Gesicht ist ganz rot. Die Comadrona wäscht sich die Hände mit Schnaps und nimmt einen tiefen Schluck aus der Flasche. Auch meine Mutter muss trinken. Dann werden die Tiere aus dem Haus gejagt, die Hühner und die Schweine und die Katze. Die Tür fällt ins Schloss, ich muss draußen bleiben.

Ich gehe zurück zu meinem Spiel, aber der Käfer ist nicht mehr da. Er ist weggelaufen und hat sich eingegraben. Die Frauen des Dorfes steigen den Weg herauf. Sie zünden Kerzen an, für jede Himmelsrichtung eine, und verteilen sie rund ums Haus. Vor dem Eingang verbrennen sie Kräuter. Ich kann das Keuchen und die Schreie meiner Mutter hören und dazwischen die Stimme der Comadrona. Dann höre ich einen neuen Schrei.

Die Tür geht auf, ich darf nach drinnen. Mein Schwesterchen ist da. Sie ist winzig, voller Falten und Runzeln, und ganz nass. Die Comadrona brennt die Nabelschnur mit einer Kerze durch und verschließt die Wunde mit Wachs. Dann legt sie meiner Mutter das kleine Bündel in die Arme.

Meine Mutter winkt mir zu, ich trete näher. Sie sieht müde und erschöpft aus, aber ihre Augen strahlen. Wie soll es heißen?, fragt sie. Wie soll dein Schwesterchen heißen, Miguel?

Ich denke nach. Juana, sage ich dann. Sie soll Juana heißen. Und ich werde sie Juanita nennen.

Meine Mutter lacht. Dann wird sie ernst und sinkt in ihr Kissen zurück. Mein Vater ist nicht da. Die Männer des Dorfes haben ihn gesucht, aber er ist verschwunden. Ich setze mich neben meine Mutter. Sie lächelt mich an.

Die Comadrona steht vor uns. Sie hat die Nachgeburt hinter der Feuerstelle vergraben. Sie bückt sich, dann legt sie ihre dunkle Hand auf meinen Kopf.

Du musst auf deine Schwester aufpassen, sagt sie. Sie hat nicht so viel Glück wie du. Es ist Neumond und es gibt keine starken Arme, in die ich sie legen kann. Dich habe ich bei Vollmond herausgeholt und dein Vater war da, um dich zu tragen. Du wirst alles überstehen, was auf deinem Weg liegt. Deine Schwester hat nicht so viel Glück.

Sie richtet sich auf und geht zur Tür. Dort dreht sie sich noch einmal um. Denk immer daran, sagt sie. Du musst auf sie aufpassen!

Ein Regentropfen klatscht mir auf die Nase. Mit einem Schlag sind die Erinnerungen weg und ich bin wieder in Mexiko. Als ich die Augen aufmache, sehe ich, dass es vor uns dunkel geworden ist. Düstere Wolken hängen am Himmel, wie ein Vorhang, den jemand vor die Sonne gezogen hat. Und unser Zug fährt mitten hinein in den Schlamassel.

Für einen Moment habe ich das Gefühl, als würde die Zeit stillstehen. Es ist immer noch brütend heiß, kein Lüftchen weht. So muss es beim Weltuntergang sein, schießt es mir durch den Kopf, und gleich darauf bricht der Regen los. Er kommt von einer Sekunde zur anderen, als hätte jemand einen Schalter umgelegt. Wie ein Wasserfall donnert es auf uns herab. Wir ziehen die Köpfe ein und kauern uns zusammen, aber trotzdem sind wir sofort nass bis auf die Haut. Wie begossene Straßenköter hocken wir da und klammern uns fest, damit wir nicht vom Zug gespült werden.

Eine ganze Zeit lang geht es so, der Regen prasselt auf das Dach, von allen Seiten rauscht und gurgelt es. Mein Hemd klebt an mir wie ein nasser Sack, ich habe keine einzige trockene Stelle mehr. Dann endlich wird es heller, ein Streifen Licht taucht vor uns auf und wird langsam größer. Der Regen lässt nach und schließlich hört er von einem Moment zum anderen ganz auf. Ein paar Minuten später ist keine Wolke mehr am Himmel und die Sonne strahlt herab, als hätte es das Unwetter nie gegeben.

»Puh, Leute!«, stöhnt Jaz, nimmt ihre Kappe ab und schüttelt den Kopf, dass das Wasser in alle Richtungen davonspritzt. Dann beugt sie sich zu mir hin. »*Viento*, hab ich gesagt«, flüstert sie und stülpt sich die Kappe wieder über. »Wind solltest du herzaubern. Von einer Überschwemmung war nicht die Rede.«

»Weiß ich doch«, flüstere ich zurück. »Ich wollte dich ja auch nur mal ohne Kappe sehen.«

Wir drehen uns zu den anderen um. Fernando und Emilio sind aufgestanden und schütteln sich das Wasser aus ihren Kleidern. Ángel, der versucht hat, zwischen die Dachstreben zu kriechen, taucht gerade wieder auf. Er ist von oben bis unten mit nassen Grashalmen bedeckt.

Jaz lacht, als sie ihn sieht. »Hey, Ángel! Du siehst aus wie ein grüner Kobold.«

Ángel schneidet ihr eine Grimasse, dann wendet er sich an Fernando. »Der Regen ist ja hier noch schlimmer als bei uns«, sagt er vorwurfsvoll.

Fernando, der dabei ist, das Wasser aus einem seiner Schuhe zu schütten, zuckt mit den Achseln. »Ach, die paar Tropfen sind gar nichts«, sagt er. »In Ixtepec hab ich mal eine Geschichte gehört von einem Zug, der …«

»O Fernando, nicht schon wieder!«, unterbricht Jaz ihn. »Was kommt jetzt? Dass der Regen den Zug vom Gleis gespült und ins Meer geschwemmt hat und dass alle, die drauf waren, von den Haien gefressen wurden?«

Fernando grinst. »Woher weißt du das?«, sagt er. »Hab ich die Geschichte schon erzählt?«

Jaz schüttelt den Kopf und winkt ab. Während der Zug, noch glänzend und dampfend vom Regen, weiter nach Norden fährt, sitzen wir da und lassen uns von der Sonne trocknen. Auf beiden Seiten der Strecke sind Getreidefelder, kilometerweit. Wir können die Arbeiter sehen, die das Unwetter abgewartet haben und jetzt wieder nach draußen kommen. Anscheinend sind sie froh, dass die Hitze fürs Erste vorbei ist, ein paar von ihnen winken uns zu, während wir vorbeifahren.

Von der Sonne und dem Fahrtwind sind wir bald wieder trocken. Ich beobachte, wie die Berge von rechts mit jedem Kilometer näher an uns heranrücken. Und dann plötzlich, als der Zug über eine Kuppe fährt, taucht links von uns ein See auf. Er ist so breit, dass das andere Ufer nur als schmaler Streifen zu erkennen ist. Die Sonne steht schon tief darüber, der ganze Horizont ist gelb und rot gefärbt.

Die Schienen führen zum Wasser hinab, wir fahren am Ufer entlang. Eine Weile sitzen wir nur da, betrachten den Sonnenuntergang und hängen unseren Gedanken nach. Dann fällt mir auf, dass es weiter vorne auf dem Zug unruhig wird. Im Lauf des Tages sind wieder einige blinde Passagiere dazugestoßen – aus den Büschen am Rand der Strecke. Ein paar Wagen vor uns sind jetzt mehrere von ihnen aufgestanden und zeigen auf etwas.

Auch Fernando hat es bemerkt. Er murmelt etwas vor sich hin, das ich nicht verstehen kann, steht auf und läuft nach vorn, um zu hören, was los ist. Als er nach einigen Minuten zurückkehrt, geht er zu El Negro, der wie üblich ein paar Meter entfernt hockt, redet zuerst mit ihm und kommt dann zu uns.

»Einer von den Typen meint, er hätte einen Streifenwagen gesehen«, sagt er. »Neben der Strecke, unter den Bäumen.«

»Und was heißt das?«, fragt Jaz.

»Kann man nie wissen. Wenn wir Pech haben, war's ein Späher. Die Bullen wollen sehen, wie viele Leute auf dem Zug sind und ob es sich lohnt, ihn anzuhalten. Tja, wenn's so war, wissen sie's jetzt. Dann können wir uns auf was gefasst machen.«

Wir rücken enger zusammen und starren nach vorn. Links von uns ist die Sonne noch ein Stück tiefer gesunken und spiegelt sich rot auf dem Wasser, aber dafür interessiert sich jetzt niemand mehr. Über dem Zug liegt eine nervöse Spannung, die Gerüchte haben sich wie ein Lauffeuer verbreitet.

Und dann sehen wir, dass Fernando recht hatte mit seiner Vermutung. Als der Zug um eine Kurve biegt, wartet in der Ferne eine ganze Kolonne von Polizeiwagen auf uns. Sie stehen an einer Stelle, wo die Gleise direkt am Seeufer entlanglaufen, sodass sie nur die Landseite abriegeln müssen, um den Zug in der Falle zu haben.

Auf den Wagen vor uns rennen und schreien die Leute schon durcheinander. Auch wir springen auf. Alle sehen Fernando an, aber der streicht sich nur nervös über die Haare. Bevor er etwas tun kann, ist El Negro da. Er stößt uns zur Seite, geht zum vorderen Rand des Wagens und taxiert schweigend die Reihe der Polizisten. Dann dreht er sich zu Fernando um und macht eine knappe Bewegung mit der Hand.

»Wir bleiben oben«, sagt Fernando.

»Was?«, stößt Jaz hervor. »Worauf willst du warten? Wir müssen weg!«

Fernando schüttelt den Kopf. »Ich hab gesagt, wir bleiben oben«, wiederholt er nur.

Auf den anderen Wagen laufen die meisten schon zu den Leitern und klettern hinunter. Aber das Abspringen ist gefährlich, der Zug fährt so schnell, wie es die Gleise gerade noch zulassen. Anscheinend hat der Lokführer über Funk den Befehl erhalten, erst zu bremsen, wenn wir den Kontrollpunkt erreichen.

Trotzdem wagen es einige. Nur ein paar Meter vor uns lässt ein Mann die Leiter los und fliegt regelrecht durch die Luft. Kaum berührt er den Boden, werden ihm die Beine weggerissen. Ich sehe nur noch, wie er sich überschlägt und in ein Gebüsch am Rand der Strecke stürzt, dann ist der Zug vorbei.

Die meisten versuchen zu warten, bis die Fahrt langsamer wird. Aber schon sind die Polizisten da und erst jetzt bremst der Zugführer mit aller Kraft. Wir verlieren das Gleichgewicht und werden durcheinandergewirbelt. Ich falle, klammere mich irgendwo fest und erwische Jaz, die neben mir übers Dach schlittert, gerade noch am Arm. Aus den Augenwinkeln sehe ich, dass Emilio Ángel festhält, auch Fernando stürzt aufs Dach. Nur El Negro hält sich irgendwie auf den Beinen.

Dann steht der Zug still. Wir bleiben, wo wir sind, und wagen uns kaum zu rühren. Unten am Boden herrscht ein einziges Chaos. Egal wohin man blickt, überall sind fliehende Leute mit panischen Gesichtern, die wie Kaninchen einen Haken nach dem anderen schlagen und doch keine Chance haben zu entkommen. Die Polizisten packen sie und zerren sie davon. Manche gebrauchen ihren Schlagstock, die Schreie der Getroffenen hallen über den See und die Felder.

Mir dreht sich der Magen um, vor allem bei dem Gedanken, dass es uns jetzt auch gleich erwischen wird, denn früher oder später müssen wir ja doch vom Wagen runter. Ich umklammere noch immer den Arm von Jaz, aber sie scheint es gar nicht zu spüren. Dann sehe ich, dass El Negro sich zu Fernando umdreht und ihm zunickt.

»*Ya es hora*«, sagt Fernando. »Los, es ist Zeit. Wir gehen!«

Im nächsten Moment sind er und der Mara an der Leiter

und klettern nach unten. Jaz sieht mich an, ihre Augen sind weit aufgerissen. Ich stehe auf und ziehe sie zu mir hoch. Gleich darauf steigen wir auch vom Wagen.

Fernando wartet, bis alle unten sind. Dann deutet er mit dem Kopf auf El Negro. »Tut immer, was er tut«, flüstert er. »Und bleibt bei ihm! Die *cuicos* müssen sehen, dass wir zusammengehören.«

Der Mara geht los, wir trotten hinter ihm her. Emilio und ich nehmen Jaz und Ángel in die Mitte, Fernando bleibt hinter uns. So entfernen wir uns langsam vom Zug.

Ich bin so aufgeregt, dass mir das Blut in den Ohren dröhnt. Tausend Gedanken auf einmal schießen mir durch den Kopf. Wo soll ich hinsehen? Zu Boden? Was soll ich tun? Die Arme heben? Aber El Negro tut nichts von alledem. Er geht nur vor sich hin, als wäre es ein Sonntagsspaziergang.

Jeden Augenblick erwarte ich, dass die Polizisten uns ihre Stöcke über den Kopf ziehen für unsere Frechheit. Doch nichts passiert. Die meisten werfen uns gerade mal einen scharfen Blick zu und wenden sich dann ab. Nur einer von ihnen baut sich vor uns auf, versperrt den Weg und spielt mit seinem Schlagstock. El Negro geht um ihn herum, als gäbe es ihn gar nicht. Ich höre, wie der Polizist hinter uns herflucht. Aber aufzuhalten versucht er uns nicht.

Es kommt mir vor, als würde ich träumen, so gespenstisch ist das Ganze. Während um uns herum alles zusammengeknüppelt und zu den Polizeiwagen gestoßen wird, dürfen wir den Zug verlassen, ohne dass uns jemand daran hindert. Es ist, als wären wir gar nicht da – als wären wir Geister, die niemand sehen kann.

El Negro führt uns durch das Getümmel und dann weiter

die Gleise entlang. Erst ein ganzes Stück entfernt, aber noch in Sichtweite der Polizisten, bleiben wir stehen. Als wir uns umdrehen, fahren gerade die ersten Wagen los, vollgestopft mit armen Teufeln, die traurig aus dem Fenster sehen.

»Ich glaub's nicht, die haben uns einfach gehen lassen«, flüstert Jaz mit einem scheuen Blick auf El Negro. »Dabei hätten sie uns alle festnehmen können!«

»Ja, aber was hätte es ihnen gebracht?«, sagt Fernando. »Sie haben genug andere erwischt.«

»Trotzdem. Die hätten sich nicht mal anstrengen müssen.«

»Aber sie hätten sich Feinde gemacht. Bullen sind wie alle anderen, nicht besser und nicht schlechter. Vor allem wollen sie keinen unnötigen Ärger. Warum sollen sie sich wegen Typen wie uns mit den Maras anlegen? Ihre Wagen sind voll. Keiner kann behaupten, sie hätten ihren Job nicht gemacht.«

»Können die Maras ihnen denn wirklich was anhaben?«

»Na ja, die Maras wissen, wo sie wohnen. Also wissen sie auch, wo ihre Frauen wohnen – und ihre Kinder ...« Fernando winkt ab. »Die Bullen tun das, was nötig ist, um ihren Job zu behalten. Aber sie würden nie ihre Familien in Gefahr bringen.«

Das Zischen und Stampfen des Zuges, der gerade wieder anfährt, unterbricht ihn. »Na los«, sagt er. »Lasst uns zusehen, dass wir unseren Wagen wieder erwischen.«

Ich denke erst, ich hätte nicht richtig gehört. Will er wirklich, dass wir hier wieder aufspringen – vor den Augen der Polizisten?

»Sie können uns noch sehen. Sollten wir nicht lieber ...«

»Sag mal, hast du nicht zugehört?«, fällt Fernando mir ins Wort. »Sie *können* uns sehen. Aber sie sehen uns nicht.«

Ungefähr eine Stunde später sind wir in Tonalá, der Zug hält auf dem Bahnhof. Die Sonne ist inzwischen untergegangen, es dämmert. Im Halbdunkel kann ich ein paar Waggons auf den Gleisen erkennen, die offenbar angehängt werden sollen.

Um nicht gesehen zu werden, klettern wir vom Dach und drücken uns in die Lücke zwischen zwei Wagen. Es ist so weit: Unsere Zeit mit El Negro ist vorbei. Das Revier der Mara Salvatrucha geht nur bis Tonalá, ab hier kann er uns nicht mehr helfen.

Fernando nimmt ihn zur Seite. »Danke, Mann«, sagt er. »Ohne dich hätten wir's nicht geschafft.«

Er gibt ihm den zweiten Teil der Summe, die wir ausgemacht haben. Anscheinend reicht das Geld, das er dem Flößer abgenommen hat, doch nicht ganz, denn jeder von uns muss noch etwas dazulegen. Es fällt mir schwer, das Geld herzugeben, das ich in all den Jahren so mühsam zusammengespart habe. Schon jetzt ist der größte Teil davon weg, obwohl die Fahrt gerade erst begonnen hat. Nur die Ersparnisse von Juana rühre ich nicht an. Und das soll auch so bleiben – das schwöre ich mir.

El Negro steckt das Geld ein, ohne mit der Wimper zu zucken. »Ihr fahrt bis Ixtepec, da endet der Zug. Von dort nehmt ihr den durch Veracruz«, sagt er und sieht Fernando an. »Du kennst ja den Weg. Ab jetzt ist es dein Ding!«

Ein letztes Mal nickt er Fernando zu, dann geht er über die Gleise davon. Im nächsten Moment ist er in der Dämmerung verschwunden. Für uns andere hat er weder einen Gruß noch einen Blick noch ein Wort übrig – er ist einfach weg. Die Dunkelheit verschluckt ihn genauso, wie sie ihn vor zwei Tagen auf dem Friedhof von Tapachula ausgespuckt hat.

Jaz, die sich wie üblich, wenn wir es mit dem Mara zu tun

hatten, im Hintergrund gehalten hat, seufzt erleichtert und kommt zu uns. »Mann, bin ich froh, dass der Kerl weg ist«, sagt sie. »Er war mir echt unheimlich.«

Auch Ángel sieht aus, als würde ihm ein Stein vom Herzen fallen. Vermutlich hat er die Drohung des Mara, ihn vom Zug zu werfen, nicht vergessen.

Nur Emilio schüttelt den Kopf. »Es ist gut, dass er bei uns war«, sagt er. »Ohne ihn wären wir nicht hier.«

Ich sehe zu der Stelle hin, wo der Mara verschwunden ist. Irgendwie kann ich sie alle drei verstehen, ich fühle mich erleichtert und bedrückt zugleich. Klar, genau wie Jaz und Ángel habe ich oft ein mulmiges Gefühl gehabt, wenn der Kerl in der Nähe war. Aber Emilio hat genauso recht: Ohne El Negro hätten wir weder die Begegnung mit den Banditen noch die Razzia der Polizei heil überstanden.

Jaz stößt mir den Ellbogen in die Seite. »Und was denkst du?«

»Weiß nicht. Ich frag mich einfach, wie es ohne ihn weitergehen soll.«

Fernando hustet und spuckt auf die Schienen. »Wir müssen eben noch vorsichtiger sein«, sagt er. »Am besten so, dass wir gar nicht erst in Schwierigkeiten geraten. Na, immerhin: Chiapas haben wir jetzt bald hinter uns.«

Ein Zittern läuft durch den Zug. Inzwischen wissen wir, was das bedeutet: Der Lokführer hat die Bremsen gelöst. Schnell klettern wir hoch zu unseren Plätzen zwischen den Dachstreben. Kaum sind wir da, fährt der Zug wieder an.

In den wenigen Minuten, die wir gestanden haben, ist es dunkel geworden. Im Licht der Bahnhofslaternen kann ich trotzdem sehen, dass wieder ein paar Leute den Halt genutzt haben, um aufzusteigen. In versprengten Grüppchen hocken sie auf den Dächern. Ich versuche ihre Gesichter zu erkennen, aber dazu sind die Laternen nicht hell genug.

Wo all die anderen wohl geblieben sind?, überlege ich, während der Bahnhof mit seinen Lichtern hinter uns zurückbleibt. Die vielen, die mit uns in Tapachula auf den Zug gegangen sind: Was ist aus ihnen geworden? Die, die es bei der Razzia erwischt hat, sind bestimmt auf dem Rückweg zur Grenze. Im »Bus der Tränen«, wie Fernando gesagt hat. Wahrscheinlich geht es ihnen dreckig, aber immerhin leben sie noch.

Ich muss an La Arrocera denken: das Dickicht, die Banditen mit ihren Macheten, die Leute, die nackt auf dem Boden lagen. Später sind viele von ihnen wieder aus dem Dickicht herausgekommen. Aber waren es wirklich alle? Oder – es läuft mir kalt den Rücken herunter, als ich daran denke – haben es einige vielleicht gar nicht überlebt? Ich spreche Fernando darauf an, aber der tut, als hätte er nichts gehört.

Eine Weile ist es still. Dann hebt Ángel plötzlich den Kopf.

»*Los he visto*«, sagt er.

»Wen hast du gesehen?«, fragt Jaz.

»Na, die Leute«, sagt Ángel. »Die von der Lichtung. Ich hab sie alle wiedergesehen. Jeden Einzelnen. Hab sie extra gezählt.«

Jaz lächelt ihn an, aber es ist kein besonders fröhliches Lächeln. »Ja, Ángel«, sagt sie. »Du hast recht. Ich hab sie auch gesehen.«

Fernando stützt sich auf die Ellbogen und dreht sich zu uns um. »Diese Scheiße passiert hier nun mal«, sagt er. »Wir können froh sein, dass wir es so weit geschafft haben, ist nämlich alles andere als selbstverständlich. Alles Weitere ...« Er winkt ab. »Darüber machen wir uns Gedanken, wenn's so weit ist.«

Wir fahren tiefer in die Nacht. Der Mond ist am Horizont aufgegangen und taucht alles in ein fahles Licht. Die Umrisse der Felder und Hügel und Dörfer, an denen wir vorbeifahren, scheinen zu verschmelzen. Jetzt sind wir also auf uns gestellt – ohne unseren düsteren Schutzengel.

Ein Omelett mit Bohnen und Speck«, sagt Jaz. »So richtig heiß angebraten, dass das Öl in der Pfanne brutzelt und zischt. Und zum Nachtisch Pudding mit Ananas und Kokosnuss.«

»Ja, und dazu eine Torte«, sagt Ángel. »Mit vier Schichten aus Sahne und Früchten, und dazwischen immer eine Lage Schokolade. Und obendrauf mit Zuckerguss!«

»Mensch, ihr habt ja einen völlig verdorbenen Geschmack«, sagt Fernando. »Ich brauch was Richtiges zwischen die Zähne. So ein halbes Schwein oder so was, schön am Spieß gedreht, bis es knusprig ist. Was meinst du, Miguel?«

»Ich? Ich nehm alles gleichzeitig. Und vor allem immer das Doppelte.«

»Hey, das klingt super!« Jaz stößt Emilio an. »Und wovon träumst du?«

Emilio überlegt kurz. »Kartoffeln überm Feuer«, sagt er.

Jaz stutzt, dann lacht sie. »Kartoffeln überm Feuer?«, wiederholt sie. »Ach, Emilio, du bist echt witzig! Dich müsste man erfinden, wenn es dich nicht schon gäbe.«

Wir sind die ganze Nacht ohne Pause durchgefahren. Als heute Morgen die Sonne aufging, lag Chiapas schon weit hinter uns. Jetzt sind wir in Oaxaca, aber da sieht es kaum anders aus. Nur die Berge sind noch ein Stück näher gerückt und das Licht zwischen den Hügeln und dem Meer ist so wahnsinnig hell und klar, dass es einem vorkommt, als würde man durch eine bunte Postkartenlandschaft fahren.

Nach dem Sonnenaufgang waren wir noch ein paar Stunden unterwegs, an endlosen Reihen von Obstplantagen vorbei. Alles leuchtete so reif und saftig und süß, eigentlich ein schöner Anblick, aber bei dem nagenden Hungergefühl in unseren Mägen war es die reinste Folter. Am Mittag sind wir nach Ixtepec gekommen, wo der Zug endet. Wir sind abgesprungen, haben uns hinter einem alten Lagerschuppen versteckt und da hocken wir jetzt und stellen uns vor, was es alles an wundervollen Sachen zu essen gibt.

Unsere letzte richtige Mahlzeit liegt inzwischen zwei Tage zurück: die Tortillas auf dem Friedhof von Tapachula. Danach hat es nur noch ein paar Reste und halb verfaulte Sachen gegeben, die wir irgendwo aufgesammelt haben. Jetzt sind wir so hungrig, dass wir an nichts anderes als ans Essen mehr denken können.

»Träumen ist ja nett, aber davon werden wir nicht satt«, sagt Fernando schließlich, als wir unsere Lieblingsleckereien aufgezählt haben. »Wir brauchen dringend was Richtiges zu beißen. Also los, wir gehen auf die Jagd.«

»Und wie?«, fragt Jaz.

»Na ja, ist wie beim Boxen: Wer zuschlagen will, muss die Deckung runternehmen. Hilft nichts, wir müssen rein in die Stadt. Da hauen wir uns, so gut es geht, die Bäuche voll und sehen zu, dass wir ein paar Vorräte zusammenraffen. Die Fahrt ist noch lang.«

»Ist das nicht gefährlich?«, fragt Ángel.

»Ja«, stimmt Jaz ihm zu. »Sieht doch ein Blinder, warum wir hier sind.«

»Verhungern ist gefährlicher«, sagt Fernando. »Natürlich dürfen wir nicht alle zusammen gehen, wär viel zu auffällig.

Und auf ein paar Dinge müssen wir achten. Unsere Sachen einigermaßen sauber kriegen. Das Maul nur aufmachen, wenn's nötig ist. Sonst verrät uns der Akzent, das Spanisch der Leute hier klingt einfach anders als unseres. Und auf der Straße ...«

»Ich hab keinen Akzent«, protestiert Ángel.

»Träum weiter«, sagt Fernando. »Das Gemeine ist ja, dass du's nicht merkst.« Er sieht Ángel an und grinst. »Du hast den stärksten Akzent von allen, Kleiner. Am besten stellst du dich taubstumm.«

Alle lachen. Nur Ángel verschränkt die Arme und schmollt.

Fernando beachtet ihn nicht weiter. »Ihr müsst so tun, als wär alles stinknormal. Als würdet ihr jeden Stein kennen. Als wärt ihr nur mal eben aus dem Haus gegangen. Und wenn euch ein Bulle über den Weg läuft, macht ihr euch dünn. Aber unauffällig! Nicht etwa panisch wegrennen oder so.«

Er hat noch mehr Tipps auf Lager, aber ich höre nur mit halbem Ohr hin. Wenn ich mich zur Seite beuge, kann ich an der Ecke des Schuppens vorbei, auf der anderen Seite der Gleise, die Straßen sehen, die in die Stadt führen. Da sind Häuser mit Wäscheleinen dazwischen, Kinder spielen auf den Gehsteigen, Hunde streunen durch die Gegend, da ist ein Platz mit Bäumen und Bänken, auf denen Leute sitzen. Eigentlich sieht es genauso aus wie bei uns zu Hause. Wahrscheinlich ist es auch genauso – nur bin ich jetzt auf einmal ein Fremder.

Warum eigentlich? Ich habe noch nie darüber nachgedacht, aber es ist doch seltsam. Woher nehmen die Leute das Recht, mir zu sagen, ich sei ein »Fremder«? Ich gehöre nicht hierher und müsse dahin zurück, von wo ich komme? Wieso kann überhaupt jemand sagen, ein Land wäre »seins«?

Als ich mich wieder zu den anderen umdrehe, sieht Emilio

mir in die Augen. Er nickt mir zu und ich habe das Gefühl, er weiß genau, was mir durch den Kopf geht.

»Gleich in der Stadt«, sagt Jaz gerade, »wo gehen wir da am besten hin?«

»Mittendrin ist ein Markt«, antwortet Fernando. »Bin mal da gewesen. Der ist ganz gut, viele Leute vom Land, in dem Trubel fallen wir nicht auf. Und die Sachen sind günstig, für ein paar kümmerliche Pesos kann man schon was Anständiges kriegen.«

Eine Zeit lang ist es still. Dann sagt Emilio plötzlich: »Ich hab kein Geld mehr. Das für El Negro war das letzte.«

Fernando sieht ihn nicht an, er verzieht nur geringschätzig die Mundwinkel. »Tja, dann wirst du wohl klauen müssen«, sagt er. »Oder betteln. Das könnt ihr Indios ja sowieso am besten.«

Emilio zuckt zusammen, als hätte ihm jemand einen Schlag versetzt. Kurz sieht es aus, als wollte er antworten, dann senkt er nur den Kopf.

Da ist sie wieder: die Seite an Fernando, die ich nicht verstehe. Diese kalte, boshafte Seite, die manchmal so unerwartet aus ihm herausbricht und die vor allem Emilio zu spüren bekommt.

Jaz funkelt Fernando böse an und dreht sich zu Emilio um. »Du kannst was von mir haben«, sagt sie.

»Jaja, mach, was du willst, am besten wirfst du deine Kohle gleich zum Fenster raus«, knurrt Fernando und steht auf. »Und jetzt macht eure Fetzen sauber, euch sieht man den Zug ja aus zehn Kilometern Entfernung an.«

Wir tun, was er sagt, und kratzen uns gegenseitig den Dreck von den Sachen. Dann reiben wir uns, so gut es geht, mit Gras und Spucke die Hände und Gesichter sauber. Emilio steht die ganze Zeit abseits und vermeidet es, uns anzusehen. Irgendwie tut er mir leid, aber ich weiß nicht, was ich ihm sagen soll.

Fernando beschreibt uns währenddessen den Weg in die Stadt und zu dem Markt, von dem er gesprochen hat. Kurz darauf trennen wir uns und ziehen los. Alle gehen einzeln, nur Jaz und Ángel bleiben zusammen.

Als ich die Gleise überquere und dahinter in eine Gasse einbiege, ist es fast wie eine Rückkehr in die Welt. So lange haben wir uns abseitsgehalten, versteckt und verborgen vor anderen Menschen, dass das Leben in den Straßen mich jetzt regelrecht überwältigt.

Ich versuche mich an das zu halten, was Fernando gesagt hat, schlendere die Straßen entlang, als wäre die Stadt mein Zuhause, gebe mich gelangweilt und vermeide jeden neugierigen Blick, obwohl ich in Wahrheit nicht genug kriegen kann von all den Dingen, die um mich herum passieren. An den Kreuzungen bleibe ich nicht stehen, sondern gehe weiter, als wäre ich den Weg schon tausendmal gelaufen. Die Leute, die mir begegnen, sehe ich nicht an und habe doch jedes Mal das Gefühl, dass ihre Blicke mich treffen und sich noch, wenn ich längst vorbei bin, in meinen Rücken bohren.

Irgendwann habe ich den Markt erreicht. Er ist groß, mit vielen bunten Ständen und Buden, zwischen denen ein Strom von Leuten hindurchfließt. Am liebsten würde ich gleich über den ersten Lebensmittelstand, an dem ich vorbeikomme, herfallen, aber irgendwie schaffe ich es, mich zu beherrschen und weiterzugehen. Die Gerüche sind kaum auszuhalten. Schließlich bleibe ich stehen und kaufe ein dick mit Fleisch, Tomaten und Salat belegtes und mit warmem Käse überbackenes Brot.

Mein erster Gedanke ist, es auf einmal hinunterzuschlingen, aber ich kämpfe dagegen an und zwinge mich, so zu essen, als wäre es aus Langeweile und als hätte ich schon ein gutes Frühstück hinter mir. Ein Stück weiter esse ich an einem anderen Stand noch einen heißen, mit Butter und Chili bestrichenen Maiskolben. Dann ist der Hunger fürs Erste gestillt. Die Schwäche verschwindet aus meinen Beinen, sie fühlen sich endlich wieder so an, wie sie sollten.

Ich lasse mich mit der Menge treiben. Dabei sehe ich ein paar Leute, die ebenfalls von den Zügen sind. Ich bin ihnen zwar nie begegnet, aber ich weiß es sofort. Vielleicht liegt es an ihrer Haltung, vielleicht an ihrem Blick? Sie haben etwas an sich, das an hungrige Tiere erinnert, die den Wald verlassen und sich in eine menschliche Siedlung wagen. Ich erschrecke bei ihrem Anblick: Sehe ich selbst etwa genauso aus?

Eine Zeit lang traue ich mich fast nicht, den Kopf zu heben. Aber dann merke ich, dass sich hier auf dem Markt niemand für mich interessiert, alle haben nur Augen für die Stände und die Waren, die dort liegen. Also nehme ich meinen Mut zusammen, gehe weiter an den Buden entlang und beginne, Vorräte einzukaufen – immer möglichst viel für möglichst wenig Geld.

Polizisten scheint es auf dem Markt keine zu geben. Einmal sehe ich Emilio. Er steht ein Stück entfernt an dem kleinen Stand einer Indiofrau. Sie spricht mit ihm und reicht ihm einen Beutel über die Auslagen. Emilio nimmt ihre Hand und drückt sie an die Stirn. Mehr kann ich nicht erkennen, eine Gruppe von Leuten tritt dazwischen und versperrt die Sicht.

Nach einiger Zeit habe ich so viel zusammen, wie ich tragen kann. Trotzdem bleibe ich noch eine Weile auf dem Markt, betrachte die Mütter mit ihren Kindern – es ist wie ein kurzer Ausflug in ein normales Leben. Erst am späten Nachmittag gehe ich zum Bahnhof zurück.

Hinter dem Lagerschuppen treffe ich die anderen wieder. Jaz und Ángel sind schon da, Emilio kommt wenig später. Nur Fernando lässt auf sich warten. Als er endlich auftaucht, steht die Sonne schon tief am Horizont.

»Na, alle zurück aus Feindesland?«, sagt er grinsend. Er wirkt aufgekratzt. Ich habe das Gefühl, er war nicht nur in der Stadt, um den Markt zu besuchen. »Dann los! Wir brauchen einen vernünftigen Platz zum Pennen.«

»Fahren wir denn heute nicht mehr weiter?«, fragt Jaz.

»Nein«, sagt Fernando. »Der nächste Zug nach Veracruz geht erst morgen. Was ehrlich gesagt gar nicht so schlecht ist. Zwei Nächte mit dem ewigen Rattern und Rumpeln sind fürs Erste genug, wenn ihr mich fragt. Wir müssen mal weg von den Schienen, sonst wachsen uns am Ende noch Räder. Na los, machen wir uns auf die Suche!«

Fernando führt uns von den Gleisen weg, auf der Seite, die der Stadt abgewandt ist. Wir überqueren ein Feld und erreichen einen kleinen Vorort mit ziemlich neuen, sauberen Häusern, bei denen ich das Gefühl habe, überall sitzen Leute hinter den Fenstern und beobachten uns.

»Wo willst du hin?«, frage ich Fernando, während wir, in alle Richtungen Ausschau haltend, durch die Straßen wandern.

»Weiß ich selbst nicht«, sagt er. »Erst mal raus aus der Stadt. Schließlich soll heute Nacht keiner über uns stolpern, vor allem keine Bullen. Aber zu abgelegen darf's auch nicht sein. Gibt viele giftige Viecher da draußen, Schlangen und Skorpione und so. Die kriechen nachts aus ihrem Versteck und können's nicht leiden, wenn ihnen einer im Weg liegt.«

»Scheiße! Hast du so was schon erlebt?«

»Nein. Aber von einem gehört, dem's passiert ist. Er war fast durch Mexiko durch, haben sie mir erzählt. Alles überstanden: Züge, Polizei, Banditen, Stürme, Gewitter – das ganze Programm. Dann beißt ihn ausgerechnet in der Nacht, als er über die Grenze will, eine Klapperschlange. Er schafft's noch bis zum nächsten Haus, die Leute fahren ihn zum Arzt. Der flickt ihn zwar zusammen, aber weil der Typ keine Papiere hat, ruft er die *cuicos*. Und die karren den armen Teufel die ganze Strecke wieder zurück – nur wegen diesem bescheuerten Viech, das seine Zähne nicht bei sich behalten konnte.«

Jaz, die neben uns geht, stöhnt auf. »Oh, Mann, was für ein Pech!«, sagt sie. »Der Kerl tut mir echt leid.«

»Pech?« Fernando lacht laut. »Dafür weiß ich aber ein besseres Wort, kannst du mir glauben. Zum Beispiel …«

Doch bevor er dazu kommt, das Wort zu verraten, bricht er ab. Wir haben den Rand der Stadt erreicht und gleich auf dem ersten Feld hinter den Häusern breitet sich ein riesiger Müllhaufen aus, auf dem alles abgeladen ist, was die Leute nicht mehr brauchen. Da liegen ein alter Herd und ein verrosteter Kühlschrank, eine Matratze, aus der die Sprungfedern ragen, eine verbeulte Autotür, ein Fernseher mit eingeschlagener Mattscheibe und tausend andere Dinge, die achtlos übereinandergeworfen sind.

»Hey, seht mal: ein Supermarkt!«, sagt Fernando und klettert über den Zaun, der das Feld begrenzt. »Mal sehen, ob sie auch Bettwäsche haben.«

Er geht zu dem Müllhaufen und wühlt darin herum. Nach einer Weile zieht er eine alte, zerschlissene Decke hervor und hält sie prüfend gegen die Sonne, die gerade hinter den Feldern untergeht. Dann dreht er sich um.

»*¿Qué están esperando?*«, ruft er. »Na los, worauf wartet ihr? Billiger wird's nicht mehr.«

Wir steigen auch über den Zaun und sehen uns das Gerümpel an. Das meiste ist vermodert, aber einiges sieht brauchbar aus. Unter dem Kühlschrank entdecke ich ein Stück Pappe, das als Schlafunterlage nicht schlecht wäre, Jaz schnappt sich einen zerrissenen Mantel. Auch Ángel und Emilio statten sich aus.

Als alle etwas gefunden haben, ziehen wir weiter. Kurz darauf kommen wir – noch in Sichtweite der Stadt – an einem verfallenen Haus vorbei. Oder besser: Es ist gar nicht fertig geworden. Nur die Mauern stehen, das Dach fehlt und die Fenster und Türen sind offene Löcher. Es sieht aus, als wäre dem Besitzer während des Bauens das Geld ausgegangen.

Wir gehen hin. An den Mauern wuchert Unkraut, in den Fenstern hängen Spinnweben. Hier wohnt keiner, das steht fest. Der ideale Schlafplatz! Aber wie sich zeigt, sind wir nicht die Ersten, die diese Idee haben. Als wir die Köpfe durch die Tür strecken, entdecken wir einen alten Mann, der hinter dem Eingang in der Ecke hockt. Er setzt gerade eine Flasche an die Lippen, lässt sie aber hastig sinken, als er uns sieht.

»He, haut ab!«, krakeelt er und fuchtelt in der Luft herum. »Das ist mein Platz. Mein Haus!«

»Ach, halt die Luft an, Alter«, sagt Fernando und geht hinein. »Sieht doch ein Toter, dass das Haus keinem gehört. Hier ist genug Platz für alle.«

Der Alte grummelt vor sich hin und nuckelt an seiner Flasche. Wir gehen an ihm vorbei in den nächsten Raum. Von dort führt eine Treppe, an der das Geländer fehlt, ins obere

Stockwerk. Vorsichtig klettern wir hinauf. Als wir oben sind, schrecken wir ein paar Vögel auf, die mit wütendem Gezwitscher von einer Ecke in die andere flattern und dann durch ein Fenster verschwinden. Als sie weg sind, schweben nur noch ihre Federn in der Luft, ansonsten ist der Raum leer.

Fernando sieht sich um und nickt zufrieden. »Wie für uns gemacht«, sagt er und wirft seine Decke auf den Boden. »Außer den Flattermännern kommt hier kein Viehzeug hin, erst recht kein giftiges. Ihr müsst euch bloß die Vogelkacke wegdenken, dann ist es wie im Paradies hier.«

Wir laden unsere Sachen ebenfalls auf dem Boden ab, ich lege meine Pappe neben den alten Mantel von Jaz. Irgendwie bin ich froh, dass wir heute nicht weiterfahren. Nach allem, was wir auf den Zügen erlebt haben, ist die Aussicht, in einem verlassenen Haus auf dem Boden zu schlafen, fast wie Urlaub.

Ángel hat einen alten Schlafsack aus dem Müll gefischt und sitzt schon darauf. »Wir könnten Feuer machen«, schlägt er vor. »Jaz und ich haben Brot gekauft, das können wir rösten.«

Fernando überlegt. »Was Warmes zu futtern wär echt nicht übel«, sagt er. »Wir müssen nur das Fenster zuhängen. Damit das Licht uns nicht verrät.« Er sieht Jaz an und grinst. »Wie wär's? Wir Männer holen Holz und du machst die Betten.«

Jaz verdreht die Augen. »Könnte dir so passen«, sagt sie. »Aber ich weiß was Besseres.« Sie geht zu ihm und tippt ihm gegen die Brust. »*Du* machst die Betten und *wir* holen Holz.«

Fernando lacht. »Sagen wir: Ihr holt das Holz und ich hau mich schon mal hin, mit dem Bettenmachen hab ich's nicht so. Aber pass auf die Schlangen auf, ja? Huhu!« Er fuchtelt ihr vor dem Gesicht herum. »Die tarnen sich gern als Ast.«

»Und ich tarne mich gleich als Drache«, sagt Jaz. »Als ob ich keine Schlange von einem Ast unterscheiden könnte!« Sie lässt Fernando stehen und winkt mir und den anderen zu. »Kommt, wir gehen!«

Nicht weit vom Haus finden wir ein Gestrüpp mit genug trockenem Holz, um ein vernünftiges Feuer in Gang zu bringen. Als wir schwer bepackt zurückkehren und die Treppe hochsteigen, hat Fernando schon eine weitere Decke organisiert und vor das Fenster gehängt. Wir werfen das Holz auf den Boden und schichten es auf.

»Und womit zünden wir es an?«, fragt Ángel.

»Mit dem heißen Atem von Jaz, dem Drachen«, sagt Fernando. »Man muss sie nur genug ärgern, dann kriegt sie jedes Holz zum Brennen. Nein, im Ernst, ich hau den Penner an. Typen wie der haben immer ein Feuerzeug in der Tasche.«

Er verschwindet nach unten, um den Alten zu fragen. Aber der will sein Feuerzeug nicht einfach hergeben, ich kann hören, wie sie in Streit geraten.

»Einmal Feuer macht sechzig Pesos«, krächzt der Alte. Dann bricht er in ein heiseres Kichern aus.

»Du hast sie ja nicht mehr alle«, ist Fernandos Stimme zu hören. »Rück das Feuerzeug raus oder ich geb dir sechzig Pesos aufs Maul!«

»Jaja, ist ja gut! Mach dir nicht gleich ins Hemd«, antwortet der Alte. »Kannst du keinen harmlosen Witz vertragen? Mann, Mann, was ist nur aus der Welt geworden!«

Gleich darauf poltert Fernando die Treppe wieder hoch, das Feuerzeug in der Hand und ein zufriedenes Grinsen im Gesicht. Er kniet sich vor den Holzstapel, um ihn zu entzünden. Nach ein paar Fehlversuchen züngelt die erste kleine Flamme empor und wenig später lodert das Feuer auf allen Seiten in die Höhe. Wir setzen uns im Kreis darum und packen unsere Vorräte aus.

»Ah«, seufzt Fernando, »die Nacht ist ganz nach meinem Geschmack.« Er nimmt einen Ast, spießt ein Stück Brot darauf und hält es über die Flammen. »Los, macht's auch so. Es muss braun und knusprig sein, sonst schmeckt es nicht.«

Bald haben wir alle unser Brot über dem Feuer, außer Emilio, der eine seiner geliebten Kartoffeln in die Glut legt. Ein rauchiger Duft zieht durch den Raum – und anscheinend auch die Treppe hinunter, denn es dauert nicht lange, da erscheint der Alte auf der obersten Stufe. Er bleibt kurz stehen und beobachtet uns, dann kommt er angewankt.

»Hey, Jungs«, sagt er, »was dagegen, wenn ich mich setze?« Ohne auf Antwort zu warten, schiebt er Emilio und Jaz zur Seite und plumpst zwischen ihnen auf den Boden. Dann packt er eins von unseren Broten und stopft es sich in den Mund.

Fernando will wütend hochfahren, aber Jaz hält ihn zurück. »Ach, lass ihn doch«, sagt sie. »Es ist genug da und außerdem hat er uns sein Feuer gegeben.«

Der Alte zieht die speckige Kappe, die er aufhat, schwingt sie durch die Luft und verbeugt sich vor Jaz. »*Gracias*«, sagt er. »Merci, thanks und danke schön!« Dann stülpt er sich die Kappe wieder auf den Kopf, bricht in einen fürchterlichen Husten aus und spuckt ein paar halb zerkaute Brotreste ins Feuer.

Fernando verzieht das Gesicht. »Mann, Alter«, knurrt er. »Du stinkst wie ein ganzer Schnapsladen.«

Der Alte kichert, zieht seine Flasche hervor und hält sie Fernando hin. »Willst du auch mal?«

Fernando winkt ab. »Sauf alleine. Im Gegensatz zu dir haben wir morgen noch was vor.«

Der Alte nimmt einen Schluck und steckt die Flasche wieder ein. »Na, das lob ich mir aber«, nuschelt er vor sich hin. »Junge Leute, die was vorhaben. Gibt nichts Besseres auf der Welt.«

Jaz sieht mich übers Feuer hinweg an. Kurz ist es still, dann platzt sie auf einmal heraus und ich muss auch lachen. Irgendwie gefällt mir der Alte. Er stinkt zwar erbärmlich und sein verfilzter Bart, der ganz mit Schnodder verklebt ist, ist bestimmt das reinste Läuseparadies. Aber immerhin ist er außerhalb der Welt der Züge der Erste, der mit uns redet, seit wir in Mexiko sind.

Überhaupt tut es gut, am Feuer zu sitzen, ohne die ganze Zeit Angst haben zu müssen. In den letzten Tagen hatten wir genug damit zu tun, mit heiler Haut durch Chiapas zu kommen. Jetzt können wir wenigstens für eine Nacht die Gefahren und Strapazen vergessen, können durchatmen und uns daran erinnern, warum wir hier sind und wofür wir das alles eigentlich tun.

Während wir dasitzen und versuchen, das qualmende Brot zu essen, ohne uns die Zungen daran zu verbrennen, wird mir bewusst, wie wenig ich von den anderen immer noch weiß. Seit vier Tagen bin ich fast ohne Unterbrechung mit ihnen zusammen, habe in der Zeit mehr mit ihnen erlebt als mit irgendwem sonst, aber außer ihren Namen und den Ländern, aus denen sie stammen, weiß ich so gut wie nichts von ihnen.

Jaz scheint es ähnlich zu gehen. Sie fängt an, Fernando nach seinen früheren Fahrten zu fragen, und nachdem er einige seiner üblichen Zuggeschichten zum Besten gegeben hat, sind wir bald in ein Gespräch vertieft über das, was uns hierhergetrieben hat – und natürlich darüber, was uns erwartet: das Land, in das wir wollen, und die Menschen, die wir suchen.

»Ach, ich weiß nicht«, sagt Jaz irgendwann, nachdem sie

eine Weile geschwiegen hat. »Manchmal stelle ich mir vor, ich komme da oben an und meine Mutter erkennt mich gar nicht wieder. Das ist der schlimmste Gedanke von allen: dass am Ende die ganze Reise umsonst ist.«

»Nein«, sagt Fernando. »So was wie das hier ist nie umsonst. Und sie *wird* dich erkennen, selbst wenn du dir tausendmal die Haare schneidest oder sonst was mit dir anstellst. Wo du sie findest, weißt du doch?«

»Chicago. Oder in der Nähe.«

Als sie das sagt, dreht sich der Alte, der zuletzt nur ins Feuer gestarrt hat, plötzlich zu ihr um. »Chicago?«, fragt er.

»Ja. Meine Mutter wohnt da.«

Der Alte winkt ab. »Kannst du bleiben lassen, Kleiner«, sagt er. »Alles scheiße da oben.«

Fernando sieht ihn wütend an. »Hey, Mann«, sagt er und streckt dem Alten sein qualmendes Stück Brot entgegen, bis es ihm fast die Nase versengt. »Du darfst dich dazusetzen, weil wir so lieb und nett sind, aber halt die Klappe und quassel nicht über Sachen, von denen du nichts verstehst, ja? Du nervst!«

Der Alte weicht erschrocken zurück. Dann zückt er wieder seine Flasche und flucht vor sich hin, während er sie aufschraubt.

Fernando achtet nicht weiter auf ihn und wendet sich an Jaz. »Seit wann ist deine Mutter eigentlich weg?«

»Zehn Jahre«, antwortet Jaz.

Sie sagt es ganz ruhig, fast beiläufig. Aber trotzdem – oder vielleicht gerade deswegen – treffen mich ihre Worte. »Zehn Jahre!«, rutscht es mir heraus. »Mensch, Jaz, das ist verdammt lange. Bei wem warst du die ganze Zeit?«

»Erst bei meinen Großeltern. War eigentlich ganz okay,

aber – na ja, es sind eben nur meine Großeltern. Meine Mutter hat immer versprochen, dass sie kommt und mich holt. Daraus ist aber nie was geworden. Dann ist mein Opa krank geworden, vor zwei Jahren oder so, und konnte nicht mehr arbeiten. Da musste ich in die Stadt, als Hausmädchen, zu so reichen Leuten.«

Fernando zieht verächtlich eine Augenbraue hoch. »Lass mich raten: Du musstest auf ihre kleinen Monster aufpassen.«

Jaz nickt. »Die ganze Zeit haben mich die kleinen Teufel rumkommandiert. *Jazmina, mach dies, Jazmina, mach das, hol mir was zu trinken, bring mir ein Eis, kannst du nicht schneller machen?* Wenn ich nicht gleich gesprungen bin, ging das Gebrüll los: *Mamá, Jazmina trödelt rum!* Oh, Mann, ich war manchmal so wütend auf sie, dass ich ihnen am liebsten eine geklebt hätte.«

»Kann ich mir denken«, sagt Fernando. »Und was war mit ihrem Alten?«

»Wieso? Was soll mit dem sein?«

»Na, hat er sich an dich rangemacht oder nicht?«

Jaz zögert und sieht zu Boden. Dann zieht sie ihre Kappe tiefer ins Gesicht. »Ich hätte den Kerl umbringen können«, sagt sie, ihre Mundwinkel zucken.

Fernando nimmt einen Ast und stößt ihn ins Feuer, sodass es auflodert. »Was nicht ist, kann ja noch werden«, sagt er. »Irgendwann, wenn wir's geschafft haben, kommen wir wieder und nehmen uns den Typen vor. Was meinst du?«

»Ach, wozu denn?« Jaz winkt ab. »Jetzt bin ich ja abgehauen. Bin froh, wenn ich ihn nie wiedersehe. Und die kleinen Nervensägen können mir auch gestohlen bleiben.«

»Ich weiß, was du meinst«, sagt Emilio plötzlich. »Das kenne ich auch.« Ich erschrecke fast, als ich seine Stimme höre. Normalerweise sagt er nie etwas, außer wenn man ihn mindestens dreimal fragt. Aber die Geschichte von Jaz muss ihn an etwas erinnert haben.

»Die Söhne vom Verwalter«, fügt er hinzu, als er merkt, dass ihn alle ansehen. »Haben sich immer über uns lustig gemacht.«

Keiner weiß, wovon er spricht. »Was für ein Verwalter?«, frage ich.

Emilio antwortet nicht. Stattdessen krempelt er seine Hose hoch. Im Licht des Feuers ist zu sehen, dass seine Beine von oben bis unten mit Narben bedeckt sind.

Als der Alte es sieht, stellt er aufgeregt seine Flasche zur Seite. »Hab ich auch!«, krächzt er und beugt sich vor, um seine Hose ebenfalls nach oben zu schieben.

»Mann, lass bloß deine Fetzen unten«, sagt Fernando und hält ihn zurück. »Ich will deine Beine nicht sehen. Oder meinst du, ich will Albträume kriegen?«

Dann wendet er sich an Emilio. »Wovon hast du die?«, fragt er und zeigt auf seine Narben.

»Von der Arbeit in den Kaffeeplantagen«, sagt Emilio. »Wenn du nicht aufpasst, kriegst du aus Versehen ganz schnell mal eine von den Macheten ab. Und dann kannst du froh sein, wenn es bei Narben bleibt.«

Fernando mustert ihn eine Zeit lang nachdenklich. »Wie lange warst du da?«

»Ich hab mit sieben angefangen«, sagt Emilio. »Bin mit meinem Vater mit.« Er rollt seine Hose wieder nach unten. Während ich ihm dabei zusehe, wird mir einiges klar. Vor allem, warum er so kräftig ist – aber auch, warum er so erwachsen wirkt.

»Mein Vater hatte auf der Plantage einen Unfall und ist gestorben«, fährt Emilio fort. Offenbar hat Fernandos Interesse ihm Mut gemacht. Ich kann mich nicht erinnern, dass er vorher schon mal von sich erzählt hat. Das Reden scheint ihm auch jetzt schwerzufallen. Er spricht langsam und sucht manchmal so lange nach dem nächsten Wort, dass man richtig ungeduldig werden kann.

»Meine Mutter hat in einer Fabrik gearbeitet«, sagt er. »Das Geld hat aber nicht gereicht, da ist sie nach Norden. Vor ein paar Jahren. Um mehr zu verdienen, hat sie gemeint, und uns ab und zu was davon zu schicken. Meine Brüder sind woandershin, ich bin auf der Plantage geblieben. Gab oft Streit mit den Söhnen vom Verwalter. Vor ein paar Wochen hab ich mich gewehrt, da haben sie mich rausgeworfen. Jetzt nimmt mich keiner mehr.«

»Und dann bist du los?«, fragt Ángel.

»Nicht sofort. Ich hab erst gedacht, ich geh in die Berge. Zu den Rebellen.«

»Du meinst – zu den Typen, die gegen die *latifundistas* kämpfen?«, sagt Fernando. »Gegen die Grundbesitzer? Warum hast du's nicht gemacht?«

Emilio zuckt mit den Schultern. »Weiß nicht. Hatte erst mal genug Ärger. Hab gedacht, ich hau lieber ab und geh nach Norden. Wo meine Mutter ist.«

Der Alte, der zwischendurch eingeschlafen war, aber jetzt wieder aufgewacht ist, schüttelt den Kopf, als er ihn so reden hört. »Hat doch keinen Zweck, Junge«, sagt er und deutet mit seiner Flasche in eine Richtung, die er vermutlich für Norden hält. »Nur Geld haben die da oben. Kein Herz.«

»Ach, hör auf mit der Leier, Mann«, sagt Fernando. »Du siehst nicht aus wie einer, der anderen Ratschläge geben kann.«

Der Alte stellt seine Flasche mit einem Knall auf den Boden, richtet sich auf und zeigt mit dem Finger auf Fernando. »Hab verdammt noch mal mehr gesehen als du kleines Großmaul. Und ich sag dir: Es ist ganz egal, wohin du gehst. Deinem Leben kannst du nicht entkommen. Da kannst du so weit rennen, wie du willst. Von mir aus bis zum Nordpol.«

»Jaja, brabbel dir nur in deinen Bart«, sagt Fernando. »Von deinem Gerede wird einem schlecht. Und jetzt verzieh dich zu deiner versifften Decke und sauf dir die Birne voll.«

Der Alte wirft ihm einen bösen Blick zu. Dann steht er auf, bückt sich nach seiner Flasche und humpelt davon. Als er an der Treppe ist, dreht er sich um, so als wollte er noch etwas sagen. Aber schließlich macht er nur eine abfällige Bewegung mit der Hand in unsere Richtung und verschwindet nach unten.

»Oh, Mann«, sagt Fernando und schüttelt den Kopf. »Der Typ ist ja total fertig.«

»Glaubst du, wir müssen Wache halten?«, fragt Ángel besorgt.

»Ach was. Der ist zwar verrückt, aber von der harmlosen Sorte. Von dem lassen wir uns den Schlaf nicht verderben. Wer weiß, wann wir wieder welchen kriegen.«

Während das Feuer allmählich herunterbrennt, kann ich den Alten unten noch eine ganze Weile hören. Er führt Selbstgespräche und grölt vor sich hin. Aus irgendeinem Grund hat ihn das, was wir erzählt haben, aufgewühlt. Warum, werde ich wohl nicht mehr erfahren. Morgen ziehen wir weiter, dann sehen wir ihn bestimmt nie wieder.

Eine Zeit lang unterhalten wir uns noch, schließlich werden wir müde und strecken uns am Feuer aus. Irgendwie fühlt es sich seltsam an, keinen Fahrtwind im Gesicht und kein schlingerndes Dach unter dem Hintern zu haben. Ich drehe mich vom Feuer weg. Neben mir liegt Jaz auf ihrem Mantel und rührt sich nicht. Ihre Geschichte geht mir nicht aus dem Kopf. Sie hat keinen einzigen Ton mehr gesagt, seitdem sie sie erzählt hat.

Juana liegt neben mir. Ihr Atem geht stockend, ab und zu setzt er für ein paar Sekunden aus. Sie hat die Decke über den Kopf gezogen, als wollte sie von der Welt nichts mehr wissen. Manchmal habe ich Angst, dass sie darunter erstickt – einfach so. Dann ziehe ich die Decke weg und lausche wieder auf ihren Atem.

Sie hustet viel. Es hat angefangen, als wir aus unserem Dorf nach Tajumulco gezogen sind. An den Rand der Stadt. Wo die wohnen, die sich nichts Besseres leisten können. Es gibt keinen Strom dort und kein Wasser, es ist feucht, durch die Ritzen pfeift der Wind. Ich bin fast nie krank, aber Juana schon. Manchmal nehme ich sie mit in die Innenstadt. Wenn die Leute sehen, wie sie hustet, geben sie mir eher etwas, als wenn ich alleine am Straßenrand hocke.

In dem anderen Bett schläft meine Mutter. Ihr Atem ist tief und schwer. Sie steht auf, bevor es hell wird, geht in die Stadt, sammelt in den Häusern die schmutzige Wäsche ein und wäscht sie im Fluss. Wenn sie zurückkehrt, ist es schon dunkel.

Sie ist oft traurig. Manchmal bittet sie meinen Onkel, uns zu helfen. Dann bringt er uns ein Stück Fleisch. An den Sonntagen gehe ich mit Juana zu ihm und unserer Tante, sie wohnen nicht weit weg. Einmal waren wir eine Woche dort. Es gab gutes Essen, am Ende war Juanas Husten verschwunden. Aber es war nicht wie zu Hause.

Wieder ziehe ich die Decke von Juanas Kopf. Sie stöhnt und

dreht sich zur Seite. Ich weiß, dass meine Mutter sich für unsere Armut schämt, sie kann mir nichts vormachen. Ab und zu weint sie nachts. Sie glaubt, ich schlafe und höre es nicht. Aber ich höre es immer. Dann muss ich an die Frau aus unserer Straße denken. Sie hat ihre Kinder weggegeben, heißt es. Weil sie nichts mehr zu essen für sie hatte. Bei ihr hat es genauso angefangen, sagen die Leute. Erst der Mann, dann die Wohnung, dann das Weinen.

Ich habe Angst, meine Mutter könnte das Gleiche tun. Könnte uns weggeben. Manchmal liege ich die ganze Nacht deswegen wach. Einmal habe ich ihr davon erzählt. Sie hat mich beruhigt: Niemals würde sie so etwas tun. Egal was passiert – nichts und niemand würde uns jemals trennen.

Ihr seid doch alles, was ich habe, hat sie gesagt. Alles, was ich habe. Alles …

Ich öffne die Augen. Erst weiß ich nicht, wo ich bin, dann sehe ich die anderen im Schein der Glut. Emilio und Ángel schlafen, Fernando hat die Hände unter dem Kopf verschränkt und starrt nach oben. Keine Ahnung, worüber er nachgrübelt. Direkt neben mir liegt Jaz, sie atmet schwer und scheint noch wach zu sein.

»Hey, Jaz!«

Sie dreht sich zu mir hin. »Was ist?«

»Das, was du vorhin erzählt hast – das tut mir leid.«

»Muss dir nicht leidtun. Ist doch vorbei.«

»Trotzdem. Als deine Mutter gegangen ist – da warst du erst vier, oder?«

Sie antwortet nicht.

»Kannst du dich überhaupt noch an sie erinnern?«

Erst zögert sie wieder, dann rückt sie näher zu mir heran.

»Ich weiß noch, wie sie gerochen hat«, flüstert sie. »Das heißt – ich glaube, ich weiß es noch. Wie sie aussieht, nicht mehr so richtig. Nur von Bildern. Und du?«

Ich überlege. Ja: Was weiß ich eigentlich noch? »Wie ihre Stimme klingt.« Das ist das Erste, was mir einfällt. »Daran erinnere ich mich genau. Und an ein paar andere Dinge. Wie sie mir zum Geburtstag mein Lieblingsessen gekocht hat. Und wie sie mich ins Bett gebracht hat. So was eben.«

Jaz wickelt sich in ihren Mantel. »Muss schön sein, so was noch zu wissen«, sagt sie.

»Ja, irgendwie schon. Aber irgendwie auch nicht. Weil es nur Erinnerungen sind, verstehst du?«

»In welcher Stadt wohnt sie denn?«

»Los Angeles.«

»Ist das weit von Chicago?«

»Weiß nicht. Ja – glaub schon.«

Jaz sieht an mir vorbei. »Schade«, murmelt sie.

Eine Weile liegen wir da und schweigen. Jetzt, wo sie ihre Kappe abgenommen hat, sieht sie im Schein des Feuers gar nicht mehr wie ein Junge aus. Ich betrachte sie von der Seite. Und dann plötzlich erzähle ich ihr davon. Ich habe bisher noch nie jemandem davon erzählt. Nicht einmal Juana.

»Damals – als meine Mutter mich immer vertröstet hat mit ihren Briefen und immer neue Entschuldigungen hatte, warum sie nicht kommt und uns holt –, da hab ich irgendwann nicht mehr gewusst, ob ich ihr glauben soll. Ich hab gedacht, vielleicht stimmt es ja gar nicht. Vielleicht sind es nur Ausreden. Vielleicht will sie uns gar nicht mehr, Juana und mich. Das ist der Grund, warum ich zu ihr muss, weißt du? Ich will es rauskriegen. Sie soll es mir sagen, nicht nur schreiben. Sie soll es mir ins Gesicht sagen. Damit ich endlich weiß, woran ich bin.«

Jaz wendet sich zu mir hin und sieht mich aus ihren dunklen Augen an. Endlos lange. Dann dreht sie sich auf den Rücken und blickt zur Decke. Eine ganze Weile sagt sie nichts.

»Ja«, flüstert sie dann. »Ja. Das will ich auch.«

Was soll ich ihr schreiben? Die Wahrheit? Die ganze beschissene Wahrheit? Dass ich längst ausgeraubt und halb verwest unter einem Busch liegen würde, wenn ich nicht einen Schutzengel gehabt hätte, der eher ein kleiner Teufel war? Dass ich gejagt werde und mich vor allem und jedem verstecken muss? Aus Regentonnen trinke und fast zu heulen anfange, wenn ich ein Lied von zu Hause höre? Unmöglich. Wahrscheinlich würde sie vor Angst halb wahnsinnig werden.

Aber was dann? Soll ich sie anlügen? Einfach irgendwas erfinden? Dass es ein Kinderspiel ist, durch Mexiko zu fahren? Dass man sich auf den Zügen nur ein bisschen die Sonne auf den Pelz brennen lässt? Die schöne Landschaft genießt und – bevor man weiß, wie einem geschieht – schon auf der anderen Seite der Grenze ist? Das macht erst recht keinen Sinn. So verrückt, wie Juana sein kann, fällt ihr am Ende noch ein, mir hinterherzufahren. Und das wäre so ziemlich das Schlimmste, was passieren könnte.

Auf der Straße neben den Gleisen trotten ein paar schwer bepackte Esel entlang, einer hinter dem anderen, mit Stricken aneinander festgebunden. Ich kann keinen sehen, der sie anführt oder auf sie aufpasst, anscheinend kennen sie den Weg von allein. Ein bisschen sieht es aus, als würden sie auch auf Schienen laufen, so wie unser Zug, der sie jetzt langsam überholt. Mühsam quält er sich die Hügel hinauf. Anders als in Chiapas sind es hier aber nicht die Gleise, die ihn bremsen.

Die Lokomotive kann bergauf nicht schneller mit den vielen Waggons, die sie zieht. Sie stampft und schnauft und kommt trotzdem kaum voran.

Heute Morgen bin ich ganz früh mit den anderen zusammen los. Es war noch dämmrig, als wir gegangen sind, der Alte schnarchte vor sich hin und schlief seinen Rausch aus. Erst draußen, auf dem Weg zum Bahnhof, stieg über den Feldern die Sonne auf. Jaz ging neben mir, ich musste an unser Gespräch in der Nacht denken, und als sie mich ansah, hatte ich das Gefühl, dass sie auch daran dachte.

Am Bahnhof war nicht viel los. Kaum Wachpersonal und keine Polizei, so weit wir sehen konnten. Wir stiegen auf den Zug, der nach Veracruz gehen sollte, Fernando kannte sich aus. Ein paar andere Leute hatten sich schon zwischen den Wagen versteckt, aber bei Weitem nicht so viele wie an der Grenze oder in Tapachula. Als der Zug losfuhr, ging es erst wieder zurück in Richtung Chiapas, ich hatte schon Panik, Fernando könnte sich geirrt haben. Aber dann zweigte das Gleis ab, schwenkte in einem weiten Bogen nach Norden und genau dorthin, auf die Hügel zu, geht jetzt seit einigen Stunden unsere Fahrt.

Die Eselskarawane ist in der Ferne verschwunden. Wir steigen langsam höher, ich kann richtig spüren, wie die drückende Hitze der Küste hinter uns zurückbleibt. Ein paar verschlafene Dörfer liegen am Rand der Strecke, verlassene Bahnstationen und einsame Friedhöfe. In weit geschwungenen Kurven führen die Gleise hinauf. Manchmal – in den Kehren, wo der Zug besonders langsam ist – tauchen ein paar abgemagerte Gestalten aus den Büschen auf und springen auf die Leitern.

Jaz, Fernando, Emilio und Ángel hocken auf dem Wagen hinter mir. Ich will allein sein, um einen Brief an Juana zu schreiben. In der Nacht, als ich gegangen bin, war sie so traurig und niedergeschlagen, dass ich ihr versprochen habe, so schnell wie möglich von mir hören zu lassen. Und auch wenn das Schreiben nicht gerade mein Ding ist, weil ich es nie richtig gelernt habe: Das Versprechen muss ich halten, damit sie am Ende nicht noch auf dumme Gedanken kommt.

Aus meinem Rucksack krame ich ein zerknülltes Stück Papier und einen Bleistiftstummel. Zwar habe ich nicht den geringsten Plan, wie und von wo ich den Brief abschicken soll, aber darüber kann ich mir immer noch Gedanken machen. *Liebe Juanita*, kritzele ich auf das Papier und halte dann inne. Wahrscheinlich wird sie Stunden brauchen, das Gekrakel zu entziffern. Und was ich eigentlich schreiben soll, weiß ich immer noch nicht. Ich will ihr keine Angst machen – aber anlügen will ich sie auch nicht. Und das ist gar nicht so einfach.

Ich beiße auf den Stift und sehe mich um. Der Zug ächzt gerade durch eine enge Kurve. Ein Mann springt aus dem Gebüsch, läuft mit ein paar schnellen Schritten neben den Gleisen her und schwingt sich einige Wagen weiter vorne auf die Leiter. Ich könnte über die anderen schreiben, geht es mir durch den Kopf, während ich beobachte, wie er nach oben steigt. Ja! Wenn Juana liest, dass ich Freunde gefunden habe, wird es sie vielleicht davon abhalten, Dummheiten zu machen.

Die Idee gefällt mir. Ich beuge mich über das Papier und fange an zu schreiben. Es ist noch mühseliger, als ich dachte, an manche Buchstaben kann ich mich kaum erinnern und weiß erst recht nicht mehr, wie die Wörter geschrieben werden. Immer wieder streiche ich alles durch und fange von vorne an, aber besser wird das Geschreibsel dadurch auch nicht.

Nach einer halben Ewigkeit habe ich endlich die ersten beiden Sätze zustande gebracht. Mir steht der Schweiß auf der Stirn. Ich lasse das Papier sinken und sehe nach vorn. Der Mann, den ich eben beobachtet habe, arbeitet sich über die Dächer langsam in meine Richtung vor, wahrscheinlich sucht er nach einem Platz, an dem er bleiben kann. Gerade ist er auf dem Wagen vor mir gelandet und nimmt jetzt Anlauf, um auf meinen Waggon zu kommen.

Er macht ein paar große Schritte, doch gerade in dem Moment, als er springen will, legt sich der Zug in eine Kurve und schlingert. Der Mann verliert das Gleichgewicht, versucht noch abzustoppen, aber es klappt nicht mehr. Er stolpert, fällt über die eigenen Beine und stürzt in die Lücke zwischen den beiden Wagen. Im letzten Augenblick schafft er es, sich zu strecken und mit beiden Händen an dem Dach auf meiner Seite festzuklammern.

Für einen Moment bin ich wie erstarrt. Ich kann ihn stöhnen und fluchen hören, dann ruft er um Hilfe. Ohne weiter nachzudenken, krieche ich zu ihm, packe ihn am Arm und ziehe ihn zu mir hoch. Er zappelt mit den Beinen, bis er Halt auf einer Querstrebe findet. Dann wälzt er sich über den Rand des Daches und bleibt keuchend auf dem Rücken liegen.

»*¡Dios mío!*«, flüstert er, als er wieder zu Atem gekommen ist, und bekreuzigt sich. »Mein Gott! So schnell kann's gehen.« Mühsam rappelt er sich auf und sieht mich an. »Danke, Junge. Das war ein Zeichen des Himmels. Ein echtes Zeichen des Himmels!«

»Ein Zeichen?« Ich begreife nicht, was er meint. »Wofür?«

»Na, hierzubleiben und das Schicksal nicht noch mehr herauszufordern.« Er sieht auf die Schienen hinunter und schüttelt sich, dann dreht er sich wieder zu mir um. »Das heißt: wenn du nichts dagegen hast, natürlich.«

»Nein. Ist ja nicht mein Wagen.«

»Na ja, irgendwie schon.« Er setzt sich auf, rollt ein Hosenbein hoch und betastet sein Knie, es ist aufgeplatzt und blutet. »Immerhin warst du als Erster hier.«

»Na und? Spielt doch keine Rolle. Ich finde, hier sollte keiner vertrieben werden, nicht aus dem Land und von den Wagen auch nicht. Egal wer als Erster da war.«

Der Mann lacht. »Wie ich sehe, hast du deine Lektion gelernt. Das ist gut.« Er deutet an mir vorbei. »Aber lass uns lieber in die Mitte gehen, ja? Da ist es sicherer.«

Ich habe nichts dagegen, wir tun, was er sagt. Während der Mann sich noch von seinem Schrecken erholt, fällt mir der Brief an Juana wieder ein. Ich muss den Stift und den Zettel fallen gelassen haben, als ich aufgesprungen bin. Jedenfalls sind beide verschwunden.

»Was ist mit dir?«, fragt der Mann, als er meine suchenden Blicke bemerkt. »Hast du was verloren?«

»Ja. Ich wollte einen Brief schreiben. Aber das kann ich wohl vergessen. Der Stift ist weg und das Papier kann ich auch nicht mehr sehen.«

»Oh, warte!« Er greift in seine Hemdtasche, dann zieht er ein Notizbuch und einen Kugelschreiber hervor und hält sie mir hin. »Hier, nimm. Ist das Mindeste, was ich für dich tun kann. Wer weiß? Ohne dich gäb's mich vielleicht nicht mehr.«

Ich zögere, aber er drückt mir die Sachen einfach in die Hand. »Wem wolltest du denn schreiben? Deinen Eltern?«

»Nein. Nur meiner Schwester.«

Der Mann nickt. Er wendet sich ab und betrachtet nachdenklich die Gegend, durch die wir fahren. In seinem Gesicht arbeitet es, er kneift ein paarmal die Augen zusammen.

»Weißt du, es ist schon komisch«, sagt er nach einer Weile. »Ich habe auch einen Sohn und eine Tochter. Sie sind nur ein klein bisschen jünger als du.«

Ich stecke das Notizbuch und den Kugelschreiber in den Rucksack, damit ich sie nicht auch noch verliere. »Und wo sind sie?«

»Ach!« Er macht eine unbestimmte Handbewegung in Richtung Südosten. »Da, wo ich herkomme.«

»Das heißt – Sie haben sie allein gelassen?«

»Ach Quatsch, allein!« Er zieht die Augenbrauen zusammen und fährt in die Höhe. »Sie sind nicht allein. Und ich gehe ja wieder zu ihnen zurück. Was redest du da?«

Er spuckt aus und sitzt eine Zeit lang schweigend da. Dann zieht er eine zerknitterte Packung Zigaretten aus der Tasche, fingert sich eine heraus und zündet sie an. Er nimmt einen tiefen Zug und sieht dem Rauch nach, der hinter uns zurückbleibt und sich langsam im Fahrtwind des Zuges auflöst.

»Irgendwie fühlst du dich nur als halber Mann, wenn du deiner Familie nicht mal ein ordentliches Haus bauen kannst«, sagt er. Dann hellt sich sein Gesicht auf. »Weißt du, ich hab's mir ausgerechnet. Wenn ich da oben auf der anderen Seite der Grenze einen vernünftigen Job finde und alles glattläuft, dann habe ich in ein oder zwei Jahren genug zusammen. Dann geht's wieder zurück – und zwar diesmal für immer!«

Der Spruch kommt mir bekannt vor. Ich habe ihn so oft anhören müssen, dass er mir inzwischen zu den Ohren raushängt. Er bringt mich richtig zum Kotzen.

»Vielleicht wollen Ihre Kinder ja gar kein Haus. Vielleicht wollen sie einfach nur …«

»Woher willst du wissen, was meine Kinder wollen?«, fällt er mir ins Wort. »Woher willst du überhaupt irgendwas wissen? Du hast keine Ahnung, wie es ist, erwachsen zu sein und Kinder zu haben. Also halt deine Klappe!«

Er qualmt eine Zeit lang schweigend vor sich hin. Ein oder zwei Jahre! Ob er wirklich daran glaubt? Wahrscheinlich. Jeder muss an irgendwas glauben. Und seine Kinder tun es bestimmt auch. Noch.

»Und du?«, fragt er schließlich, anscheinend hat er sich wieder halbwegs beruhigt. »Wohin soll's mit dir gehen?«

Ich erzähle ihm, wo ich herkomme und wohin ich will. Nicht alles natürlich, nur das Gröbste. Es ist nicht gut, auf den Zügen zu viel von sich zu erzählen, das habe ich von Fernando gelernt. Und ich kenne den Typen nicht. Wer weiß, was er von mir will.

Er hört sich alles an, ohne was dazu zu sagen. »Und was willst du jetzt deiner Schwester schreiben?«, fragt er nur, als ich zu Ende erzählt habe.

»Na, wie's mir geht, was sonst? Und vor allem, dass sie mir auf keinen Fall hinterherfahren soll. Ich hole sie lieber irgendwann nach. Wenn ich das Geld dafür zusammenhabe.«

»Das Geld? Ach, Junge, stell dir das bloß nicht so einfach vor. Ich war zweimal da oben. Da ist es schon für einen erwachsenen Mann schwer, zu überleben und Geld zu verdienen, ohne sich dabei schnappen zu lassen. Ich weiß inzwischen, wie's läuft. Aber du bist noch neu und du bist nur ein Junge. Wie willst du das schaffen?«

»Weiß ich doch nicht. Aber ich hab's mir vorgenommen, also schaffe ich's auch. Irgendwann sind wir wieder alle drei zusammen, meine Mutter und Juana und ich. So wie früher. Das hab ich mir geschworen.«

Der Mann lacht laut auf. »Mensch, Junge, du bist mir der

Richtige. Glaubst du etwa, deine Mutter hat es sich nicht vorgenommen? Sie hat dir doch bestimmt auch versprochen, dich und deine Schwester nachzuholen, oder?«

»Ja, und das hätte sie auch gemacht. Dreimal hat sie das Geld zusammengehabt. Einmal ist es ihr gestohlen worden. Einmal hat sie's einem Anwalt gegeben, der wollte ihr Papiere besorgen, aber es war kein Anwalt, sondern ein Betrüger. Und einmal hat's ein Schleuser genommen, der ist verschwunden und sie hat ihn nie wiedergesehen. Es war einfach Pech!«

Es sprudelt alles nur so aus mir raus, ohne dass ich groß darüber nachdenke. Der Mann sieht mich an und dann wird mir klar, dass er jetzt über mich das Gleiche denkt wie ich eben über ihn. Ob der Kleine wirklich daran glaubt? Nein, verdammt, ich weiß nicht, ob ich es glaube. Aber es ist immer noch ein Unterschied, ob ich selbst daran zweifle oder ein anderer. Wenn es ein anderer tut, macht es mich wütend.

»Ich kenne deine Mutter nicht«, sagt er irgendwann. »Wahrscheinlich ist es so gewesen, wie du sagst. Aber glaub mir: Mit Glück oder Pech hat das nichts zu tun. Das sind Dinge, die jedem passieren, der sich nicht auskennt.«

Er nimmt einen letzten Zug aus seiner Zigarette und schnippt sie weg. Sein Gerede fängt allmählich an, mir auf die Nerven zu gehen. Er tut, als wäre er der Oberschlaueste von allen. Aber warum zieht er dann schon zum dritten Mal los? Scheint ja einiges schiefgelaufen zu sein bei den ersten Versuchen. Wahrscheinlich so wie bei seinem Abflug eben.

»Da oben ist es immer dasselbe, wenn du neu bist«, redet er weiter. »Monatelang machst du irgendeine Drecksarbeit, in den Fabriken oder auf den Feldern oder wo immer du was kriegen kannst. Die ganze Zeit hast du eine Heidenangst, sie könnten dich erwischen und aus dem Land schmeißen. Lässt alles mit dir machen, weil du's dir nicht leisten kannst aufzumucken. Und wenn du ein bisschen sauer erspartes Geld zusammenhast, reichen zehn Minuten, um's an irgendeinen Betrüger zu verlieren. Von der Sorte gibt's da nämlich jede Menge. Also glaub nicht, dass es so einfach ist.«

»Glaub ich ja auch nicht. Aber ich lasse mich nicht übers Ohr hauen. Ich schaff's schon. Wer hat denn eben dem anderen aus der Patsche geholfen?«

»*Uno a cero para ti*«, sagt der Mann und lacht anerkennend. »Eins zu null für dich. Hör zu, nimm's mir nicht krumm, wenn ich eben schlecht drauf war und dich angebellt habe, ja? Hat nichts mit dir zu tun. Es ist nur so, dass einem die Scheiße hier auf Dauer ganz schön zusetzen kann. Vor allem auch, weil …« Er zögert, dann winkt er ab.

»Weil was?« Ich kann solche Andeutungen nicht leiden. Wenn er was zu sagen hat, soll er auch damit rausrücken.

»Na ja, ich musste heute an diesen Typen aus meinem Dorf denken. Er hat's geschafft da oben im Norden, weißt du? Und zwar richtig geschafft. Dann ist er zurückgekommen, wohnt in einem Haus auf dem Hügel und fährt einen von diesen Geländewagen. Früher waren wir dicke Freunde, jetzt kennt er mich nicht mehr. Und das ist das, was ich meine. Selbst wenn du verdammtes Glück hast und alles erreichst, was du willst – irgendwo unterwegs verlierst du deine Seele dabei. Und was hast du dann noch davon?«

Deine Seele! Was für ein albernes Gejammere. Fernando würde dem Typen kräftig die Meinung sagen.

»Warum ziehen Sie dann überhaupt wieder los?«

»Na, weil es wie eine Sucht ist.« Er klopft auf seine Hemdtasche. »Wie mit den Glimmstängeln hier. Du kommst nicht mehr los davon. Musst es immer aufs Neue versuchen.«

»Also, ich verliere meine Seele nicht, so viel steht fest. Ich will da hoch, und zwar so schnell wie möglich. Raus aus Mexiko, das ist einfach nicht mein Land. Die Leute hier wollen mich nicht, so viel hab ich inzwischen kapiert.«

»Wollen?« Er lacht vor sich hin und schüttelt den Kopf. »Wovon träumst du? Sie wollen dich nirgendwo. Hier nicht, in den USA nicht und sonst auch nicht. Du musst lernen, dich nicht daran zu stören. Du bist da und musst das Beste daraus machen. Das ist das Einzige, was zählt.«

Inzwischen sind wir mittendrin in den Hügeln. Es geht jetzt nicht mehr weiter hinauf, der Zug schlängelt sich nur noch von einem Tal zum nächsten. Ich drehe mich zu Jaz, Fernando und den anderen um. Sie hocken zusammen und reden miteinander. Als Jaz meinen Blick sieht, winkt sie mir zu. Ich stehe auf. Den Brief an Juana kann ich für heute sowieso vergessen.

»Ich denke, ich gehe mal zu meinen Leuten rüber. Die warten schon auf mich.«

»Ja, mach das«, sagt der Mann. »Ist gut, nicht alleine zu sein. Ich hatte auch ein paar Kumpels, aber wir sind getrennt worden und dann haben wir uns nicht mehr wiedergefunden.«

»Na, dann viel Glück.« Ich wende mich von ihm ab.

»Hey, Junge!«, ruft er mir nach. »Was du für mich getan hast – irgendwann mache ich's wieder gut. Hörst du?«

Ich bleibe noch mal stehen und drehe mich um. »Glaub kaum, dass wir uns wiedersehen.« Dann nehme ich Anlauf und springe auf den nächsten Wagen.

»O doch!«, höre ich den Mann noch sagen. »Glaub mir: Das werden wir. Ich bezahle meine Rechnungen immer!«

Die Welt ist aus dem Lot geraten, irgendwie hat sich das Untere nach oben gekehrt. Die Wolken über uns sind wie ein düsterer Teppich und wirken so fest und dicht, als ob man auf ihnen entlanglaufen könnte. Es ist, als hätten sie die Sonne verschluckt und wollten sie nicht mehr hergeben.

Den ganzen Tag sind wir durch die Hügel gefahren, an zugewucherten Bahnhöfen, sturmzerzausten Bäumen und nebelverhangenen Berggipfeln vorbei. Am Nachmittag haben sich die Gleise dann wieder nach unten gesenkt. Der Zug nahm Fahrt auf, die schweren Wagen trieben ihn richtig voran. Eine Zeit lang ging es ein sumpfiges Tal hinab, die Ufer eines trüben braunen Flusses entlang, durch den Bauern mit ihren Ochsenkarren fuhren.

Dann kamen die Wolken – und mit ihnen das Gewitter. Überall um uns herum blitzte und donnerte es, wie aus Kübeln prasselte der Regen herab. Wir kletterten vom Dach und klammerten uns an den Leitern fest, um nicht von den Blitzen getroffen zu werden, die mit lautem Getöse in der Nähe des Zuges niedergingen. Es war, als führen wir direkt durch das Zentrum des Sturmes hindurch. Über uns rumorte der Donner, unter uns stampften die Räder und wir selbst hingen irgendwo dazwischen und versuchten, nicht den Halt zu verlieren auf den nassen, glitschigen Stufen.

Inzwischen ist das Gewitter vorbei, wir hocken wieder auf dem Dach und lassen uns vom Fahrtwind trocknen. Aber hell wird es trotzdem nicht. Die düsteren Wolken sind geblieben und gehen einfach in die Nacht über.

»Ach, es geht doch nichts über ein erfrischendes Gewitter in den Bergen«, sagt Fernando, zieht sein T-Shirt über den Kopf und presst das Wasser heraus. »Vor allem, wenn man's überlebt.«

Jaz beugt sich zu mir hin. »Wetten, jetzt kommt wieder eine von seinen Geschichten?«, flüstert sie mir ins Ohr. Ich kann spüren, wie das Wasser aus ihren Haaren auf meine Schulter tropft.

»Ja«, flüstere ich zurück. »Aber eine mit richtig vielen Toten, das kann ich ihm ansehen.«

»Einmal zum Beispiel«, fährt Fernando fort, der uns nicht gehört hat, »da hat's einen Zug im Gebirge erwischt. Oben am Orizaba. Und da gibt's keine Babygewitter wie hier, sondern richtige. Mit Donner, so laut wie ein Presslufthammer, und Blitzen, so dick wie Bäume. Jedenfalls hat einer in den Zug eingeschlagen. Die Leute haben alle an den Leitern gehangen, so wie wir eben. Aber der Blitz ist durch den ganzen Zug durch. Deshalb sind alle, die dranhingen, weggesprengt worden. Sind wie Raketen durch die Luft geflogen und an den Felswänden zerschmettert. Teufel, das müsst ihr euch mal vorstellen!«

Jaz neben mir macht komische Geräusche, so als wenn sie sich mühsam ein Lachen verkneifen muss. »Fernando?«, sagt sie.

»Was ist?«

»Ach, nichts. Ich frag mich nur gerade, wenn das wirklich so passiert ist, dann hat es bestimmt keiner überlebt, oder? Also kann es eigentlich auch keiner erzählt haben.«

Fernando zögert. »Blödsinn!«, sagt er dann. »Du musst deine Ohren mal aufsperren, Mädchen. Hab ich etwa gesagt, dass *alle* an den Felsen zerschmettert wurden? Nein, hab ich nicht! Einer ist nämlich zwischen zwei Felswänden durch und in einen Fluss gefallen. Der hat's überlebt und der hat's auch erzählt. Ja, so war das!«

Für einen Moment ist es still, dann platzen wir laut heraus, Jaz und ich sowieso, aber auch Emilio und Ángel. Fernando schüttelt den Kopf und winkt ab. »*¡Ignorantes!*«, murmelt er und streift sein Shirt wieder über. »Undankbare Bande! Ohne meine Geschichten wärt ihr doch längst alle vor Langeweile gestorben.«

»Ja, und mit deinen Geschichten sterben wir vor Lachen, ist auch nicht besser«, sagt Jaz. Sie stutzt und hebt den Kopf. »Aber jetzt mal was anderes. Der Zug ist ganz schön schnell geworden, findet ihr nicht?«

Sie hat recht. Es geht noch immer bergab, wir haben mächtig an Tempo zugelegt. Der Fahrtwind ist so stark, dass mein Hemd richtig flattert.

»Was sollen wir tun?«, ruft Ángel. Ich kann ihn kaum erkennen, es ist so dunkel geworden, dass die Umgebung nur noch zu erahnen ist. »Bleiben wir oben oder springen wir ab?«

»Im Moment können wir gar nicht runter, selbst wenn wir wollen«, antwortet Fernando. »Ist viel zu schnell, wir brechen uns sämtliche Gräten. Und einen vernünftigen Platz zum Pennen können wir im Dunkeln auch nicht suchen, hätten wir vorher machen müssen.«

Dann bricht er plötzlich ab und stößt einen Fluch aus. Zweige klatschen gegen die Wagen, bei manchen klingt es wie Peitschenhiebe. Das Tal ist dicht bewachsen, die Gleise liegen eng am Ufer und die Bäume, die dort stehen, recken ihre Äste gefährlich weit über die Schienen.

»Hinlegen!«, brüllt Fernando.

Wieder eines der peitschenden Geräusche. Ich werfe mich der Länge nach hin und klammere mich irgendwo fest. Gleich neben mir ist Jaz, ich kann hören, wie sie nach einem Halt sucht. Kurz entschlossen lege ich ihr den Arm um die Schultern und drücke sie an mich. Dann machen wir uns so dünn, wie wir können.

Ein paar Zweige schrammen mir über die Beine und den Rücken, zum Glück sind sie nicht stark genug, uns mitzureißen. Aber der Zug donnert jetzt in vollem Tempo das Tal hinunter und allein die Vorstellung, bei dieser Geschwindigkeit könnte ein Ast uns treffen, ist beängstigend genug.

Eine Weile liegen wir so. Dann bremst der Zug plötzlich, die Räder quietschen, ein Ruck geht durch den Wagen. Ich blinzele nach vorn. Wieder greifen die Bremsen.

»Was ist das?«, ruft Jaz.

»Weiß nicht«, sagt Fernando von irgendwo. Seine Stimme ist dumpf und kaum zu verstehen. »Vielleicht was auf den Schienen. Oder Schlimmeres.«

Das Klatschen der Zweige lässt nach, anscheinend erreichen wir offenes Gelände. Ich wage es, den Kopf zu heben. Weit voraus ist etwas, das aussieht wie ein schwaches Licht. Dann schiebt sich mit einem Mal etwas anderes davor. Es ist Fernando, der geduckt zum vorderen Ende des Daches läuft.

»Verdammte Scheiße!«, flucht er ein paar Sekunden später. »Jetzt haben sie uns doch am Arsch!«

Ich krieche nach vorn und hocke mich zu ihm. Das Licht vor uns wird deutlicher.

»Razzia?«

»Ja«, knurrt er. »Und nachts sind die Hunde besonders scharf.«

Der Zug bremst erneut, aber am Fahrtwind ist zu spüren, dass wir immer noch schnell sind. Aus dem einen Licht werden zwei, dann mehrere. Es sind Scheinwerfer, auf beiden Seiten der Gleise, vielleicht einen Kilometer entfernt.

Fernando dreht sich zu den anderen um. »Los, auf die Leitern!«, ruft er. »Aber nicht springen, sonst kratzen sie euch in Einzelteilen von den Schienen. Wartet, bis ich es tue!«

Wir klettern die Sprossen hinab, Jaz und ich auf der einen Seite, Fernando auf der anderen, während Emilio und Ángel am hinteren Ende des Wagens sind. Ich stehe nur mit einem Fuß auf der Leiter, mehr Platz ist nicht neben Jaz. Meine Hände zittern so stark, dass ich es kaum schaffe, mich festzuhalten.

Im Gegenlicht der Scheinwerfer sehe ich auf dem Wagen vor uns auch den Mann, mit dem ich heute Morgen geredet habe, die Leiter nach unten steigen. Auf der untersten Sprosse zögert er einen Moment, dann springt er. Das Letzte, was ich von ihm sehe, ist, dass er umgerissen wird und sich überschlägt. Es gibt ein furchtbares Geräusch, als wenn er gegen ein Hindernis prallt, dann rauscht der Zug vorbei. Der Mann ist in der Dunkelheit verschwunden.

»Das ist Wahnsinn!«, schreit Fernando, der es auch mitbekommen hat. »Bleibt bloß oben!«

Inzwischen sind die Scheinwerfer nur noch ein paar Hundert Meter entfernt, die ersten Polizisten tauchen in ihrem Licht auf. Als wäre das ein Signal für ihn, steigt der Zugführer endgültig in die Eisen. Die Räder blockieren und kreischen, dass es einem fast das Trommelfell zerreißt. Jaz prallt gegen mich, ich schaffe es kaum, uns beide auf der Leiter zu halten.

»Jetzt!«, brüllt Fernando von der anderen Seite. »Springt! Und dann lauft!«

Jaz löst sich von mir und wagt den Sprung. Gleich darauf lasse ich selbst die Leiter los. Ich versuche noch, den Aufprall abzufedern, aber es ist aussichtslos. Sofort werde ich von den Beinen gerissen und stürze in den Schotter. Während ich mich überschlage, versuche ich nur, von den Rädern wegzubleiben. Dann schlittere ich über das Geröll den Bahndamm hinab, erst ganz unten bleibe ich liegen. Vor mir dreht sich alles, mein ganzer Körper schmerzt.

Von irgendwo erklingen Schritte, dann richtet sich der Schein einer Taschenlampe auf mich. »Los, hoch!«, bellt eine Stimme.

Ich stütze mich auf die Ellbogen und hebe die Hand vor die Augen, kann den Sprecher aber nicht erkennen. Jemand packt mich von hinten, reißt mich auf die Füße und stößt mich den Bahndamm wieder hinauf.

Als ich oben bin, ist der Zug zum Halten gekommen. Fernando und Emilio stehen an einem der Wagen, lehnen mit den Handflächen dagegen und haben die Beine gespreizt. Ein Polizist tastet sie ab wie Schwerverbrecher. Ich kriege einen Stoß in den Rücken, taumele und stelle mich neben sie. Aus den Augenwinkeln kann ich sehen, dass Jaz und Ángel ebenfalls herangeführt werden. Irgendwer tritt mir die Beine auseinander, dann tasten die Hände auch mich von oben bis unten ab.

Von hinten ist wieder die Stimme zu hören, die ich schon kenne. »Schnappt euch die anderen.« Sie hat einen unangenehmen Klang, lauernd, wie ein Vulkan vor dem Ausbruch. »Die fünf hier gehören uns.«

Schritte entfernen sich und werden leiser. Kurz ist es still, dann befiehlt die Stimme, dass wir uns umdrehen sollen. Wir drücken uns mit dem Rücken gegen den Wagen. Zwei Polizisten stehen vor uns und leuchten uns an.

»*Terminal*«, sagt einer von ihnen, der mit der Stimme. »Endstation. Euer Hotel wartet schon auf euch.« Er lacht über seinen Witz, dann macht er eine knappe Bewegung mit der Lampe. »Los, mitkommen! Und lasst euch nicht einfallen abzuhauen, wir schießen verdammt gut.«

Wie zur Bekräftigung legt er die Hand auf seine Waffe. Dann führen er und der andere uns ab, über einen Pfad, der von den Gleisen wegläuft. Erst jetzt spüre ich, was der Sturz vom Zug mit mir gemacht hat. Ich bin völlig zerschlagen und kann nur mit Mühe gehen. Meine Sachen sind zerrissen, Blut läuft mir die Beine hinab. Als ich mich umdrehe, wird mir klar, dass es den anderen nicht besser geht. Nur Jaz ist zum Glück halbwegs verschont geblieben. Anscheinend hat sie es mit ihrer Geschicklichkeit noch am besten geschafft, den Sturz abzufangen.

»Was machen die Typen mit uns?«, flüstere ich Fernando zu, der neben mir geht.

»Wenn Agenten von La Migra in der Nähe sind, liefern sie uns da ab«, flüstert er zurück. »Dann sind wir im Arsch. Wenn nicht, kochen sie ihr eigenes Süppchen. Polieren uns die Fresse und nehmen uns aus. Auch scheiße, aber immer noch besser.«

Nach einer Weile erreichen wir ein verfallenes Haus, weit und breit ist keine andere Ansiedlung zu sehen. Die Polizisten schubsen uns nach drinnen.

»Nichts zu sehen von La Migra«, flüstert Fernando, als wir

durch die Tür gehen, er klingt fast erleichtert. Was ich von mir nicht gerade behaupten kann. Sein Gerede von wegen »die Fresse polieren« hat mir einen ganz schönen Schrecken eingejagt.

Drinnen müssen wir im Licht der Taschenlampen an der Wand stehen. Es riecht nach nassem Gras und vermodertem Holz, irgendwo tropft Wasser von der Decke. In der Ecke ist undeutlich ein Haufen Gerümpel zu erkennen, daneben die verfaulten Überreste von alten Möbeln.

Ungefähr so muss es sich vor einer Hinrichtung anfühlen, schießt es mir durch den Kopf. Keiner sagt was, die Stille ist beklemmend. Auch die Polizisten stehen nur da und schweigen. Hinter ihren Lampen sind sie kaum zu erkennen, sie wirken wie zwei dunkle Silhouetten ohne Gesicht.

»Wisst ihr, was ich heute Morgen gesagt habe?«, bricht endlich einer von ihnen das Schweigen. Es ist der, der vorhin schon das große Wort geführt hat. »Ach, meine Frau hatte mir ein wunderbares Frühstück gemacht. Mit Eiern und Schinken und Bohnen und heißem Kaffee und allem, was dazugehört. Ich hatte wirklich beste Laune, als ich zur Arbeit kam. Und dann sage ich zu meinen Kollegen: Hoffentlich kommen uns heute nicht wieder diese kleinen Halunken von den Zügen in die Quere.« Er stößt den anderen an. »Das habe ich doch gesagt, oder?«

Der andere reagiert nicht.

»Ja, ich glaube, genau das habe ich gesagt. Und? Was passiert?« Er spuckt aus. Ich kann hören, wie sein Sabber auf den Boden klatscht. »Wir rücken aus zu den Gleisen, warten stundenlang und schlagen uns auch noch die halbe Nacht um die Ohren. Und wofür? Für ein paar Idioten, die nicht kapieren, dass es sinnlos ist, was sie tun. Dass sie nichts als Unheil anrichten und anderen Leuten überflüssige Arbeit machen. Mann, ich möchte wirklich wissen, was in euren Schädeln vorgeht. Was sollen wir jetzt mit euch anstellen, könnt ihr uns das vielleicht mal verraten?«

Meine Knie fangen an zu zittern. Ich versuche, sie ruhig zu halten, aber ich kann nichts dagegen tun, sie zittern einfach weiter. Ich fühle mich ohnmächtig und ausgeliefert, die Stimme macht mir Angst. Es liegt ein bedrohlicher Unterton darin, als wenn sie jeden Moment umschlagen könnte. Ich sehe Fernando an. Der steht nur da und starrt zu Boden. Vorsichtshalber tue ich das Gleiche.

Der Polizist seufzt. »Glaubt mir, es ist ziemlich dumm, auf unsere Fragen nicht zu antworten. Vielleicht wollt ihr ja krumme Dinger in unserer Gegend drehen. Vielleicht seid ihr auch nur ein paar Jungs, die im Norden ihr Glück suchen. Wie sollen wir das wissen, wenn ihr nicht mit uns redet?«

Zuerst sagt wieder niemand etwas. Dann hebt Fernando den Kopf und räuspert sich. »Wir – wir wollen Ihnen keinen Ärger machen«, presst er mit rauer Stimme hervor.

»Na, so etwas!« Der Polizist tritt einen Schritt näher und leuchtet Fernando ins Gesicht. »Das ist wirklich Gedankenübertragung, Junge. Genau das habe ich gerade auch gedacht. Ich habe zu mir gesagt: Eigentlich sehen sie nicht aus wie Leute, die Ärger machen. Was denkst du?« Er wendet sich an den anderen Polizisten. »Sie sehen doch nicht aus wie Leute, die Ärger machen?«

Der andere antwortet wieder nicht.

»Also, wenn ihr mich fragt, seht ihr eher aus wie Typen, die einfach nur Pech im Leben hatten. Und zwar eine Menge Pech.

Und die sich deshalb nichts sehnlicher wünschen, als wenigstens ein einziges Mal auch Glück zu haben. Ein einziges Mal auf Leute zu treffen, die es gut mit ihnen meinen. Die sie zum Beispiel nicht gleich verhaften und zur Migrationsbehörde bringen, sondern – sie unter Umständen sogar laufen lassen.«

Fernando schluckt. Er überlegt eine Weile, bevor er antwortet. »Das wäre – sehr großzügig von Ihnen«, sagt er dann langsam. Ich kann spüren, wie viel Überwindung der Satz ihn kostet.

»Hast du das gehört?«, fragt der Polizist und wendet sich an seinen Kollegen. »Ist das nicht bemerkenswert? Wie oft habe ich zu dir gesagt: Diese Leute sind gar nicht so dumm. Hier hast du den Beweis. Großzügig ist genau das richtige Wort, man könnte kein besseres finden.« Er dreht sich wieder zu Fernando um. »Du hast recht, Junge. Es wäre sogar außerordentlich großzügig von uns. Hast du eine Ahnung, was passieren würde, wenn herauskäme, dass wir euch freigelassen haben?«

»Wahrscheinlich würden Sie ziemlichen Ärger kriegen«, murmelt Fernando.

»O ja, das kannst du laut sagen. Du kannst das doch noch etwas lauter sagen, oder?«

»Sie würden Ärger kriegen«, wiederholt Fernando, jetzt lauter.

»Es ist sogar mehr als das, mein Junge. Wir würden unseren Job verlieren. Und jetzt sag mir mal: Warum sollten wir für euch unseren Job riskieren?«

»Vielleicht …«, Fernando sucht eine Weile nach den richtigen Worten, »vielleicht können wir Ihnen ja auch irgendwie helfen?«

Der Polizist tritt ganz nah an ihn heran. »Weißt du, wenn

man es sich genau überlegt«, sagt er und hält ihm die Lampe direkt vors Gesicht, »dann wäre das nur recht und billig. Wir riskieren wirklich viel, wenn wir euch laufen lassen. Wir riskieren verdammt viel. Da wäre es nur gerecht, wenn ihr euch ein wenig erkenntlich zeigen würdet.« Er zögert einen Moment. »Ich frage mich nur, auf welche Weise ihr das tun könntet.«

Fernando sieht ihn düster an, dann wendet er sich ab. »Gebt ihm euer Geld«, sagt er zu uns. »Alles, was ihr habt.«

Mit diesen Worten zieht er seinen eigenen Vorrat aus der Tasche und hält ihn dem Polizisten hin. Dabei wirft er ihm einen Blick zu, als ob er ihm am liebsten an die Kehle springen würde.

Widerwillig bücke ich mich und ziehe meinen Schuh aus. Was bleibt mir schon übrig? Wenn Fernando meint, dass es der einzige Weg ist, mit heiler Haut aus der Sache rauszukommen, dann wird es verdammt noch mal auch so sein. Ich taste nach dem Geld und liefere es ab. Nur die Ersparnisse von Juana, die vorn in der Schuhspitze stecken, rühre ich nicht an.

Auch Jaz und Ángel übergeben mit gesenkten Köpfen das Wenige, was sie noch haben.

»Und was ist mit dir?«, knurrt der Polizist Emilio an, der sich nicht rührt. Von einem Augenblick zum anderen klingt seine Stimme völlig verändert. »Bist du taub?«

»Nein«, antwortet Emilio. »Ich hab nichts.«

»Tja, das ist Pech. Dann musst du wohl hierbleiben.« Eine rasche Bewegung der Lampe in unsere Richtung folgt. »Ihr anderen könnt verschwinden. Haut ab und lasst euch nie wieder blicken. Ein zweites Mal habt ihr nicht so viel Glück.«

Emilio steht mit hängenden Schultern da. Er hebt den Kopf und sieht uns an, einen nach dem anderen. Es ist wie ein Abschiedsblick.

»Was machen Sie mit ihm?«, fragt Jaz zögernd, die Augen unter dem Mützenschirm versteckt.

»Ich habe gesagt, ihr sollt verschwinden!«, herrscht der Polizist sie an. »Oder willst du genauso hierbleiben wie er?«

Jaz dreht sich zu Fernando um, fast flehend, so als wollte sie sagen: Tu doch was! Auch ich sehe ihn an. Die Vorstellung, zu gehen und Emilio hierzulassen, ist nicht zu ertragen. Irgendwie gehören wir doch zusammen. Seit wir die Grenze überquert haben, gehören wir zusammen. Obwohl es keiner von uns jemals so gesagt hat, ist es doch so: Bevor wir einen von uns alleine zurücklassen, sollten wir lieber alle aufgeben.

Fernando legt den Kopf schräg, kneift die Augen zusammen und sieht Emilio an. Ich kann spüren, wie er mit sich kämpft. Dann bückt er sich, streift einen seiner abgetretenen Schuhe vom Fuß und zieht ein paar Scheine daraus hervor.

»Das ist von ihm«, sagt er zu dem Polizisten, so beiläufig wie möglich, hält ihm das Geld hin und nickt zu Emilio hinüber. »Er hat's mir gegeben, damit ich's für ihn aufbewahre. Tut mir leid. Hab ganz vergessen, dass ich's noch hab.«

Mit einem Mal ist die Spannung, die in der Luft liegt, fast mit Händen zu greifen. Der Polizist nimmt das Geld und steckt es langsam ein. Dann wendet er sich ab, fast so, als wäre die Sache für ihn erledigt. Aber im nächsten Moment wirbelt er herum und schlägt Fernando die schwere Taschenlampe, die er in der Hand hält, mitten ins Gesicht.

Fernando taumelt zurück und prallt gegen die Wand. Unendlich langsam rutscht er daran hinab und fällt stöhnend auf den Boden. Der Polizist zieht seinen Schlagstock und geht auf ihn zu. Fernando hält die Hände vors Gesicht. Ich kann seine Augen sehen, sie sind weit aufgerissen, Angst steht darin, aber mehr noch eine unbändige Wut. Jetzt hebt der Polizist den Stock. Alles in mir zieht sich zusammen. Mit einem Schlag wird mir klar, dass es nun an mir liegt. Wenn ich nichts tue, ist Fernando verloren. Ich muss mich auf den Typen stürzen. Vielleicht kann ich ihm das Knie zwischen die Beine rammen und in dem Tumult …

Aber bevor es so weit kommt, mischt sich plötzlich der zweite Polizist ein, der bis dahin gar nichts gesagt und immer nur im Hintergrund gestanden hat.

»Lass ihn in Ruhe, Vicente. Wir haben, was wir wollen.«

Der andere erstarrt mitten in der Bewegung. »Du sollst meinen Namen nicht nennen, du verfluchter Idiot«, zischt er über die Schulter zurück.

»Trotzdem: Wir kriegen nur Ärger, wenn wir bleiben. Die von La Migra können jeden Moment da sein. Lass uns verschwinden, Mann! Wir haben hier nichts mehr verloren.«

Anscheinend macht das jetzt doch Eindruck auf den anderen. Er lässt den Schlagstock noch einmal durch die Finger gleiten, dann steckt er ihn weg.

»Noch mal kommst du nicht so billig davon«, sagt er zu Fernando, versetzt ihm einen Tritt in die Seite und dreht sich zu uns um. »Wenn ihr über die Sache redet, seid ihr erledigt. Verlasst euch drauf: Egal wo ihr seid, wir finden euch.«

Er geht zur Tür, der andere Polizist folgt ihm. Gleich darauf sind sie verschwunden.

Ich lausche noch einen Moment auf ihre Schritte, die rasch leiser werden, dann bücke ich mich zu Fernando, um ihm zu helfen. Jaz und Ángel knien schon neben ihm.

»Bist du okay, Fernando?«, fragt Ángel mit erstickter Stimme, es hört sich an, als könnte er die Tränen kaum zurückhalten.

»Hier ist gar nichts okay, du Witzbold«, knurrt Fernando. »Aber ich werd schon nicht gleich abnippeln wegen so einem.«

Es ist jetzt dunkel um uns herum, nur durch ein Fenster fällt ein bisschen Mondlicht herein. Die Lampe hat Fernando an der Stirn getroffen, so viel kann ich erkennen. Eine tiefe Wunde klafft dort, sein Gesicht ist blutüberströmt. Er sieht schrecklich aus.

Von hinten höre ich Schritte. Es ist Emilio. Bisher hat er ein Stück entfernt gestanden, jetzt kommt er näher und bleibt verlegen vor uns stehen.

»Danke, Fernando«, sagt er leise.

Fernando lacht verächtlich. »Halt bloß dein Maul. Davon, dass du dich bedankst, wird's auch nicht besser. Ich hab von Anfang an gewusst, dass wir mit dir nur Ärger kriegen.«

Emilio weicht einen Schritt zurück. »Wie – wie meinst du das?«, fragt er verdattert.

»Wie ich das meine? Tolle Frage, echt.« Fernando befühlt seine Stirn und verzieht vor Schmerzen das Gesicht. »Muss ich dir ja wohl nicht erklären, oder?«

»Ich will es aber wissen.«

»Ach, du willst es wissen. Du willst es wirklich wissen, ja? Na gut, dann sag ich's dir. Weil du ein verdammter Scheiß-Indio bist. Und weil man mit verdammten Scheiß-Indios immer Ärger hat. Mann, hundertmal hat mein Vater mir das eingetrichtert. Ich war ein Idiot, dass ich dich überhaupt mitgenommen hab.« Er fasst sich wieder an die Stirn und stöhnt.

Emilio steht da, als hätte ihn der Blitz getroffen. Er öffnet den Mund, bringt aber nichts heraus.

»Hör zu, Emilio, ich glaube, er meint das nicht so«, sagt Jaz. »Es ist nur, weil er …«

»Halt deine dumme Klappe!«, fällt Fernando ihr ins Wort und schiebt sich mühsam ein Stück an der Wand nach oben. »Und red nicht über mich, während ich danebensitze. Ich meine jedes verfluchte Wort verdammt noch mal genau so, wie ich's gesagt hab. Ist das jetzt angekommen?«

Für ein paar Augenblicke ist es still. Dann dreht Emilio sich um und geht.

»Emilio! Wo willst du hin?«, ruft Jaz ihm nach und wendet sich dann wieder zu uns. »Fernando, hör auf damit. Sag, dass du es nicht so gemeint hast. Dass er bleiben soll.«

Fernando dreht den Kopf zur Seite und starrt ins Leere, sagt aber nichts. Ich beuge mich vor und packe ihn an der Schulter. »Ich will auch, dass er bleibt. Er gehört zu uns. Wie alle anderen. Wenn einer geht, sollten wir uns alle trennen.«

»Oh, Mann!«, stöhnt Fernando und winkt ab. »Ihr und eure dämliche Gefühlskacke. Aber gut, von mir aus: Soll er bleiben. Jetzt ist sowieso alles zu spät, schlimmer kann's nicht werden.«

»Hast du gehört, Emilio?«, ruft Jaz. »Komm zurück, sei nicht albern. Wir müssen bereden, wie es weitergehen soll.«

Emilio ist schon draußen verschwunden. Jetzt erscheint er wieder in der Tür, bleibt aber zögernd dort stehen.

»Ihr müsst ihm einen Verband anlegen«, sagt er nur.

Jaz beugt sich vor und betrachtet Fernandos Wunde. »So einfach geht das nicht. Ich glaub, das muss genäht werden.«

»Und ich glaub, du hast sie nicht mehr alle«, fährt Fernando sie an. »Denkst du, ich geh ins Krankenhaus, damit sie mich erst zusammenflicken und dann zurückkarren? Vergiss es! Der Mist heilt schon von allein. Seht zu, dass ihr damit fertig werdet.«

Emilio kommt näher. »Es gibt da so Blätter«, sagt er. »Wenn

man die drauflegt, hört das Bluten auf und die Wunde geht zu. Vielleicht finden wir welche.«

»Ja«, sagt Ángel. »Und dann binden wir sie Fernando mit einem T-Shirt am Kopf fest. Los, wir suchen!«

Einige Zeit später haben wir Fernando verarztet, so gut wir können. Emilio hat draußen im Mondlicht ein paar von den Blättern gesammelt, die er meint, und sie Fernando mit den Fetzen eines zerrissenen T-Shirts um den Kopf gebunden. Mit seinem Turban und seinem blutigen Gesicht sieht Fernando jetzt zwar zum Fürchten aus, aber immerhin ist die Blutung gestoppt, und das ist erst mal das Wichtigste. Wir hocken uns rund um ihn und überlegen, was wir tun sollen.

»Shit, wir sind total abgebrannt«, sagt Jaz. »Wie sollen wir's ohne Geld bis zur Grenze schaffen?«

»Wieso, ist doch ganz einfach«, antwortet Fernando. »Wir können betteln, stehlen, von den Feldern leben – wir haben die volle Auswahl, das ganze Programm. Geld wird sowieso überschätzt, hab ich schon immer gesagt.«

»Ah, verstehe. Du meinst, die Polizisten haben uns einen Gefallen getan, als sie uns davon befreit haben?«

»Klar«, sagt Fernando. »Ganz meine Rede. Die Polizei, dein Freund und Helfer.«

Während die anderen sich weiter in Galgenhumor üben, sitze ich nur schweigend dabei. Die ganze Zeit muss ich an Juanas Ersparnisse denken, meine geheime Reserve. Was soll ich tun? Als ich gegangen bin, habe ich mir geschworen, sie niemals anzurühren. Niemals – egal was passiert. Und den Schwur kann ich doch nicht einfach brechen. Außerdem: Was sollen die anderen denken, wenn ich die Scheine jetzt hervorhole? Wenn sie sehen, dass ich sie so lange vor ihnen verheimlicht habe?

Und vor allem: dass *ich* Emilio damit nicht aus der Patsche geholfen habe?

Andererseits: Es ist ein Notfall. Wenn ich das Geld jetzt nicht auspacke, bin ich erst recht ein Arschloch. Schlimmer, als ein Versprechen nicht zu halten. Entschuldige, Juana, denke ich. Irgendwann gebe ich es dir zurück, das schwöre ich. Dann ziehe ich den Schuh aus und werfe das Geld in die Mitte.

Mit einem Schlag sind die anderen still.

»Das sind die Ersparnisse von meiner kleinen Schwester«, sage ich. »Ich wollte sie nie … Na, ihr wisst schon.«

Eine Zeit lang wage ich die anderen kaum anzublicken. Aber keiner macht mir Vorwürfe. Emilio sieht mir in die Augen und nickt nur. Jaz legt mir die Hand auf die Schulter, ich habe ihr von Juana erzählt. Fernando starrt eine Weile auf das Geld, dann lacht er.

»Oh, Mann«, sagt er und schüttelt seinen verbundenen Kopf. »Wir sind echt eine seltsame Bande. Aber gut, davon können wir noch ein paar Tage leben. Irgendwie springen wir dem Teufel schon von seiner verdammten Schaufel, passt auf.«

Wir teilen das Geld. Dann verschwinden wir, bevor es sich die Polizisten am Ende noch anders überlegen und zurückkommen.

Wo ist eigentlich Emilio?«, fragt Jaz und sieht Fernando, Ángel und mich besorgt an.

»Ich hab gesehen, wie er gegangen ist«, erwidert Ángel. »Vor ein paar Minuten. Er ist einfach los, hat gar nichts gesagt.«

»Das musst du nicht extra erwähnen«, knurrt Fernando. »Der Kerl kriegt die Zähne doch nie auseinander.«

»Hoffentlich ist er nicht für immer weg«, sagt Jaz leise. »Hoffentlich kommt er zurück.«

»Natürlich tut er das, wo soll er denn hin?«, antwortet Fernando. »Passt auf, der muss nur in Ruhe sein Geschäft verrichten, dann ist er wieder da.«

Ich stehe auf und sehe mich in alle Richtungen um, aber Emilio ist wirklich nirgends zu entdecken. Er ist wie vom Erdboden verschwunden. Als ich mich wieder setze, muss ich daran denken, was letzte Nacht passiert ist. In dieser Scheißnacht, an der das einzig Gute war, dass wir es am Ende wenigstens geschafft haben, unsere Haut zu retten.

Nachdem die Bullen uns ausgeraubt und wir Fernando verarztet hatten, sind wir erst mal aus dem verfallenen Haus geflohen und eine Weile durch die Gegend geirrt. Dann haben wir uns mitten im Wald hingelegt und versucht zu schlafen. Aber bei dem ständigen Knacken und Rascheln ringsum konnten wir kaum ein Auge zutun. Früh am Morgen sind wir schon wieder los und haben nach einigem Suchen zur Bahnstrecke zurückgefunden. Jetzt liegen wir in der Nähe der Gleise und warten.

Jaz sieht Fernando aus den Augenwinkeln an, in ihrem Blick liegt ein stummer Vorwurf.

»Himmel, was ist los?«, stöhnt Fernando schließlich, nachdem er eine Zeit lang so getan hat, als würde er es nicht bemerken. »Was willst du?«

»Das war echt nicht nötig letzte Nacht«, sagt Jaz.

»Ja, toll! Dass der Kerl mir die Birne eingeschlagen hat, war auch nicht nötig. Hab mich gefühlt wie auf der Schlachtbank. Da sagt man schon mal was, ist doch egal.«

Fernando trägt noch immer den Verband, den Emilio ihm letzte Nacht angelegt hat. Überall in seinem Gesicht sind Spuren von getrocknetem Blut. Er sieht noch verwegener aus als sowieso schon.

»Vielleicht könntest du …«, beginnt Jaz und zögert. »Vielleicht könntest du dich bei ihm entschuldigen oder so was.«

»Entschuldigen?«, fährt Fernando auf, zuckt aber im gleichen Moment zusammen. Anscheinend schmerzt sein Kopf noch immer. »Wofür soll ich mich entschuldigen, verdammt? Ich hab die Rübe für ihn hingehalten, schon vergessen?«

»Ja, das war ja auch toll von dir. Aber danach …«

»Nichts danach. Jetzt halt mal die Luft an, Mädchen. Dass es nicht so gemeint war, weiß er selbst.«

»Nein, Fernando«, sagt Jaz. »Ich glaub nicht, dass er es weiß. Und ich selbst weiß es ehrlich gesagt auch nicht.«

Fernando verzieht das Gesicht und winkt unwillig ab. Jetzt bin ich schon seit einiger Zeit mit ihm unterwegs, und obwohl ich noch nie einen getroffen habe, der mich so beeindruckt wie er, werde ich nach wie vor nicht ganz klug aus ihm. Es gibt so viel, was er weiß und kann, da ist seine Überlegenheit, sein Mut, seine Kaltschnäuzigkeit. Tausendmal wären wir ohne ihn schon verloren gewesen. Und dann wieder verstehe ich ihn nicht. So wie letzte Nacht. Wie er sich bei der Razzia um uns gekümmert hat, wie er für Emilio eingetreten ist und ihn gerettet hat. Und dann wieder diese bösen, gemeinen Redensarten, die gar nicht dazu passen.

Während ich noch darüber nachdenke, springt Ángel plötzlich auf. »Hey, da ist er!«, ruft er und zeigt in Richtung der Schienen. »Da ist Emilio!«

Jetzt sehe ich ihn auch. Er überquert gerade den Bahndamm und kommt auf uns zu. Irgendwas trägt er in den Händen. Zuerst kann ich es nicht erkennen, dann wird mir klar, dass es zwei Kaninchen sind. Emilio hält sie an den Ohren, sie baumeln leblos in der Luft. Als er bei uns ist, wirft er die beiden Tiere in die Mitte. Dann setzt er sich wortlos hin, so wie es seine Art ist.

»Mensch, Emilio!«, sagt Jaz. »Wo hast du die her?«

Emilio antwortet nicht. Stattdessen nimmt er eins der Kaninchen, hält es an den Ohren hoch und deutet einen Schlag mit der Handkante gegen sein Genick an.

Es dauert einen Moment, bis ich begreife, was er damit sagen will. »Soll das heißen, du hast sie selbst gefangen? Jetzt gerade? Mit bloßen Händen?«

Emilio nickt. »Bei uns macht man das so«, sagt er, sieht dabei aber nicht mich, sondern Fernando an.

Jaz legt ihm die Hand auf den Arm. »Ich bin echt froh, dass du wieder da bist. Ich hatte schon gedacht …« Ihr Blick wandert ebenfalls zu Fernando, auffordernd nickt sie ihm zu.

Fernando reagiert zuerst nicht, sondern verdreht nur genervt die Augen. Dann beugt er sich seufzend vor, nimmt eins der Kaninchen und fängt an, es umständlich zu untersuchen.

Eine halbe Ewigkeit ist er damit beschäftigt, während alle anderen den Atem anhalten. Schließlich legt er das Kaninchen wieder hin.

»Ist ein verdammt gutes Karnickel«, sagt er zu Emilio. »Richtig was dran und so. So was Feines hatten wir lange nicht.«

Emilio zögert und sieht Fernando forschend an. Erst ist sein Blick noch düster, dann hellt sich sein Gesicht auf. »Ich könnte mehr davon besorgen«, schlägt er vor.

»Gar keine so üble Idee«, sagt Fernando und nickt ihm anerkennend zu. »Öfter mal was Ordentliches zwischen den Zähnen hätte was, wenn ihr mich fragt.«

Jaz sieht zufrieden von Fernando zu Emilio und wieder zurück. Dann kreuzt sich ihr Blick mit meinem, sie lächelt.

»Na, dann los«, sagt sie und steht auf. »Worauf warten wir? Lasst uns ein Feuer machen.«

Emilios Kaninchen schickt wirklich der Himmel. Unsere Vorräte sind bei der Razzia verloren gegangen, als wir vom Zug abspringen mussten und durchsucht wurden. Überall um uns herum ist nichts als Wildnis, nur Bäume und Dickicht und ab und zu ein Bach. Keine Felder, keine Häuser, keine Läden – nichts, wo man was zu essen besorgen könnte. Mein Magen hängt mir inzwischen in den Kniekehlen und die Aussicht, etwas Gebratenes zwischen die Zähne zu bekommen, lässt mir richtig das Wasser im Mund zusammenlaufen.

Ich springe ebenfalls auf und mache mich mit Ángel und Jaz auf die Suche nach trockenem Holz, das es zum Glück reichlich gibt. Als wir zurück sind, haben Emilio und Fernando den Kaninchen schon das Fell über die Ohren gezogen und sie ausgenommen. Wir werfen das Holz auf einen Haufen, Fernando entzündet es mit dem Feuerzeug des Alten, das er einfach behalten hat.

Bald stecken die Kaninchen auf zwei Ästen und braten über der Flamme. Sie sehen ein bisschen gruselig aus, wie sie da hängen, so starr und steif und nackt, nachdem sie vor ein paar Stunden noch lustig in der Gegend herumgesprungen sind, aber der Geruch, den sie verströmen, ist verlockend. Wir warten nicht mal ab, bis sie gar sind, sondern nehmen sie schon vorher vom Feuer, zerteilen sie und reißen ihnen richtig das Fleisch von den Knochen.

Kaum sind wir mit dem Essen fertig, ist das Pfeifen eines Zuges zu hören. Hastig treten wir das Feuer aus und raffen unsere Sachen zusammen. Im nächsten Moment ist auch schon die Lokomotive da. Wir rennen zu den Gleisen und schaffen es gerade noch, auf einen der hinteren Wagen zu klettern. Es ist ein klappriger Waggon mit einem verrosteten, löchrigen Dach. Im Innern grunzen Schweine, der Gestank dringt bis zu uns hoch.

»*¡Uf, qué peste!*«, stöhnt Ángel und hält sich die Nase zu. »Lasst uns lieber woandershin gehen.«

Fernando lacht. »Eins steht fest«, sagt er und pult sich einen Rest Kaninchenfleisch aus den Zähnen. »Wenn das Dach nicht hält, landen wir in der Scheiße. Im wahrsten Sinn des Wortes.«

»Ach, ich weiß gar nicht, was ihr habt«, sagt Jaz. »Ich find's nicht übel. Immerhin haben wir Gesellschaft. Auch wenn es nur Schweine sind.«

Am Ende entscheiden wir uns dafür, auf dem Wagen zu bleiben. Auf eine seltsame Art ist mir der Gestank beinahe angenehm. In dem Dorf, in dem ich mit meiner Mutter und Juana gewohnt habe, als ich klein war, gab es auch viele Schweine. Ihr

Geruch war überall, ich habe ihn mit mir getragen, bin mit ihm eingeschlafen und mit ihm aufgewacht. Irgendwie erinnert er mich an die Zeit, als alles noch so war, wie es sein sollte – oder als es mir zumindest so vorkam.

Für ein paar Stunden liegen wir einfach nur da, dösen in der Sonne, holen ein bisschen Schlaf nach und lauschen auf das Grunzen und Quieken der Tiere unter uns. Der Zug schwankt und schaukelt nicht so sehr wie in Chiapas, die Gleise sind besser, er liegt gut in der Spur. Wie ein Tausendfüßler schlängelt er sich durch die Landschaft.

Wir machen ordentlich Fahrt, manchmal denke ich minutenlang nicht daran, wo wir sind, was passiert ist und was noch alles vor uns liegt. Das Einzige, was nervt, ist der Hunger. Zwei Kaninchen durch fünf geteilt sind nicht viel, das bisschen Erleichterung, das sie gebracht haben, ist längst vergessen. Auf beiden Seiten der Schienen liegt jetzt ein sanft gewelltes Hügelland mit Zuckerrohr-, Melonen- und Ananasplantagen, wir betrachten es sehnsüchtig.

»Sagt mal: Hab ich euch eigentlich schon von meiner Lieblingssportart erzählt?«, fragt Fernando irgendwann, als wir gerade an einem riesigen Melonenfeld vorbeifahren.

»Nein, aber ich finde, du hast viele Lieblingssportarten«, antwortet Jaz. »Fluchen, Geschichten erzählen, Leute beleidigen, Leuten helfen, Leute übers Ohr hauen – du bist ein echtes Multitalent.«

»Ach, Jazzy-Baby, so viel Lob, das wär doch nicht nötig«, sagt Fernando. »Aber das meine ich alles nicht. Ich rede von meiner *wahren*, meiner *echten* Lieblingssportart.«

Wir rätseln ein paar Minuten, aber keiner kommt darauf, was er meint.

»Na gut, ich zeig's euch«, sagt Fernando und steht auf. »In ein paar Minuten bin ich wieder da. Lauft nicht weg, ja?«

Er geht zum vorderen Ende des Daches und springt mit einem Satz auf den nächsten Wagen. Dann läuft er, ohne zu zögern, weiter. Schon setzt er wieder zum Sprung an.

Jaz dreht sich zu mir um. »Was hat der verrückte Kerl denn jetzt wieder vor?«

Ich zucke mit den Schultern und sehe Fernando nach. Keine Ahnung, was die Aktion soll.

»Vielleicht läuft er nach vorne zur Lokomotive«, vermutet Ángel. »Dann haut er den Lokführer k.o., übernimmt den Zug und fährt uns bis nach Texas.«

Jaz lacht. »Ja, und dazwischen raubt er noch die Bank von Mexiko aus. Träum weiter!«

Der Zug fährt inzwischen eine gerade, leicht ansteigende Strecke hinauf. Fernando springt von einem Wagen auf den nächsten und wird dabei allmählich immer kleiner. Als er den Wagen hinter der Lokomotive erreicht, sieht er aus wie ein Strichmännchen, so weit entfernt ist er von uns. Er klettert die Leiter nach unten – und springt ab.

»Scheiße, was macht er da!«, ruft Jaz.

Ich bin genauso erschrocken wie sie. Im ersten Moment habe ich Angst, Fernando könnte einfach abhauen und uns im Stich lassen. Soll sie das vielleicht sein – seine »Lieblingssportart«? Mit angehaltenem Atem sehe ich zu, wie er vom Zug wegläuft bis zu einer Orangenplantage in der Nähe. Dort fängt er an, die Früchte zu pflücken und sie in seinen Rucksack zu stopfen.

Ein Wagen nach dem anderen rattert an ihm vorbei. Aber er lässt sich nicht stören und macht seelenruhig weiter mit seiner Arbeit. Erst als der Wagen, auf dem wir sitzen, an ihm vorbeifährt, hebt er den Kopf. Er wirft seinen Rucksack über, rennt zum Zug und klettert gerade noch auf den allerletzten Waggon. Dann springt er die wenigen Wagen zu uns nach vorn, knallt uns den Rucksack hin und lässt sich schwer atmend auf das Dach fallen.

»Achtunddreißig Komma drei Sekunden«, keucht er. »Neuer mexikanischer Rekord im Apfelsinenlauf.«

Ángel fischt sich eine der Früchte aus seinem Rucksack. »Fernando, das war super!«, jubelt er.

Auch wir anderen sind mächtig beeindruckt. Jaz wirft Fernando einen Blick zu, wie ich ihn noch nie von ihr gesehen habe. Ein bewunderndes Lächeln spielt um ihre Mundwinkel, ihre Augen funkeln und sind fast noch dunkler als sonst. Irgendwie versetzt es mir einen Stich, sie so zu sehen. Ohne groß darüber nachzudenken, was ich tue, springe ich auf.

Sofort wendet sich Jaz von Fernando ab und blinzelt zu mir hoch. »Hey, was hast du vor?«

»Na, was schon? Die Sportart gefällt mir.«

Jaz zögert. »Ich finde, wir haben erst mal genug«, sagt sie und zeigt auf Fernandos Rucksack. Ihr Blick hat sich verändert. Er ist jetzt nicht mehr bewundernd, sondern eher besorgt. Aber das stachelt mich erst recht an.

»Bis bald«, sage ich nur zu ihr. »Wir sehen uns wieder – oder auch nicht.«

Ich laufe los. Als ich auf den nächsten Wagen springe, muss ich daran denken, wie viel Überwindung mich das beim ersten Mal gekostet hat – damals, vor einer halben Ewigkeit, irgendwo in der Nähe von Tapachula. Schweißgebadet bin ich gewesen und über den Zug getorkelt wie ein Betrunkener. Jetzt laufe ich die Dächer entlang, als hätte ich nie etwas anderes getan, und der Sprung über den Abgrund erscheint mir nicht schlimmer als ein kleiner Hopser vom Bürgersteig auf die Straße.

Ein Wagen nach dem anderen bleibt hinter mir zurück, und als ich weiterlaufe, habe ich plötzlich ein Gefühl wie noch nie zuvor. Alles habe ich hinter mir gelassen, meine Vergangenheit, mein Land, meine Leute – mein ganzes Leben. Und alles, was ich besitze, habe ich verloren. Es gibt jetzt nichts mehr, was ich noch hinter mir lassen oder verlieren könnte – nichts, worüber ich mir Sorgen machen müsste. Ich spüre den unwiderstehlichen Drang, etwas Waghalsiges zu tun, etwas komplett Verrücktes, beginne auf dem Dach zu tänzeln, und als ich auf den nächsten Wagen springe, mache ich in der Luft eine Drehung. Ich fühle mich ganz frei und leicht.

Nach ein paar Minuten erreiche ich den Wagen hinter der Lokomotive. Ich klettere die Leiter nach unten und warte ungeduldig darauf, dass der Zug wieder an einem Feld entlangfährt. Dann springe ich in hohem Bogen ab und laufe darauf zu. Während der Zug seinen Weg fortsetzt, reiße ich die Früchte herab und fülle meinen Rucksack.

Viel Zeit bleibt nicht, der elende Zug ist einfach schneller als ich. Schon ist der Wagen mit den anderen da. Sie stehen auf dem Dach, strecken die Arme nach oben und feuern mich an. Ich werfe den Rucksack über und laufe zu den Gleisen. Als ich dort bin – lasse ich den letzten Wagen an mir vorbeirollen. Die Anfeuerungsrufe der anderen ersterben. Ich hebe die Hand und winke ihnen zu. Dann lege ich den Kopf in den Nacken und lache einfach nur laut los. Jetzt bin ich wirklich frei!

Im nächsten Moment renne ich dem Zug hinterher. Ich muss ein ganz schönes Stück aufholen, aber zum Glück geht es bergauf, das Tempo der Lokomotive ist nicht allzu schnell.

Trotzdem schaffe ich es fast nicht. Mit letzter Kraft kämpfe ich mich heran und klettere nach oben.

Als ich wieder bei den anderen bin, grinst Fernando über das ganze Gesicht. »Hey, das war cool, Mann!«, sagt er und klopft mir auf die Schulter. »Gibt eine echt gute Geschichte ab.«

Die Vorstellung, in Zukunft eine Rolle in seinen Geschichten zu spielen, gefällt mir. Ich gehe zu Jaz, die etwas außer Atem ist, fast so, als wäre sie selbst gelaufen, aber sie versucht, es sich nicht anmerken zu lassen. Als ich mich zu ihr setze, verschränkt sie die Arme und sieht zur Seite. Das hält sie ganz schön lange durch, dann dreht sie den Kopf und wirft mir einen bitterbösen Blick zu. Na warte!, soll das wohl heißen. Das zahl ich dir heim!

»Jetzt bin ich dran«, sagt sie und springt auf.

»Ach, lass sein, Jazzy«, erwidert Fernando. »Das ist nichts für Mädchen. Koch uns lieber was Schönes.«

Jaz streckt ihm die Zunge raus. »Irgendwann erstickst du noch an deiner großen Klappe«, sagt sie. Dann funkelt sie mich noch mal an und läuft los.

Das Gefühl der Freiheit und Leichtigkeit, das ich eben noch so genossen habe, ist mit einem Schlag dahin. Vielleicht hätte ich das Ganze doch besser bleiben lassen? Ich hocke mich ans vordere Ende des Daches und sehe Jaz nach. Was, wenn sie versucht, mich zu übertrumpfen – und es dabei übertreibt?

Mein Herz pocht wie wild. Irgendwie habe ich Angst um sie und kann mich trotzdem nicht daran sattsehen, wie sie so weich und geschmeidig über die Wagendächer läuft.

»Hey, mach den Mund zu!« Fernando taucht neben mir auf und stößt mir den Ellbogen in die Seite. »Muss nicht jeder gleich sehen, was du von ihr hältst.«

Ich achte nicht auf ihn. Jaz läuft nach vorn, so wie wir es

eben getan haben, dann springt sie ab und rennt zu einem Feld. Sie ist so schnell, dass ich ihr mit den Augen kaum folgen kann.

Fernando pfeift anerkennend durch die Zähne. »*Bastante rápida, la chica*«, sagt er. »Mächtig schnell, die Kleine. Sie sollte im Zirkus auftreten, damit ließe sich ordentlich Geld verdienen.«

Während Jaz sich auf dem Feld abrackert, kommen wir ihr mit jeder Sekunde näher. Ángel und Fernando springen auf und feuern sie mit Sprechchören an. Emilio bleibt auf dem Dach sitzen, aber auch er kann sich ein Lachen nicht verkneifen.

Jetzt mach schon!, schießt es mir durch den Kopf, als der Zug immer weiter an Jaz vorbeifährt. Sieh zu, dass du fertig wirst! Schon ist unser Wagen an ihr vorbei. Ein paar lange, quälende Sekunden vergehen, dann rennt sie endlich los, springt aus vollem Lauf auf die Leiter des letzten Wagens und klettert nach oben. Als sie wieder bei uns ist, läuft ihr der Schweiß übers Gesicht. Sie kommt zu mir und sinkt auf das Dach. Ohne mich anzusehen, packt sie ihren Rucksack aus. Dabei ist sie so nah, dass ich jeden einzelnen Schweißtropfen auf ihrer Haut riechen kann.

»Schön, dass du wieder da bist.«

»Ja, find ich auch«, flüstert sie. »Obwohl – verdient hast du's ja nicht.«

Die anderen setzen sich zu uns.

»So, Tisch gedeckt«, sagt Fernando. »Alles, was man für eine richtige Familienfeier braucht. Und die Abfälle sind für die Haustiere.« Er deutet nach unten zu den Schweinen.

Wir essen von den Früchten, so viel wir können. Fernando ist in Hochstimmung und erzählt Dutzende von Geschichten über das, was er auf seinen früheren Reisen bei dem Versuch, Proviant zu beschaffen, alles erlebt haben will. Eine ist verrückter als die andere, aber das spielt keine Rolle. Wir sind in der Laune, ihm alles zu glauben.

Ich sitze dabei und sehe immer wieder zu Jaz hinüber. Während der Zug weiterfährt, habe ich das Gefühl, als hätte jemand die Zeit angehalten. Als hätte es nicht die geringste Bedeutung mehr, woher wir kommen und wohin wir gehen. Und als wäre in unserem winzigen Reich auf dem Schweinewagen für ein paar kostbare Augenblicke wieder alles so, wie es sein sollte. So wie früher. Als die Welt noch in Ordnung war.

Die Mauer ist kühl – kühl und rau und stark. Es tut gut, sich an sie zu lehnen und zu wissen, sie steht seit Jahrhunderten hier, ohne dass sich etwas an ihr verändert hat, und bestimmt wird es noch Jahrhunderte so bleiben. Wie viele Leute sich im Lauf der Zeit wohl schon hineingeflüchtet haben? Tausende wahrscheinlich. Irgendwie habe ich das Gefühl, dass der Stein all ihre Hoffnungen und Wünsche in sich aufgesogen hat und sie langsam wieder freigibt, wenn man den Kopf nur lange genug an ihn legt.

»Wieso hast du gesagt, dass du den Leuten nicht traust, Fernando?«, fragt Ángel, der mir gegenübersitzt.

»Weil ich diese Typen kenne«, antwortet Fernando, der unruhig vor uns auf und ab tigert. »Hast du sie nicht gesehen? Wie sie uns angegafft haben und wie der eine sein Scheiß-Handy rausgeholt hat! Konnte ihm gar nicht schnell genug gehen, der hat sich fast überschlagen.«

»Glaubst du, er hat die Polizei gerufen?«, fragt Jaz.

»Da kannst du einen drauf lassen, dass er das gemacht hat. Für so was hab ich Antennen.«

Die Ereignisse der letzten Nacht stecken uns noch in den Knochen, wir sind nicht scharf darauf, so was noch mal zu erleben. Deshalb haben wir den Zug lieber verlassen, als er in der Dämmerung auf einem Bahnhof hielt. »Tierra Blanca« stand auf einem der Gebäude. Wir sind durch die Straßen geirrt auf der Suche nach einem Platz, wo wir schlafen können. Die ganze

Zeit hatte ich ein übles Gefühl, so als ob wir beobachtet und verfolgt würden. Und dann ist das passiert, worüber die anderen gerade reden: ein paar Typen, die sich auffällig für uns interessierten und von denen der eine gleich nach seinem Handy griff, als wir vorbeigingen.

Wir sind geflohen und durch die Stadt gelaufen, bis es dunkel war. Dann lag die Kirche mit ihren uralten Mauern vor uns, und da wir inzwischen hundemüde sind, haben wir beschlossen, erst mal hier zu bleiben.

»Und was machen wir, wenn die Polizisten wirklich auftauchen?«, fragt Ángel.

»Na, ist doch klar.« Fernando bleibt stehen. »Wenn sie von da kommen«, er zeigt nach links, »verduften wir nach da«, er zeigt nach rechts. »Und wenn sie von da kommen«, er zeigt immer noch nach rechts, »verschwinden wir nach da«, er zeigt wieder nach links. »Klar so weit?«

»Wow, der Plan ist ja vom Feinsten«, sagt Jaz. »Und was tun wir, wenn sie von da kommen?« Sie zeigt nach vorn.

»Ach, Jazzy«, erwidert Fernando. »Wenn sie von da ...«

Er dreht sich um, bricht aber mitten in der Bewegung ab. Denn auf der Straße, die von vorn auf uns zuläuft, erscheint tatsächlich ein Streifenwagen. Die Scheinwerfer erfassen uns, auf einmal ist die dunkle Ecke, in die wir uns verkrochen haben, in helles Licht getaucht. Der Wagen stoppt. Ich höre, wie die Türen geöffnet werden und wieder zuschnappen. Dann Schritte. Sehen kann ich nichts, die Scheinwerfer blenden.

Fernando flucht. »Los, in die Kirche!«, zischt er.

Im nächsten Moment rennt er los, wir anderen hinterher. Der Eingang ist zum Glück nur ein paar Meter entfernt. Als wir da sind, hat Fernando die schwere Tür schon aufgestemmt. Wir stürzen nach drinnen und ziehen sie hinter uns zu.

Im Innern riecht es süßlich und schwer nach Weihrauch. Es ist düster. Anscheinend sind wir in einer Art Vorraum gelandet, ein paar Meter weiter ist ein Durchgang, dahinter wird es heller, eine Stimme ist zu hören.

»Vorwärts, weiter!«, flüstert Fernando ungeduldig.

Wir stolpern auf das Licht zu und durch die Tür, dann bleiben wir erschrocken stehen. Vor uns liegt das große Kirchenschiff, fast alle Bänke sind besetzt. Uns gegenüber, auf der Kanzel, steht der Padre, er hat seine Predigt unterbrochen und sieht uns erstaunt an. Dutzende von Füßen scharren auf dem Boden, alle Gesichter drehen sich wie auf Kommando in unsere Richtung.

Für einen Moment ist es still. Ich fühle mich nicht gerade wohl in meiner Haut, so plötzlich im Mittelpunkt der Aufmerksamkeit so vieler Leute zu stehen, am liebsten würde ich mich irgendwo zwischen den Bänken verkriechen. Hinter uns geht die Kirchentür auf. Fernando wirft einen raschen Blick zurück, dann gibt er uns einen Wink. Wir schleichen durch den Mittelgang nach vorn – auf Zehenspitzen, obwohl es jetzt völlig egal ist, ob wir Lärm machen oder nicht.

Erst als wir vor der Kanzel sind, bleiben wir stehen. Am anderen Ende des Ganges tauchen die Polizisten auf. Sie zögern kurz, als sie die vielen Gesichter sehen, die sich zu ihnen umdrehen, dann gehen sie weiter. Es sind drei. Der an der Spitze hat ein breites rotes Gesicht. Die beiden anderen halten sich hinter ihm, sie sind deutlich jünger als er.

Ihre Stiefel hallen durch das Kirchengewölbe, es klingt bedrohlich. Fernando stößt einen Fluch aus und sieht gehetzt um sich, aber selbst er scheint keinen Ausweg mehr zu finden. Wir sitzen in der Falle. Ich weiß nicht, warum, aber für einen Moment muss ich daran denken, wie wir heute durch die Hügel gefahren sind und die Felder geplündert haben. Alles war mir so leicht vorgekommen, ich hatte wirklich gehofft, wir könnten eine Chance haben.

Da mischen sich andere Schritte in die Geräusche der Stiefel. Sie sind leiser, aber trotzdem gut zu hören. Es dauert einen Augenblick, bis ich begreife, dass es der Padre ist. Er steigt von der Kanzel, geht an uns vorbei in den Gang, ohne uns anzusehen, und versperrt den Polizisten den Weg.

»Kann ich Ihnen helfen?«, fragt er, ziemlich unfreundlich.

Der mit dem roten Gesicht nimmt widerwillig seine Mütze ab. »Entschuldigen Sie, Padre«, sagt er, während die beiden anderen hinter ihm stehen bleiben. »Es dauert nicht lange.«

»Was dauert nicht lange?«, fragt der Padre. Seine Stimme klingt ungeduldig. Anscheinend ist er verärgert, dass wir seine Predigt gestört haben.

»Bis wir die da mitgenommen haben«, entgegnet der Rote und zeigt in unsere Richtung.

»Ach, mitnehmen wollen Sie sie. Dann haben sie bestimmt etwas verbrochen, oder?«

»Tja, vermutlich. Im Einzelnen können wir das noch nicht sagen. Auf jeden Fall sind sie illegal hier.«

»So, illegal.« Der Padre betont das Wort sehr auffällig, als ob er erst darüber nachdenken müsste, was es bedeutet. »Sicher haben Sie Beweise dafür?«

»Beweise?« Der Rote lacht spöttisch. »Was für Beweise meinen Sie? Sehen Sie doch hin!«

Der Padre dreht sich um und mustert uns einen nach dem

anderen. Er lässt sich viel Zeit dabei, und je länger es dauert, umso unangenehmer ist es mir. Ich weiche seinem Blick aus und sehe die anderen an, und da wird mir mit einem Schlag klar, wie heruntergekommen wir sind. Auf den Zügen ist das egal. Aber hier, wo alles sauber und gepflegt ist, jeder Schritt von der Decke zurückhallt und die Leute zum Kirchenbesuch ihre besten Kleider tragen, ist es was anderes. Aus unseren Gesichtern springt einem der Dreck fast entgegen, unsere Sachen sind zerrissen und Fernandos schäbiger Blätterverband setzt allem die Krone auf. Mit einem Mal schäme ich mich entsetzlich.

Auch der Padre hat anscheinend genug gesehen und wendet sich von uns ab. Ich bin mir sicher, dass er den Weg jetzt freigeben wird, doch komischerweise tut er es nicht. »Vielleicht bin ich ja blind, aber ich sehe Ihre Beweise nicht«, sagt er nur. »Ich sehe keine Schilder, auf denen ›Verbrecher‹ steht. Und blutige Hände sehe ich auch nicht.«

Der Rote zögert, dann schiebt er die Daumen unter seinen Gürtel und trommelt nervös mit den Fingern darauf. »Hören Sie, Padre. Keiner von uns würde auf die Idee kommen, Ihnen vorzuschreiben, wie Sie Ihre Predigten zu halten haben. Also schreiben Sie uns auch nicht vor, wie wir unsere Arbeit erledigen sollen.«

Er will weitergehen, aber der Padre hebt die Hände. »Das habe ich auch nicht vor – solange Sie dort draußen sind. Aber hier drinnen ist weder das Polizeirevier noch die Straße. Hier können Sie nicht einfach eindringen und tun, was Ihnen passt.«

Der Blick des Roten wird noch eine Spur düsterer. »Ich muss Sie ja wohl nicht daran erinnern, dass die Gesetze auch in der Kirche gültig sind.«

»Nein«, erwidert der Padre. »Ich respektiere die Gesetze –

solange sie im Einklang mit meinen Überzeugungen stehen. Und die sagen mir, dass jemand, der Schutz sucht, nicht fortgeschickt werden darf, erst recht nicht aus einer Kirche.«

Der Rote tritt auf ihn zu, bis er direkt vor ihm steht. »Sie sollten gut überlegen, was Sie tun. Es gibt gewisse Leute, die ein Auge auf Sie haben. Sicher wissen Sie noch, dass der Polizeipräsident sich vor einiger Zeit beim Bischof über Sie und Ihre Ansichten beschwert hat?«

»Ja, das weiß ich noch gut«, sagt der Padre. »Und noch besser kann ich mich an die Antwort des Bischofs erinnern. Er sagte, die Polizei solle sich aus den Angelegenheiten der Kirche heraushalten. War es nicht so?«

Das Gesicht des Roten wird noch eine Spur dunkler. »Sie werden Ärger bekommen. Großen Ärger.«

»O nein, keinen großen«, erwidert der Padre und zuckt mit den Schultern. »Großen Ärger hat man immer nur mit dem eigenen Gewissen.«

»Ich könnte Sie verhaften. Wegen Unterstützung Illegaler.«

»Könnten Sie.«

Der Rote sieht ihm eine Weile prüfend ins Gesicht. »Aber ich tue es nicht«, sagt er dann. »Wir sind nicht wegen Ihnen hier. Wenn Sie also jetzt so freundlich wären …«

Er versucht den Padre zur Seite zu drängen. Die beiden Jüngeren stehen nur da und wirken irgendwie hilflos, die ganze Sache scheint ihnen peinlich zu sein. Die Leute auf den Bänken haben der Auseinandersetzung bisher schweigend zugesehen, aber als der Rote jetzt handgreiflich wird, ändert sich das. Zuerst murren sie nur ein bisschen, dann steht einer von ihnen auf und stellt sich neben den Padre. Nach kurzem Zögern tut ein anderer das Gleiche und schon tritt ein Dritter dazu.

Ich halte den Atem an. Von dem Gespräch eben habe ich nicht alles so richtig kapiert, aber immerhin so viel, dass der Padre aus irgendwelchen Gründen auf unserer Seite steht. Jetzt wird mir klar, dass er nicht der Einzige ist: Immer mehr Leute erheben sich und treten in den Gang zwischen die Polizisten und uns. Und das Beeindruckendste daran ist das vollkommene Schweigen, mit dem es passiert. Keiner sagt etwas, nur die Schritte sind zu hören und das Rascheln auf den Bänken. Irgendwann stehen so viele Leute im Gang, dass ich den Padre und die Polizisten gar nicht mehr sehen kann.

»Und jetzt?«, höre ich nur die Stimme des Padre. »Wollen Sie die ganze Gemeinde verhaften?«

Keine Antwort. Ich sehe zu Fernando hin. Er dreht den Kopf von einer Seite zur anderen und scheint nach einer Möglichkeit zu suchen, die günstige Gelegenheit auszunutzen. Jaz packt ihn am Arm und schüttelt stumm den Kopf.

»Und was ist mit euch?«, fährt der Padre fort. Anscheinend wendet er sich jetzt an die beiden Jüngeren. »Ich kenne euch doch – von früher. Aus dem Kommunionsunterricht, oder?«

Wieder ist es eine Zeit lang still. Ich kann nur sehen, wie sich einige von den Leuten, die vor uns stehen und uns den Rücken zuwenden, langsam entspannen.

»Für heute gehen wir«, sagt endlich der Rote. »Aber glauben Sie nicht, dass die Sache damit erledigt ist. Es wird noch ein Nachspiel geben – für Sie und für Ihre Gemeinde.«

Erneut hallen die Stiefel durch die Kirche, nur diesmal entfernen sie sich. Mir fällt ein Stein vom Herzen, aber ich bin immer noch so verblüfft über das, was passiert ist, dass ich mich nicht traue, richtig aufzuatmen. Den anderen scheint es ähnlich zu gehen. Jaz lächelt mich an, aber die Angst steht ihr noch in den Augen. Auch Fernando wirkt nervös, so als wenn er dem Frieden nicht traut.

Der Padre dankt den Leuten und führt den Gottesdienst zu Ende. Nachdem er den abschließenden Segen gesprochen hat, leert sich die Kirche langsam. Einige der Leute sehen zu uns herüber. Ihre Blicke sind weder freundlich noch ablehnend, sie sind einfach nur neugierig. Ich beobachte sie, bis die letzten verschwunden sind. Der Padre verschließt die Kirche, dann kommt er durch den Mittelgang zurück. Sein Gang ist schleppend, mit einem Mal sieht er ganz erschöpft aus.

»*Sentarse*«, sagt er nur, als er bei uns ist. »Setzt euch.«

Wir hocken uns auf die Stufe unter der Kanzel. Das heißt: alle bis auf Fernando. Er überhört die Aufforderung und bleibt mit verschränkten Armen stehen.

Aus der Nähe wirkt der Padre viel kleiner, als er mir bisher vorgekommen ist. Er betrachtet uns noch mal und schüttelt den Kopf. »Ihr seht wirklich grauenhaft aus«, sagt er.

»Dafür können wir nichts«, erwidert Jaz. »Wir sind von …«

»Von den Zügen, ja, ich weiß«, unterbricht der Padre sie. »Ihr seid nicht die ersten Train Kids in meiner Kirche.«

»Das heißt – Sie haben schon öfter Leuten wie uns geholfen?«

»Na ja, wenn du es helfen nennen willst.« Er winkt ab. »Das Wenige, was wir tun können: Wer weiß schon, ob es jemandem wirklich hilft?«

Es hört sich fast ein bisschen traurig an, wie er das sagt. Ich muss an die letzten Worte des Roten denken, sie waren wie eine Drohung und klingen mir noch immer in den Ohren. Mit einem Mal habe ich ein schlechtes Gewissen. Klar, es ist gut, wenn einem einer hilft. Aber wenn er dafür fertiggemacht wird, wäre es vielleicht besser, er hätte es nicht getan. Und zwar besser für alle.

Eine Zeit lang sitzen wir nur da. Dann sagt Jaz: »Vielen Dank jedenfalls.«

»Oh, bei mir musst du dich nicht bedanken. Bedank dich lieber bei meiner Gemeinde.«

Als er das sagt, steht Emilio plötzlich auf und stellt sich vor ihn. »Warum haben die das getan?«, fragt er.

Der Padre sieht ihn erstaunt an. »Du meinst: Warum sie den Polizisten den Weg versperrt und euch geholfen haben? Na ja, ich denke, sie haben es getan, weil ihr Hilfe nötig hattet.«

Emilio schüttelt den Kopf. »Das ist zu einfach. Dann müssten alle helfen.«

Der Padre lacht. »Ah, du willst es genau wissen. Also gut: Sie haben euch geholfen, weil sie ein Zuhause haben und ihr nicht. Aber es sind einfache Leute, sie wissen, dass sie ihr Zuhause jederzeit verlieren können, und sei es durch ein dummes Unglück. Dann stehen sie auf der Straße, so wie ihr jetzt, und wollen, dass ihnen auch jemand hilft. Genügt dir das als Grund?«

»Nein«, sagt Emilio.

»Na schön«, fährt der Padre fort. »Außerdem haben sie euch geholfen, weil sie glauben, dass niemand – und sei es der Präsident unseres Landes – das Recht hat, in eine Kirche einzudringen und dort jemanden zu verhaften oder ihm sonst etwas anzutun. Wie ist es damit?«

Emilio zieht die Mundwinkel nach unten.

»Okay, du hast recht. Es gibt noch einen anderen Grund.« Der Padre geht zur Kanzel und zeigt auf das Kruzifix, das darüberhängt. »Kennt ihr die Stelle in der Bibel, wo Jesus mit den Jüngern über das Ende der Welt spricht?«

Von der Stelle habe ich noch nie gehört, aber das will nicht viel heißen, ich kenne die Bibel nicht so gut. Jaz, Ángel und Emilio sehen auch nicht viel klüger aus. Fernando verdreht die Augen und wendet sich ab.

»Das ist schade«, sagt der Padre. »Ihr solltet sie kennen. Sie hat nämlich viel mit euch zu tun. Jesus erzählt, wie er am Ende der Zeit über alle Menschen zu Gericht sitzen wird. Er stellt die Guten auf seine rechte Seite und erklärt, wieso er sie ausgewählt hat. Er sagt: ›Ich bin hungrig gewesen und ihr habt mir zu essen gegeben. Ich bin durstig gewesen und ihr habt mir zu trinken gegeben. Ich bin ein Fremder gewesen und ihr habt mich aufgenommen.‹ Die Leute sind erstaunt. Sie können sich nicht erinnern, ihm jemals etwas zu essen oder zu trinken gegeben oder ihn aufgenommen zu haben. Das sagen sie ihm auch. Und er antwortet: ›Was ihr meinem geringsten Bruder getan habt, das habt ihr mir selbst getan.‹ Wir haben hier in der Kirche oft über diese Stelle gesprochen, jeder kennt sie.« Er dreht sich zu Emilio um. »Reicht dir das als Grund, Junge?«

»Ja«, sagt Emilio und setzt sich wieder. »Das reicht.«

Der Padre wendet sich von ihm ab und geht zu Fernando, der ihm den Rücken zudreht. Eine Weile sieht er ihn an, dann sagt er: »Du hältst nicht viel von diesen Dingen, oder?«

»Nein«, antwortet Fernando kühl. Erst sieht es so aus, als wenn er nichts weiter sagen will, dann dreht er sich langsam um und schiebt die Hände in die Taschen. »Trotzdem danke«, murmelt er.

Der Padre sieht ihn nachdenklich an. »Wovon lebt ihr eigentlich? Habt ihr Geld?«

»Klar, wir schwimmen im Geld. Ist nur leider auf wundersame Weise alles in den Taschen von irgendwelchen Scheißbullen gelandet.«

»Und jetzt? Klaut ihr?«

»Klauen?«, wiederholt Fernando und lacht spöttisch. »Das Recht dazu hätten wir ja, nach allem, was sie mit uns angestellt haben. Aber bis jetzt haben wir's nicht gemacht. Na ja, jedenfalls nicht richtig, nur von den Feldern und so. Allerdings: Wer weiß?« Er grinst. »Vielleicht tun wir's noch. Wenn Sie es schon vorschlagen ...«

»Verdreh mir nicht das Wort im Mund«, weist der Padre ihn zurecht. »Ich schlag dir was anderes vor: Wir sollten uns in Ruhe unterhalten, nur du und ich.«

»Ach ja? Wüsste nicht, wieso.«

»Aber ich weiß es. Und das genügt.« Der Padre wendet sich ab, geht zu der vorderen Bankreihe und setzt sich.

Fernando macht einen Schritt auf ihn zu. »Warum haben Sie uns eigentlich eingesperrt?«, fragt er.

»Ich habe euch nicht *ein*gesperrt, Junge, ich habe die Welt *aus*gesperrt. Zumindest für eine Nacht. Das ist ein gewaltiger Unterschied.«

Ich kann spüren, wie Jaz, die neben mir hockt, hellhörig wird. »Soll das heißen, wir können hier schlafen?«, fragt sie.

»Ihr könnt das nicht nur, ich würde euch dringend raten, es zu tun. Die warten nur darauf, dass ihr die Kirche verlasst.«

Ich werfe einen Blick in Richtung der hohen, bunt bemalten Fenster. Es ist nicht zu sehen, was draußen abgeht. Für einen Moment stelle ich mir vor, wie eine ganze Armee von Polizeiwagen mit Blaulicht die Kirche umstellt und wie auf allen Dächern Scharfschützen aufziehen.

»Und dann?«, fragt Fernando. »Wie schaffen wir's morgen, hier abzuhauen?«

»Es gibt einen Hinterausgang zum Friedhof«, sagt der Padre. »Wir warten auf eine gute Gelegenheit, dann schleicht ihr euch weg. Ihr geht aber nicht zum Bahnhof, das wäre zu gefährlich. Ihr verlasst die Stadt und springt erst außerhalb wieder auf den Zug. Ich beschreibe euch den sichersten Weg.« Er steht auf. »So, und jetzt kommt. Ihr müsst euch dringend waschen – falls ihr noch wisst, wie das geht.«

Er führt uns in einen Nebenraum und dann weiter durch einen steinernen Gang zu einem Klo mit Waschbecken. Darüber hängt ein Spiegel, das Glas ist kaputt, sodass man kaum noch was darin erkennen kann. Ich bin als Erster dran, schließe mich ein und reiße mir die Kleider vom Körper. Dann bespritze ich mich von oben bis unten mit Wasser. Der rußige, ölige Dreck von den Zügen ist so verkrustet, dass ich ihn nur mit der Bürste abkriege, die auf dem Waschbecken liegt. Richtige Schmutzbäche fließen an mir runter und laufen zu einem Abfluss im Boden. Nachdem ich mich abgetrocknet habe, ist das Handtuch mit dunklen Flecken übersät.

Auch meine Sachen mache ich sauber, so gut es geht. Als ich rauskomme, strahlt Jaz mich an. Sie ist die Nächste, dann folgen Ángel, Emilio und Fernando. Unterdessen hat der Padre im Nebenraum schon Tortillas mit Mais und Bohnen für uns auf den Tisch gestellt und ein paar alte Decken auf den Boden gelegt. Während wir essen, lässt er uns allein.

»Ach, ich wünschte, es gäb mehr von seiner Sorte«, sagt Jaz, als wir aufgegessen und keinen Krümel übrig gelassen haben. »Warum warst du bloß so gemein zu ihm, Fernando? Warum kannst du nicht ein einziges Mal freundlich sein?«

»Ich war nicht gemein, ich war ehrlich«, erwidert Fernando. »Ich hab gesagt, was ich denke, sonst nichts. Außerdem darfst du anderen Leuten nie zu sehr vertrauen, sonst erlebst du nur böse Überraschungen.«

»Ja, tolle Einstellung! Wenn du nie einem vertraust, passiert dir auch nichts Gutes.«

»Ich werd jedenfalls immer an ihn denken«, sagt Emilio. »Egal wo ich bin.«

»Vielleicht können wir einfach ein paar Tage bleiben«, schlägt Ángel vor. »Uns bei ihm ausruhen.«

»Hey, Kleiner!« Fernando beugt sich vor und legt ihm die Hand auf die Schulter. »Wenn du irgendwo bleiben willst, wärst du am besten geblieben, wo du herkommst. Aber das wolltest du nicht. Jetzt bist du unterwegs, und wenn du unterwegs bist, kannst du nirgendwo bleiben. Du musst immer weiter. Da gibt's keine halben Sachen, sonst erreichst du nie dein Ziel. *Entiendes*?«

Ángel seufzt und lässt den Kopf hängen. »Okay«, sagt er nur leise.

Hast ja recht, Fernando, denke ich bei mir. So wie du meistens recht hast. Wunschträume sind scheiße, zumindest für Leute wie uns, weil sie bei der erstbesten Gelegenheit zerplatzen wie Seifenblasen. Nur manchmal, so für ein paar kurze Momente, ist es gut, sie zu haben, weil sie einem wieder ein bisschen Hoffnung geben und man ohne sie irgendwann kaputtgehen würde. Weil es einfach schön ist, sich vorzustellen, wir könnten hierbleiben – auch wenn wir genau wissen, dass es nicht geht.

Während die anderen weiterreden, stehe ich irgendwann auf und gehe nach nebenan ins Kirchenschiff. Der Padre sitzt allein auf der vorderen Bank, im Kerzenlicht, ganz in Gedanken versunken. Erst traue ich mich nicht, ihn zu stören, aber dann gehe ich doch zu ihm hin. Er zuckt fast ein bisschen zusammen, als er mich sieht.

»Entschuldigen Sie, Padre, ich wollte Sie nicht erschrecken, aber – ich dachte, Sie könnten mir vielleicht einen Gefallen tun.«

»Gerne, Junge. Was ist es?«

»Könnten Sie einen Brief für mich abschicken? Ich muss ihn nur noch schreiben.«

»So, schreiben musst du ihn noch«, sagt er und lacht. »An wen ist er denn?«

»An meine Schwester. Sie – na ja, sie ist noch da, wo ich herkomme, und ich hab ihr versprochen, mich zu melden, sobald es irgendwie geht.«

Er starrt eine Zeit lang nachdenklich vor sich hin. So lange, dass es schon anfängt, mir unangenehm zu werden. Dann sieht er wieder zu mir hoch. »Bist du eigentlich sicher, dass das, was du tust – diese Fahrt nach Norden, zu deiner Mutter oder deinem Vater oder wem auch immer – das Richtige für dich ist?«

Sicher? Das ist eine gute Frage. Wenn ich jetzt gerade irgendwas nicht bin, dann sicher. Und zwar, wenn man so sagen kann, in jeder Hinsicht – weder von außen noch von innen. »Ich weiß nicht. Es ist besser als alles andere, was ich tun kann. Vielleicht krieg ich so wenigstens raus, wer ich bin.«

»Und? Hast du schon angefangen, es herauszufinden?«

»Nein. Bin noch nicht so richtig dazu gekommen, glaub ich.«

Der Padre lächelt, aber es ist ein bitteres Lächeln, wie es einer hat, wenn etwas komisch und traurig zugleich ist. »Ich denke, im Moment musst du einfach das tun, was du für richtig hältst«, sagt er und setzt sich auf. »Versprich mir nur eins. Egal was passiert oder was irgendwelche Leute über dich erzählen: Du bist kein Verbrecher, kein Dieb, kein Nichtsnutz, kein Illegaler oder sonst etwas. Dir fehlen lediglich ein paar Papiere, das ist alles. Denk immer daran, hörst du?«

»Ja, gut. Ich versuch's.«

»Na schön.« Er zeigt in Richtung des Raumes, in dem die anderen sitzen. »Jetzt geh und schreib deinen Brief. Ich schicke ihn morgen für dich ab.«

Ich bedanke mich bei ihm und gehe. Aber als ich schon fast raus bin, ruft er mir noch mal nach.

»Nur eins noch. Dieses Mädchen, das bei euch ist: Versprich mir, dass du auf sie aufpasst, ja?«

Ich drehe mich zu ihm um. »Sie – Sie haben gemerkt, dass …«

Er lächelt wieder, aber diesmal ist es ein echtes Lächeln. »Was denkst du denn? Ich weiß vielleicht nicht so viel über die Gesetze wie ein Polizist, aber dafür kenne ich die Menschen besser. *Mich* täuscht ihr nicht so leicht.«

Liebe Juanita!

Eigentlich wollte ich Dir schon früher schreiben. Aber mein erster Brief ist vom Zug geweht, als ich einen Moment nicht aufgepasst habe, und dann war er weg. Dafür habe ich jetzt ein richtiges Notizbuch, da schreibe ich rein und reiße die Seiten raus und schicke sie Dir. Das heißt, der Padre macht das. Der von der Kirche hier in Tierra Blanca, wo ich gerade bin. Er hat mir versprochen, den Brief morgen abzuschicken, dann bin ich schon weitergefahren, wenn alles klappt.

Seit einer Woche oder so bin ich jetzt in Mexiko, aber es ist, als wäre es eine halbe Ewigkeit. Fernando sagt, wir hätten ein Drittel der Strecke geschafft, oder jedenfalls fast. Er ist einer von denen, mit denen ich zusammen bin, die anderen heißen Jaz, Ángel und Emilio. Wir haben uns an der Grenze getroffen, und wenn es irgendwie geht, bleiben wir zusammen, bis wir in den USA sind, das haben wir uns geschworen.

Ohne die anderen wäre ich nie so weit gekommen, das steht fest. Vor allem ohne Fernando nicht. Der weiß echt alles über Mexiko. Und vor allem weiß er, wie man mit den Leuten hier umgehen muss, da macht ihm keiner was vor. Ich bin heilfroh, dass er bei uns ist. Er ist fast so was wie ein älterer Bruder – und wahrscheinlich ein besserer, als ich es bin.

Heute Nacht können wir bei dem Padre in der Kirche schlafen. Und wir haben was Ordentliches zu essen gekriegt.

Alles ist gut, Du brauchst Dir keine Sorgen zu machen. Und vor allem darfst Du mir auf keinen Fall hinterherfahren, das musst Du mir versprechen. Für Mädchen ist es viel zu gefährlich hier, besonders wenn sie allein unterwegs sind. Also bleib zu Hause und mach keine Dummheiten. Treffen würden wir uns sowieso nicht, keine Chance. Du kannst Dir nicht vorstellen, wie riesig Mexiko ist, es nimmt überhaupt kein Ende.

Manchmal habe ich Sehnsucht nach Tajumulco. Und nach Dir. Aber Fernando sagt, es würde jetzt nicht mehr lange dauern, bis wir durch sind, das Schlimmste hätten wir hinter uns. Er meint, ab jetzt würde es leichter, und wenn wir halbwegs die Augen offen halten in den nächsten Tagen, könnte uns eigentlich nicht mehr viel passieren.

Also, morgen geht es weiter nach Norden. Ich versuche Dir zu schreiben, so oft ich kann. Wenn ich es mal für längere Zeit nicht schaffe, darfst Du Dir nichts Böses dabei denken, dann geht es nur eben gerade nicht. Du musst einfach Geduld haben und warten. Wenn ich angekommen bin, hole ich Dich nach, das ist das Erste, was ich tue. Dann sind wir wieder zusammen – Du und ich und Mamá. So wie früher.

Jetzt muss ich aufhören. Die anderen schlafen schon und mir fallen auch gleich die Augen zu. Pass auf Dich auf!

Ich drücke Dich.

Miguel

Es geht aufwärts. Im Moment noch ganz sanft, durch ein Tal mit Wäldern auf beiden Seiten, aber ein Stück weiter sind schon höhere Berge zu sehen. Die Vorboten des großen Gebirges, von dem der Padre heute Morgen beim Frühstück erzählt hat. Ich stütze mich auf die Ellbogen. In der Ferne, hinter dem Nebel, ist so etwas wie ein Schimmer von schneebedeckten Gipfeln zu erkennen, aber ich bin mir nicht sicher. Vielleicht sind es auch nur Wolken.

Ich liege lang ausgestreckt auf dem Zug, den wir hinter Tierra Blanca geentert haben, nachdem wir, wie der Padre uns geraten hatte, von der Kirche über den Friedhof aus der Stadt geschlichen sind. Jaz liegt im rechten Winkel zu mir und hat den Kopf auf meinen Bauch gelegt. Als sie merkt, dass ich mich bewege, richtet sie sich ebenfalls auf und sieht mich an.

»Hey, ich erkenn dich gar nicht wieder«, sage ich zu ihr. »Du bist so ekelhaft sauber.«

Sie lacht. »Wird aber nicht lange anhalten, da kannst du sicher sein.«

Ángel und Emilio sitzen ein Stück von uns entfernt. Fernando steht am vorderen Ende des Wagens und beobachtet das Gelände vor uns. Er hat den Blätterverband inzwischen abgenommen, die Wunde auf seiner Stirn hat sich geschlossen und ist dick verkrustet. Wie es aussieht, wird er eine ganz schöne Narbe davon zurückbehalten.

Jaz senkt den Kopf und blinzelt mich von unten an. »Sag mal: Als du gestern Abend zum Padre rübergegangen bist, worüber habt ihr da eigentlich gesprochen?«

»Na, ich hab ihn gefragt, ob er den Brief an Juana für mich abschicken kann.«

»Ja, weiß ich selbst. Was noch?«

»Nichts.«

»Wie, nichts?«

»Nichts Besonderes eben. Ich glaube, er hat noch gesagt, dass ich – na ja – dass ich auf dich aufpassen soll oder so. Keine Ahnung, wie er darauf gekommen ist.«

»Hä? Ihr habt über mich gesprochen?«

»Ach, was heißt schon gesprochen! Er hat das eben gesagt, und das war's auch schon.«

Jaz schüttelt verwundert den Kopf, dann lacht sie. »*Du* sollst also auf *mich* aufpassen, ja? Na, dann sieh mal zu, dass du dich nicht übernimmst dabei.«

»Keine Angst. Ich hab mir schon einen genauen Plan zurechtgelegt, wie ich dich durch Mexiko bringe und über die Grenze schaffe, ohne dass dir ein einziges deiner kostbaren geschorenen Haare dabei gekrümmt wird.«

»Wow! Und wie geht der Plan?«

»Das darfst du ja eben nicht wissen, weil du sonst Blödsinn anstellst und alles verdirbst.«

»Ah, ein Geheimplan also!«

»Klar. Alle guten Pläne sind geheim. Das liegt in der Natur der Sache.«

Jaz will noch was darauf antworten, aber bevor sie es tun kann, setzt Fernando sich zu uns und winkt auch Ángel und Emilio heran. »Sieht alles ruhig aus«, sagt er, greift in seine Hosentasche und zieht ein paar Geldscheine hervor. »Übrigens, die teilen wir besser unter uns auf. Falls wir oben im Gebirge getrennt werden, ihr wisst schon. Dann hat jeder was.«

Er zählt die Scheine ab und reicht sie herum. Das Geld ist vom Padre, er hat es Fernando gegeben, als wir uns von ihm verabschiedet haben. Ich habe seine Stimme noch im Ohr und fühle mich unendlich dankbar, wenn ich an ihn denke. Nicht nur, weil er uns vor der Polizei gerettet, uns einen Platz zum Schlafen und was zu essen gegeben und uns dann auch noch mit Geld versorgt hat. Nein, es ist mehr als das. Es ist – nach all der Scheiße, die wir erlebt haben – das beruhigende Gefühl, dass es einen wie ihn überhaupt gibt. Dass es Hilfe gibt und Hoffnung. Und wenn es nur an einem einzigen Platz auf der Welt ist, so reicht das schon.

Während ich meinen Teil des Geldes im Schuh verstecke, wird die Strecke steiler. In vielen Windungen schleicht der Zug hinauf, einen Fluss entlang. An einer Stelle kommen wir an einem Wasserfall vorbei, dessen Getöse sogar den Lärm der Lokomotive übertönt. Etwas später fahren wir durch eine Stadt, in der alle Häuser mit Blumen geschmückt sind, und gleich dahinter über eine Schlucht. Mir stockt der Atem. Es ist, als würde uns der Boden unter den Füßen weggerissen. Auf beiden Seiten des Zuges ist plötzlich nichts mehr, nur noch gähnende Leere und ein paar Brückenpfeiler. Es fühlt sich an, als würden wir fliegen.

Am Ende der Schlucht fahren wir zwischen zwei seltsam geformten Felsen hindurch, die aussehen wie ein Tor. Und dann liegt es mit einem Mal vor uns: das Gebirge, die Sierra Nevada. Wie eine Wand türmt es sich auf, wie eine Mauer, die von ein paar schneeweißen Zinnen gekrönt wird.

Fernando zeigt darauf. »Da ist es«, sagt er. »Wenn wir das hinter uns haben, hält uns nichts mehr auf.«

Ich sehe zu den Bergen hoch, sie wirken fast undurchdringlich, wie stumme Riesen, die sich uns entgegenstellen. »Sieht nicht so aus, als würde es überhaupt einen Weg dadurch geben.«

»Hab ich beim ersten Mal, als ich hier war, auch gedacht«, sagt Fernando. »Es ist, als würdest du auf eine Mauer zufahren. Aber im letzten Moment gibt's doch immer irgendwo ein Tal, in dem es weitergeht. Immer weiter und höher rauf, bis du ganz oben über den Wolken bist.«

»Liegt da auch Schnee, wo wir langfahren?«, fragt Ángel.

»Nein, jetzt im Sommer nicht. Höchstens ganz oben auf den Gipfeln, aber da fahren wir ja nicht rüber, wir bleiben in den Tälern. Trotzdem kann's da verflucht kalt werden, vor allem nachts. Und das Schlimmste sind die elenden Tunnel, durch die wir müssen. Manche sind so lang, dass du am Ende halb erstickt bist. Das heißt: falls du überhaupt wieder rauskommst.«

Jaz sieht mich an. Klingt nicht besonders verlockend, scheint ihr Blick zu sagen. Aber bei Fernando weiß man ja nie, ob er das, was er sagt, wirklich ernst meint oder ob es nur eine seiner Geschichten ist. Ob er uns warnen oder auf den Arm nehmen will. Oder beides zugleich.

»Ich war schon zwei Mal oben am Orizaba«, fährt er fort. »Das ist der höchste Berg von ganz Mexiko, da geht die Strecke vorbei und es kann rattenkalt werden. Einmal hab ich abends mit ein paar Typen am Feuer zusammengesessen. Der Wind hat geheult und einer hat von einem Kerl erzählt, der es sich in den Kopf gesetzt hatte, mitten im Winter durch die Berge zu fahren, und zwar so, wie er war, einfach im T-Shirt. Und was passiert, als er's tut? In der Nacht ist es eiskalt, es fängt an zu schneien, und als es am Morgen hell wird, ist der Kerl am Zugdach festgefroren. Sitzt da und kann sich kein Fitzelchen mehr bewegen.«

»Und?«, fragt Ángel. »Was hat er gemacht?«

»Na, er hat natürlich alles versucht, sich loszureißen. Aber es ging nicht, er klebte fest wie eine Fliege am Spinnennetz. Und es geht noch weiter hoch und es wird noch kälter und schließlich ist der arme Teufel einfach erfroren. Hat dagesessen auf seinem Wagen und ist wie ein Schneemann durch die Gegend gefahren, und alle, die's gesehen haben, hat das nackte Grauen gepackt. Irgendwann haben sie den Zug angehalten und ihn runtergeholt. Aber es hat Stunden gedauert, mit bloßen Händen haben sie ihn gar nicht losgekriegt. Erst als einer mit dem Schneidbrenner ankam, hat's geklappt.«

Jaz seufzt, dann schüttelt sie sich. »Gut, dass der Padre uns die Sachen gegeben hat«, sagt sie, holt einen Pullover aus ihrem Rucksack und streift ihn über. Er ist ihr viel zu groß, die Ärmel schlabbern ihr über die Finger. »Damit passiert uns so was hoffentlich nicht.«

»Wenn er's uns nicht gegeben hätte, hätten wir's selbst besorgt«, sagt Fernando. »Außerdem ist Sommer. Keine Angst, wir kommen schon durch.«

Auch daran hat der Padre gedacht. Nach dem Frühstück, als wir losschleichen wollten, hat er uns aus den Kleiderspenden seiner Gemeinde mit ein paar Pullovern und Decken versorgt. Die Sachen sind zwar alt und längst von den Motten zerfressen, aber für uns können sie die Rettung sein in den kalten Gebirgsnächten.

Wir fahren durch eine weitere Stadt, dann macht der Zug eine scharfe Linkskurve und dahinter geht es endgültig rauf in die Berge. Mit dem tiefen, satten Grün, das uns bisher begleitet hat, ist es jetzt vorbei, die Landschaft wird trockener und steiniger mit jedem Meter, den wir nach oben klettern. Irgendwie ist es wie eine Rückkehr in die Welt, die ich kenne, aber vertraut erscheint sie mir trotzdem nicht.

Es ist, wie Fernando gesagt hat: Wir fahren auf das Gebirge zu, es scheint keinen Weg hindurch zu geben. Erst als wir näher kommen, öffnet sich plötzlich ein schmales Tal und nimmt uns auf. Dann geht es steil nach oben, durch enge, spitze Kurven, auf der einen Seite eine Felswand, auf der anderen der Abgrund. Der Zug hat drei Lokomotiven, eine ganz vorne, eine am Ende und eine irgendwo in der Mitte, trotzdem kämpft er sich nur mühsam Stück um Stück voran.

Dann liegt der erste Tunnel vor uns. Er ist nicht lang, und als wir reinfahren, kann ich das Licht an seinem Ende schon sehen. Aber auf allen Seiten ist ohrenbetäubender Lärm, von links und rechts, von oben und unten, von vorne und hinten ertönt das Schnaufen der Lokomotiven und das Stampfen der Räder und wird tausendfach verstärkt. Es ist, als wären wir in einem Gewehrlauf, aus dem eine Kugel abgeschossen wird. Als wir wieder im Freien sind, dröhnen mir die Ohren.

Und weiter geht es nach oben, die Landschaft wird karger, die Luft dünner, der Wind kälter. Ich rücke mit den anderen zusammen, inzwischen haben wir alle unsere Pullover angezogen. Je höher wir steigen, desto steiler türmen sich die Berge. Auch die Tunnel werden häufiger. Sie folgen in immer kürzeren Abständen, manchmal hat die hintere Lok den letzten noch nicht verlassen, wenn die vordere den nächsten schon erreicht.

Dazwischen überqueren wir Brücken über Canyons, die so tief sind, dass ich nicht mal den Grund sehen kann.

Der Zug rattert durch eine Kurve an einer Felswand entlang, dann taucht der erste Tunnel vor uns auf, der wirklich lang zu sein scheint. Diesmal liegt sein Ende im Dunkeln, als wir reinfahren. Bald ist es stockfinster, ich kann nicht mal meine eigene Hand erkennen. Der schwere Dieselqualm aus den Lokomotiven liegt in der Luft, er sammelt sich unter der Decke des Tunnels, beißt in den Augen und kriecht in den Hals. Ich drehe den Kopf zur Seite und halte die Luft an, aber irgendwann muss ich doch wieder atmen. Dann fängt der Husten an, bei jedem Atemzug bellt es richtig aus mir raus.

Endlich kommt das Ende in Sicht. Als wir nach draußen fahren, schnappe ich nach Luft, als wäre ich ein paar Minuten unter Wasser gewesen. Von dem scharfen Qualm habe ich ein würgendes Gefühl im Hals, es dauert ziemlich lange, bis es nachlässt. Ich sehe mich um. Wieder sind wir höher gekrochen, wieder ist es kälter geworden. Jaz und Ángel, die beide ziemlich blass und mitgenommen aussehen, wickeln sich in ihre Decken, kurz darauf tun wir anderen das Gleiche. Schließlich hocken wir alle dick eingepackt da, keuchend und mit bleichen Gesichtern, und drücken uns aneinander.

Die Fahrt nach oben scheint kein Ende zu nehmen. Es ist ein ewiger Wechsel von dunklen, stickigen, qualmverpesteten Tunneln, in denen wir mühsam nach Luft ringen, und den Strecken dazwischen mit schwindelerregenden Abgründen und eisigem Wind, bei dem wir die Decken über den Mund ziehen, um uns mit dem eigenen Atem warm zu halten.

Der letzte Tunnel ist der längste. Er kommt mir endlos vor, irgendwann glaube ich schon fast nicht mehr daran, dass wir das Tageslicht noch mal wiedersehen. Ich huste und keuche und würge, aber alles geht im Lärm des Zuges unter. Schließlich scheint die Welt nur noch aus Krach und Rauch und Dunkelheit zu bestehen. Ich merke, wie ich langsam davondämmere, in meinem Kopf ist ein lautes Pfeifen, alles fängt an, sich zu drehen. Da ist der Tunnel plötzlich doch zu Ende, zusammen mit einer riesigen grauen Qualmwolke fahren wir nach draußen ins Freie.

Es dauert lange, bis wir den ganzen Dreck aus uns rausgehustet haben. Jaz muss irgendwo im Tunnel unter meine Decke gekrochen sein, sie bebt richtig unter den Hustenanfällen und bäumt sich neben mir auf. Ángel ist ohnmächtig geworden, aber zum Glück nicht vom Zug gefallen, weil er zwischen Emilio und Fernando steckt. Als er wieder zu sich kommt, läuft ihm schwarzer, rußiger Schnodder aus der Nase.

Erst nach ein paar Minuten bin ich wieder klar genug im Kopf, um mich umzusehen. Die Welt hat sich verändert. Während wir im Tunnel waren, müssen wir durch die Wolken gefahren sein, sie liegen jetzt unter uns. Wir sind auf einer Hochebene, auf allen Seiten erheben sich schneebedeckte Berge, auch der Orizaba, ich erkenne ihn sofort. Alles um uns herum ist klar und sonnig und kalt, die Landschaft steinig und stachlig. Es gibt keine Melonen- und Zuckerrohrplantagen mehr, an den Berghängen neben der Strecke wachsen jetzt Kakteen.

Auch Jaz hat irgendwann ihre Hustenanfälle überstanden und atmet erleichtert durch. Als ich sie ansehe, muss ich lachen. Ihr Gesicht ist dunkelgrau von dem rußigen Qualm im Tunnel. Ich reibe ihr die Nasenspitze frei.

»Na, Schmutzfink?«

Sie streckt mir die Zunge raus. »Glaubst du, du siehst besser aus? Ich hab dir ja gesagt, dass es nicht lange anhält mit der Sauberkeit.«

Wir versuchen, uns den Dreck so gut wie möglich aus den Gesichtern zu kratzen, merken aber schnell, dass es ziemlich sinnlos ist. Das Zeug sitzt in jeder Pore und außerdem sind unsere Hände mindestens genauso schmutzig wie unsere Gesichter.

»Ist wirklich rührend, euch zuzusehen«, sagt Fernando. »Aber ihr könnt's genauso gut bleiben lassen, ihr reibt den Mist nur von einer Ecke in die andere. Hier, ich hab was Besseres, um uns die Zeit zu vertreiben.«

Er kramt eine Tube Klebstoff und eine Plastiktüte aus der Tasche. Anscheinend hat er das Zeug in Tierra Blanca vom Geld des Padre gekauft, ich weiß noch, wie er in einem Kiosk verschwunden ist, als wir fast raus waren aus der Stadt. Er lässt ein paar ordentliche Tropfen von dem Klebstoff in die Tüte fallen, bläst sie kräftig auf und zieht die ätzende Luft tief in seine Lungen. Das wiederholt er noch ein paarmal.

»*¡Ah, qué bueno!*«, sagt er dann und verdreht genüsslich die Augen. »Das tut gut. Ohne den Stoff sollte man nie in die Berge fahren. Vertreibt die Kälte und den Hunger und macht gute Laune.« Er nimmt noch einen Zug und reicht die Tüte dann an mich weiter.

Ich muss daran denken, dass es in Tajumulco Zeiten gab, in denen ich mehr von dem Zeug geschnüffelt habe, als gut für mich war. Gegen die Einsamkeit, das Traurigsein und jede einzelne dieser Scheißenttäuschungen, die es viel zu oft gab. Und ich muss an die Typen denken, die nicht von dem Zeug loskommen, nicht mehr gehen, sondern nur noch kriechen können und in Mülltonnen leben. Die mit den glasigen Augen.

Aber was soll's? Seit ich weg bin aus Tajumulco, habe ich keine einzige Sekunde ans Schnüffeln gedacht, das ist vorbei. Und Fernando hat recht: Hier in der Kälte ist es genau das Richtige.

Ich mache es ihm nach und pumpe mich ein paarmal ordentlich voll. Die schöne, wohlige Wärme, die ich von früher kenne, breitet sich in meiner Brust aus und zieht von da überallhin weiter. Es fühlt sich gut an, mit einem Schlag sind die Tunnel mit dem Qualm und dem Lärm und der Dunkelheit vergessen, ist die Kälte weg und sind die Berge ganz klein.

Dann ist Jaz an der Reihe. Sie nimmt drei, vier tiefe Züge, ich merke, dass sie es nicht zum ersten Mal probiert. Irgendwie versetzt es mir einen Stich. Zwar habe ich im Grunde nichts anderes erwartet, als dass sie es genauso macht wie Fernando und ich und alle anderen von der Straße, aber dann ist es doch komisch.

Jaz reicht die Tüte zu Emilio rüber. Der bedient sich und will sie danach an Ángel weitergeben, aber plötzlich zögert er.

»Was ist los?«, fragt Fernando.

»Er ist noch so jung«, sagt Emilio.

Fernando schüttelt den Kopf. »Er gehört zu uns. Alles, was wir geschafft haben, hat er auch gepackt. Also ist er nicht zu jung. Gib ihm das Zeug!«

Auch Ángel holt sich seine Portion, dann nimmt Fernando den Stoff wieder in Empfang und steckt ihn weg. Wie üblich hat er seine Wirkung getan. Während der Zug über die Hochebene weiterfährt, hocken wir da und genießen das warme Kribbeln im Körper und unseren Sieg über die Tunnel und die Berge.

»Sag mal, Ángel«, unterbricht Jaz irgendwann das Schweigen. »In Tecún Umán, in der Herberge, da hast du erzählt, du willst zu deinem Bruder. Wieso eigentlich? Was ist mit deinen Eltern?«

»Ich will zu Santiago«, antwortet Ángel. Er hat seinen Blackout im Tunnel ganz gut überstanden, und was Fernando gerade über ihn gesagt hat, muss ihm Auftrieb gegeben haben, denn er ist gleich ein paar Zentimeter gewachsen unter seiner Decke. »Er ist mein Bruder. Er ist fünf Jahre älter als ich.«

»Ja, aber ...«

»Meine Eltern hab ich nie kennengelernt. Santiago hat sich immer um mich gekümmert. Erst waren wir bei unseren Großeltern. Aber mit denen hat Santiago sich gestritten, weil sie immer auf ihm rumgehackt haben. Da ist er abgehauen, mitten in der Nacht, in die Stadt, und hat mich mitgenommen.«

»Einfach so?«, fragt Jaz. »Kanntet ihr da denn wen?«

»Erst nicht, aber dann schon. Santiago hat viele Leute kennengelernt, er weiß, wie so was geht. Es hat nicht lang gedauert, da war er eine von den richtig großen Nummern in der Stadt.«

»Wow, scheint ja ein cooler Typ zu sein«, sagt Fernando. »Wovon habt ihr gelebt?«

»Das meiste Geld hat Santiago rangeschafft. Mit Geschäften. Aber ich hab auch ein bisschen verdient. Auf der Straße.«

Fernando grinst. »Hast geklaut, was?«

»Nein!«, sagt Ángel und zieht ärgerlich die Augenbrauen zusammen. »Alles Mögliche eben.«

»Und wann ist Santiago in die USA gegangen?«, fragt Jaz.

»Vor zwei Jahren. Er hat gesagt, er muss los und kann nicht länger bleiben. Wegen seinen Geschäften. Er hat gesagt, er würd mich am liebsten sofort mitnehmen, aber es würd nicht gehen. Ich müsste noch ein bisschen Geduld haben, es wär nicht für lange, dann würd er mich nachholen. Er hätte alles genau im Kopf. Dann ist er gegangen.«

»Das heißt – er hat dich allein gelassen?«

»Santiago würde mich nie allein lassen«, sagt Ángel empört. »Zwei von seinen Freunden haben sich um mich gekümmert. Denen hat er immer Geld für mich geschickt und angerufen hat er auch. Er hat erzählt, dass er jetzt in Los Angeles ist und zu einer von den Gangs gehört und dass ich auch mitmachen kann, wenn er mich nachholt. Ich müsste nur noch ein paar Jahre älter sein. Aber so lange wollte ich nicht warten, ich wollte eher zu ihm.«

»Ah, verstehe. Und deswegen bist du jetzt los?«

»Ja. Hab aber erst noch ein paar Monate gearbeitet, für einen Busfahrer, um ein bisschen Geld zusammenzukriegen.«

»Für einen Busfahrer?«, sagt Fernando. »Du warst also einer von diesen Knirpsen, die immer die Haltestellen ausrufen?«

»Ich hab viel mehr gemacht als das«, erwidert Ángel und sieht ihn böse an. »Morgens um sechs, da war der Fahrer noch gar nicht da, hab ich den Bus vorbereitet. Sauber gemacht, Öl und Kühlwasser aufgefüllt, damit's sofort losgehen kann. Dann bin ich mitgefahren. Hab die Haltestellen ausgerufen, das Geld eingesammelt und das Gepäck verstaut. Bis abends um neun. Und nachts hab ich im Bus geschlafen, damit ihn keiner klaut.«

»Nicht übel«, sagt Fernando anerkennend. »Hast ja ordentlich geschuftet, Kleiner.«

Ángel nickt. »Ihr könnt euch nicht vorstellen, was für tolle Sachen Santiago mir erzählt hat. Er ist inzwischen einer von den Anführern in seiner Gang, alle hören auf ihn und er tut immer nur das, was er für richtig hält. Er hat eine eigene Wohnung nur für sich und verdient eine Menge Geld und …«

»Weiß er, dass du kommst?«, unterbricht Fernando ihn.

»Nein, ich will ihn überraschen.«

Jaz wirft mir einen kurzen Blick zu. Für einen Moment lächelt sie, aber es sieht irgendwie traurig aus. »Du schaffst das schon, Ángel«, sagt sie. »Du findest deinen Bruder. Ich wünsch dir wirklich, dass du's schaffst.«

Dann wechselt sie schnell das Thema. Wir fangen an, darüber zu reden, was wohl sein wird, wenn wir in den USA angekommen sind. Was dort auf uns wartet, was wir machen werden und was jeder so darüber aufgeschnappt hat. Das heißt: Jaz, Fernando und Ángel reden darüber, und ab und zu sogar Emilio ein bisschen. Ich sitze nur dabei und höre zu. Ich spüre Jaz neben mir und sehe die anderen, und plötzlich habe ich ein ganz warmes Gefühl und es ist nicht nur von der Schnüffelei und von dem Pullover und von der Decke, und ich denke: So mühsam und gefährlich und beschissen diese Reise auch ist – so was Schönes wie die Freundschaft der anderen habe ich wahrscheinlich noch nirgendwo gefunden.

»Wisst ihr«, sage ich irgendwann, als es gerade ruhig ist. »Egal was noch kommt – ob wir's über die Grenze schaffen oder ob wir geschnappt und zurückgeschickt werden oder was sonst mit uns passiert – ich werd das alles hier nie vergessen. Und vor allem euch nicht.«

Kaum ist es raus, bin ich selbst überrascht darüber, dass ich es gesagt habe. Und die anderen erst recht, sie sehen mich alle ganz erstaunt an.

»O Mann, die Predigten des Padre scheinen ja ganz schön ansteckend zu sein«, sagt Fernando schließlich. »Hat vielleicht noch einer was zu beichten, bevor es dunkel wird?«

»Ach, Fernando, halt doch mal die Klappe«, stöhnt Jaz. »Eigentlich bist du gar nicht so cool, wie du tust. Tief in dir drin hast du bestimmt ein Herz, auch wenn du's selbst gar nicht weißt.«

»Danke, dass du an mich glaubst, das rettet mir den Tag«, sagt Fernando. Dann wendet er sich von Jaz ab. »Nein, im Ernst: Irgendwo hast du schon recht«, sagt er zu mir. »Aber Freundschaften zwischen Leuten wie uns sind immer nur Freundschaften auf Zeit. Irgendwann verlieren wir uns aus den Augen, spätestens an der Grenze, und danach sehen wir uns wahrscheinlich nie wieder. Das ist nun mal so, daran lässt sich nichts ändern.«

»Kann sein«, sagt Jaz. »Aber ich stell mir gerade vor, wie es wohl sein wird, wenn wir irgendwann, in vielen Jahren oder so, wenn wir's so richtig geschafft haben …«

»Du meinst: Wenn wir keine Güterzüge mehr fahren, sondern fette Straßenkreuzer«, fällt Fernando ihr ins Wort.

»Nein, ich meine …«

»Und wenn wir keinen Klebstoff mehr schnüffeln, sondern teure Zigarren rauchen.«

»Ach, verdammt, jetzt hör doch mal auf, mich ständig zu unterbrechen. Ich meine: Wenn das hier vorbei ist und wir die Leute gefunden haben, die wir suchen, und wir mit ihnen zusammen und die Zeiten einfach wieder besser sind. Das wird toll sein und ich hoffe, dass es für uns alle so kommt. Nur – bessere Freunde als jetzt finden wir wahrscheinlich nie mehr, glaubt ihr nicht auch?«

Fernando streift seine Decke ab und sieht zu den Bergen hin. Mit einem Mal ist in seinem Gesicht nichts mehr zu erkennen von dem Spott und der Überlegenheit. »Du hast recht, Jaz«, sagt er. »In den dunkelsten Zeiten sind die Freundschaften immer am hellsten.«

Hey, fangt auf, Jungs!«, brüllt der Mann zu uns hoch, und bevor wir kapieren, was los ist, schleudert er schon seine Tasche auf unseren Wagen. Emilio reagiert am schnellsten, springt auf und fängt sie aus der Luft. Der Mann rennt neben dem Zug her, schwingt sich auf die Leiter und gleich darauf ist er auf dem Dach.

»Puh, geschafft«, keucht er erleichtert und kommt zu uns. »Wisst ihr, was? Schon als der Zug aufgetaucht ist, habe ich zu mir gesagt: Die fünf Jungs da oben sehen aus, als könnte man ihnen trauen. Die helfen dem alten Alberto bestimmt.« Er nimmt Emilio die Tasche ab und bedankt sich bei ihm. »So heiße ich nämlich: Alberto. Was dagegen, wenn ich mich setze?«

Keiner von uns sagt etwas, er nimmt das als Zustimmung und hockt sich hin. Ich gucke ihn mir genauer an. An seiner dreckigen Kleidung und dem wilden Aussehen merkt man gleich, dass der Alte schon ziemlich lange auf den Zügen unterwegs ist. Ein dichter grauer Bart bedeckt die untere Hälfte seines Gesichts und auch von oben fallen ihm die Haare tief in die Stirn und bis über die Augen. Das gibt ihm was Düsteres, aber trotzdem habe ich irgendwie das Gefühl, dass er ein netter Kerl ist.

»Machen Sie das immer so mit Ihrer Tasche?«, fragt Jaz. Wie üblich, wenn Fremde dabei sind, spricht sie mit ihrer dunklen, kratzigen Jungenstimme. Die hat sie inzwischen ziemlich gut drauf, sie hat einiges dazugelernt während der Fahrt.

»Nein«, sagt Alberto und schüttelt seine Mähne. »Aber gestern hätte es mich fast erwischt. Als ich auf den Zug springen wollte, hat sich der Riemen der Tasche verheddert und um ein Haar wäre ich auf den Gleisen gelandet. Da habe ich gedacht: Alberto, heute bist du klüger. Und wie ihr seht, war ich das.«

»Aber nur, weil Sie uns vertraut haben«, sagt Ángel.

»Natürlich. Ohne geht es nicht, oder? Wo kämen wir hin, wenn wir uns nicht mal gegenseitig vertrauen würden! Ich meine – bei all der Scheiße, die hier abgeht, müssen wir uns wenigstens untereinander helfen, sonst sind wir verloren. Findet ihr nicht?«

Er legt Fernando, der neben ihm sitzt, die Hand auf die Schulter. Fernando dreht langsam den Kopf in seine Richtung, runzelt die Stirn und betrachtet die Hand, als wäre sie ein giftiges Insekt. Alberto zieht sie hastig zurück.

»Vor ein paar Tagen zum Beispiel«, fährt er schnell fort. »Ich war auf dem Zug, es wurde dunkel und ich war hundemüde. Eigentlich durfte ich nicht schlafen, denn es gab viele Kurven und die Wagen schlingerten nur so von einer Seite zur anderen. Aber dann ist mir eingefallen, ich könnte mich mit meinem Gürtel an einer Strebe festbinden. So habe ich's gemacht und bin selig eingeschlummert. Doch mitten in der Nacht ...«

Er öffnet seine Tasche, kramt darin herum und zieht zum Beweis seiner Geschichte einen Gürtel hervor, der in zwei Teile zerrissen ist.

»... macht es peng, der Gürtel reißt, und ehe ich aufwache und weiß, was los ist, rolle ich schon vom Dach. Das heißt, ich wäre runtergerollt, wenn nicht zwei, die zufällig in der Nähe saßen, aufgepasst und mich festgehalten hätten. Seht ihr, das ist das, was ich meine. Was wären wir, wenn wir uns nicht gegenseitig helfen?«

Er stopft die beiden Teile des Gürtels wieder in seine Tasche. »Übrigens: Seid ihr hungrig?«, fragt er dann.

Es ist später Nachmittag. Wir sind erst seit ein paar Stunden auf der Hochebene unterwegs, zwischen riesigen Bergen auf beiden Seiten, an Mais- und Getreidefeldern, haushohen Kakteen und Dörfern mit schneeweißen Kirchen vorbei. Die Vorräte, die der Padre uns mitgegeben hat, haben wir bisher kaum angerührt. Hungrig ist keiner von uns.

»Nein«, sagt Jaz, »wir haben selbst noch …«

Alberto zieht eine Tafel Schokolade heraus.

»Äh, ich meine – wir haben selbst noch nichts gegessen«, verbessert Jaz sich schnell. »Also, ich hab Hunger.«

»Ich auch«, sagt Ángel.

Alberto lacht, bricht die Schokolade knackend auseinander und reicht sie uns. Jaz und Ángel bedienen sich als Erste, dann nehmen Emilio und ich auch was davon und schließlich lässt sich sogar Fernando herab.

Ich weiß gar nicht mehr, wann ich zuletzt was Süßes gegessen habe. Irgendwann in Tajumulco mal, klar, aber alles, was da passiert ist, erscheint mir inzwischen wie graue Vorzeit. Es scheint nicht Wochen her zu sein, sondern Jahre und ich kann mich an manches schon gar nicht mehr erinnern, so als läge es hinter einem Schleier.

Während wir dasitzen und die Schokolade knabbern, verrät Alberto, wo er her ist und was er erlebt hat auf seinem Weg durch Mexiko. Er ist ein guter Erzähler. Na ja, nicht ganz so gut wie Fernando vielleicht, aber es macht trotzdem Spaß, ihm zuzuhören. Er sagt, es wäre jetzt schon sein sechster Versuch, und dann erzählt er, was bei den ersten fünf Malen schiefgelaufen ist. Es ist komisch, aber – die Geschichten kommen mir alle so seltsam bekannt vor.

»Und ihr?«, fragt er schließlich, als ihm zu sich selbst nichts mehr einfällt. »Die wievielte Tour ist es für euch?«

»Ähm – die erste«, sagt Jaz.

Als er hört, dass Emilio, Ángel und ich auch Neulinge sind, fällt ihm die Kinnlade runter. »*¿En serio?*«, fragt er. »Im Ernst? Wie habt ihr das gemacht? Ihr seid so verflucht jung und dann schafft ihr's auf Anhieb bis in die Berge. Darauf könnt ihr euch echt was einbilden, Mann. Davon träumen andere.«

»Ist nicht unser Verdienst«, sage ich zu ihm. »Wir haben's nur wegen Fernando geschafft. Er kennt sich aus in Mexiko, er weiß, wie's läuft, und ...«

Bevor ich weiterreden kann, fällt Fernando mir ins Wort. »Hey, Miguel«, sagt er. »Ist schon in Ordnung. Das tut hier nichts zur Sache.« Er wirft mir einen kurzen Blick zu. Ich weiß, dass er es nicht mag, wenn man über ihn redet, und bin lieber ruhig.

»Fernando kennt auch einen Mara«, sagt Ángel. »Einen richtigen Mara. Der hat uns beschützt.«

Alberto hebt ruckartig den Kopf, das scheint ihn zu interessieren. »Aber – der ist jetzt wohl nicht mehr bei euch, oder?«

»Nein«, sagt Ángel. »Er hat uns nur durch Chiapas gebracht.«

»Ah, das ist gut. Ganz schön clever von euch. Damit habt ihr das Schlimmste schon überstanden. Aber trotzdem: Die Berge sind auch nicht ohne, lasst euch das vom alten Alberto gesagt sein. Ihr müsst die Augen schon noch gut aufhalten.«

»Gibt's hier Razzien?«, fragt Jaz.

»Ach nein, das eigentlich nicht. Die *cuicos* toben sich weiter unten aus, hier oben sieht man nicht viel von ihnen. Das Problem in den Bergen ist eher das Banditengesocks. Verflucht üble Kerle, könnt ihr mir glauben. Treiben sich an der Bahnstrecke rum, schlagen zu und verschwinden wieder in ihren Schlupfwinkeln im Gebirge.«

»Woher wissen Sie das?«, fragt Emilio. »Sind Sie denen schon begegnet?«

Alberto zögert. Er streicht über seinen Bart, seine Finger zittern. »Sie haben mich ausgeraubt«, sagt er. »Auf meiner vierten Tour. Kann von Glück sagen, dass ich's überstanden habe. Die Kerle scheren sich nämlich einen Dreck um das Leben anderer Leute. Sie haben mir alles weggenommen und mich vom Zug geworfen. Irgendwie habe ich's in den nächsten Ort geschafft, da hat mich ein Arzt wieder zusammengeflickt. Er und seine Frau haben sich um mich gekümmert, als würde ich zur Familie gehören. Ich bin ihnen bis heute dankbar. Der alte Alberto vergisst nie, wenn ihm einer was Gutes tut.«

»So was haben wir auch gerade erlebt«, sagt Ángel, seine Augen leuchten. »Der Padre in Tierra Blanca. Er hat uns vor der Polizei gerettet und wir durften in seiner Kirche schlafen.«

Alberto überlegt. »Ja, ich glaube, von diesem Padre habe ich schon gehört. In Tierra Blanca, sagst du? Leider bin ich ihm noch nicht begegnet, aber nach allem, was die Leute erzählen, muss er ein großartiger Mensch sein.«

»Ja, das ist er«, sagt Ángel. »Als wir gegangen sind, hat er uns sogar noch Geld mitgegeben. Damit wir uns was zu essen kaufen können und nicht betteln oder klauen müssen.«

Alberto nickt anerkennend. »Seht ihr, das ist genau das, was ich meine. Man kann wirklich von Glück sagen, wenn man solche Leute trifft. Dieser Arzt zum Beispiel, der hat mich damals,

als ich so weit war, dass ich weiterfahren konnte, noch gewarnt, an welchen Stellen es besonders gefährlich ist.«

Fernando horcht auf, als er das sagt. »Sie wissen, wo die Banditen lauern?«

»Na ja, ich weiß zumindest, worauf man aufpassen muss und woran man sie erkennt.« Er bricht ab und sieht uns nachdenklich an. »Hört zu, Jungs: Ihr gefallt mir. Wie wär's, wenn wir uns zusammentun? Muss ja nicht für immer sein. Nur für die Berge. Meine Augen sind zwar schon ein bisschen älter als eure, aber gerade deswegen sehen sie Sachen, die ihr nicht seht. Was meint ihr?«

»Weiß nicht«, sagt Fernando. »Was haben Sie davon?«

»Na, ich bin froh, dass ich hier oben nicht allein bin«, erwidert Alberto und lacht. »Ist doch klar. Außerdem: Wer soll sonst meine Tasche auffangen und meine Schokolade essen?«

Das ist natürlich ein Argument. Ich habe nichts gegen seine Begleitung und bei Jaz, Ángel und Emilio scheint es genauso zu sein. Nur Fernando sieht immer noch ein bisschen misstrauisch aus. Aber das hat nicht viel zu sagen. Er ist eigentlich immer misstrauisch, sogar dem Padre gegenüber war es so. Wir reden eine Zeit lang auf ihn ein und am Ende zuckt er mit den Schultern und sagt nichts mehr dagegen, dass Alberto sich uns anschließt.

Kurz darauf hält der Zug auf offener Strecke, auf einem Ausweichgleis. Es fängt schon an zu dämmern, wahrscheinlich will der Fahrer sich in Ruhe was zwischen die Zähne schieben. Wir springen ab und schwärmen aus, um uns in die Büsche zu schlagen und nach einem Bach zu suchen, an dem wir unsere Flaschen auffüllen können.

Ich streife durch die Gegend, es tut gut, einfach nur ein wenig herumzulaufen. Nach einer Weile fällt mir ein Kaktus auf, der in der Nähe steht und irgendwie witzig aussieht. Wie ein Westernheld, der mit dem Revolver bedroht wird und deshalb die Arme nach oben hält. Ich gehe hin, pinkle ihn an und stelle mir vor, wie er mit seinen Dornenarmen nach mir schlägt. Dann mache ich mir einen Spaß daraus, auf die Spitzen seiner Stacheln zu zielen, sie knicken ab, wenn der Strahl sie trifft und hart genug ist.

Als ich meinen Hosenschlitz zumache, sehe ich ein Stück weiter Alberto stehen. Er hat anscheinend gerade telefoniert, denn er schaltet sein Handy aus und steckt es weg. Ich wusste gar nicht, dass er überhaupt eins hat. Er dreht sich um und entdeckt mich, zögert kurz, dann winkt er mich heran.

»Hey, Junge«, sagt er, als ich bei ihm bin. »Ich habe ihn gerade erreicht.«

»Wen denn?«

»Na, den Arzt, von dem ich euch erzählt habe. Ist nicht mehr weit zu dem Ort, wo er wohnt. Er hat gesagt, wir können bei ihm übernachten.«

»Was – wir alle?«

»Na klar. Wenn wir ein bisschen zusammenrücken, geht das schon. Ist doch großartig, oder?«

»Ja. Das ist cool.«

Wir gehen zum Zug zurück und erzählen den anderen davon, als sie nach und nach eintreffen. Alle sind überrascht und machen große Augen. Schon jetzt, wo die Dunkelheit gerade erst hereinbricht, ist zu spüren, wie kalt die Nacht wird. Da ist es eine echt gute Nachricht, dass wir ein Dach über dem Kopf haben und nicht frieren müssen.

»Ach, ihr könnt euch gar nicht vorstellen, wie ich mich darauf freue, die Leute wiederzusehen«, sagt Alberto. »Macht mir keine Schande, hört ihr? Wascht euch die Ohren und rülpst nicht am Tisch. Aber ihr kriegt das schon hin.«

Als der Zug wieder anfährt, ist es völlig dunkel geworden. Wir löchern Alberto mit Fragen: wie weit es noch zu dem Ort ist, wie der Ort überhaupt heißt, wie groß das Haus von diesem Arzt ist, ob er Kinder hat, und alles Mögliche, was uns einfällt. Alberto erzählt uns alles, und während ich ihm zuhöre, wird mir mit einem Mal klar, wie überwältigend das Ganze ist. Seit wir über den Río Suchiate gekommen sind, hat man uns verfolgt und gejagt, getreten und geschlagen, und jetzt gibt es plötzlich – mitten in diesem riesigen Land – jemanden, der uns gar nicht kennt und trotzdem sein Haus für uns öffnet, als wären wir gute alte Bekannte! Ich bin einfach nur dankbar, als ich daran denke.

Auch die anderen sind in bester Stimmung, vor allem Jaz und Ángel. Wir fangen an, von den Abenteuern zu erzählen, die wir auf unserer Fahrt erlebt haben. Immer wenn einer fertig ist, fällt einem anderen wieder etwas Neues, noch Besseres ein. Alberto will alles ganz genau wissen und interessiert sich für jede Kleinigkeit. So vergeht die Zeit wie im Flug, der Zug rattert durch die Nacht und wir achten gar nicht mehr darauf, was um uns herum passiert.

Irgendwann steigt der Mond über den Horizont, es wird etwas heller. Ich blicke mich um. Die Gegend, durch die wir fahren, sieht gespenstisch aus, nur ein paar schemenhafte Umrisse sind zu erkennen. Mit einem Mal fällt mir aus den Augenwinkeln eine Bewegung auf. Ich sehe genauer hin und dann läuft mir ein kalter Schauer über den Rücken: Da steht jemand, in einer Ecke des Daches, am oberen Ende der Leiter!

Noch bevor ich etwas tun oder sagen kann, springt Fernando, der mir gegenübersitzt, auf und starrt über mich hinweg. Ich wirble herum. Auch auf der anderen Seite steht eine Gestalt im Mondlicht. Nein, sogar zwei, auf beiden Seiten müssen sie die Leitern heraufgestiegen sein. Erst rühren sie sich nicht, aber als sie sehen, dass wir sie bemerkt haben, kommen sie langsam näher. Ihre Gesichter kann ich nicht erkennen. Nur dass sie bewaffnet sind, einer von ihnen trägt sogar ein Gewehr.

Ehe ich auch nur einen klaren Gedanken fassen kann, stehen sie schon alle drei um uns herum. Keiner von ihnen sagt etwas, aber die ganze Art, wie sie sich bewegen und dastehen, macht klar, dass sie nichts Gutes mit uns vorhaben. Ich sehe Fernando an. In seinem Gesicht arbeitet es, dann setzt er sich ganz langsam, fast wie in Zeitlupe, wieder hin.

»Sind sie das?«, bricht endlich einer der Männer das Schweigen. Es ist der mit dem Gewehr.

Zuerst antwortet ihm keiner. Ich verstehe nicht so richtig, wem er die Frage überhaupt gestellt hat – und was sie bedeuten soll. Dann steht Alberto plötzlich auf.

»Ja, das sind sie.« Er zögert kurz, dann sieht er uns an und hebt die Schultern. »*Lo siento, compañeros*. Tut mir leid, Jungs. Ich mag euch, wirklich. Aber so ist nun mal das Leben. Mal gewinnst du, mal verlierst du. Beim nächsten Mal habt ihr mehr Glück.«

Er stellt sich zu den Männern. Es kommt mir vor, als hätte mir einer ins Gesicht geschlagen. Erst will ich nicht glauben, dass es wirklich das ist, wonach es aussieht, aber dann sehe ich Fernando, wie er in ohnmächtiger Wut die Fäuste ballt. Da wird es mir klar: mit wem der Alte vorhin telefoniert hat, und überhaupt, dass die ganze Sache von Anfang an geplant war. Von dem Moment an, als dieser verlogene Scheißkerl seine Tasche zu uns hochgeschleudert hat, war es geplant. All seine Geschichten waren erstunken und erlogen. Das mit dem Arzt war gelogen. Und sogar seine Schokolade war eigentlich nicht echt, sondern nur Teil einer verdammten Lüge.

»Tja, so muss man die Sache wohl sehen«, sagt der mit dem Gewehr. »Und wenn ihr daran interessiert seid, ein nächstes Mal zu erleben, dann bleibt ihr jetzt hübsch brav da unten sitzen und gebt uns, was wir wollen.«

Er nimmt sein Gewehr von der Schulter und richtet es auf uns. Als ich in die Mündung blicke, überlege ich nicht lange. Es ist zwar eine Schande, das Geld, das der Padre uns gegeben hat, ausgerechnet diesen Kerlen auszuliefern, aber es nicht zu tun wäre Selbstmord. Also hole ich die Scheine aus meinem Schuh und halte sie hoch, die anderen tun das Gleiche.

»Gut«, sagt der mit dem Gewehr, während seine Kumpane das Geld einsammeln. »Und jetzt eure Schuhe!«

»Wir haben nichts mehr in den Schuhen«, sagt Fernando. »Wir haben Ihnen alles …«

»Halt's Maul!«, fährt der Bandit ihn an. »Hat dich irgendwer nach deiner Meinung gefragt?«

Fernando antwortet nicht.

Der Lauf des Gewehrs richtet sich auf ihn. »Ob dich irgendwer nach deiner Scheißmeinung gefragt hat?«

»Nein«, knurrt Fernando.

»Eben. Und weil das so ist, sprichst du mir jetzt nach: ›Ich rede nur, wenn ich nach meiner Scheißmeinung gefragt werde‹.«

»Ja, ich hab's verstanden.«

»Ob du irgendwas verstanden hast, interessiert mich nicht. Ich hab gesagt, du sollst es mir nachsprechen. Oder willst du eine Kugel in deinem dämlichen Schädel haben?«

Fernandos Gesicht ist leichenblass, seine Augen sind nur noch Schlitze. »Ich rede nur, wenn ich nach meiner Scheißmeinung gefragt werde«, presst er zwischen den Zähnen hervor. Ich kann seine Wut richtig spüren.

»Na also, geht doch. Lernst noch richtig was dazu heute Nacht. Und jetzt her mit den Schuhen!«

Wir werfen ihnen unsere Schuhe hin. Sie durchsuchen sie, finden aber nichts.

»Hoppla, ihr hattet ja wirklich nichts versteckt«, sagt der mit dem Gewehr. »Anscheinend seid ihr ganz ordentliche Jungs. Tja, und damit das so bleibt und ihr nicht auf dumme Ideen kommt …«

Er gibt den anderen einen Wink. Sie nehmen die Schuhe und werfen sie einen nach dem anderen in hohem Bogen vom Zug. Ich kann hören, wie sie auf dem Boden aufschlagen oder ins Gebüsch rauschen.

»So, das wird euren Tatendrang bremsen, falls ihr denkt, ihr könntet euch euer Geld zurückholen.«

»Ich finde euch auch ohne Schuhe«, murmelt Fernando vor sich hin. Ich kann ihn verstehen, weil er gleich vor mir sitzt, aber auch der Anführer der Banditen scheint was gehört zu haben.

»Was hast du gesagt?«, fragt er und stellt sich hinter ihn.

»Ich hab gesagt, wir wollen uns das Geld nicht zurückholen«, erklärt Fernando.

»Komisch. Ich könnte schwören, dass ich was anderes verstanden habe. Los, steh auf und dreh dich um!«

Fernando tut, was er sagt, aber im Schneckentempo. Dann stehen sie sich Auge in Auge gegenüber.

»O Mann, wenn du die Wut in deinen Augen sehen könntest. Ah, jetzt! Jetzt versuchst du sie zu verstecken. Aber es gelingt dir nicht, sie springt nur so aus dir raus. Weißt du, ich kenne Typen wie dich. Du würdest mich jetzt am liebsten umbringen, oder? Du überlegst gerade, wie du die Sache am besten anstellen kannst.« Er geht zur Seite. »Los, fesselt ihn und werft ihn vom Zug!«, sagt er zu seinen Leuten.

Die kennen den Befehl anscheinend schon. Sofort sind sie bei Fernando und packen ihn. Er wehrt sich, aber gegen zwei erwachsene Männer hat er keine Chance. Der eine hält ihm ein Messer an den Hals, der andere dreht seine Hände auf den Rücken und bindet sie mit einem Strick zusammen.

Alles geht so schnell, ich bin wie gelähmt. Übergroß sehe ich Fernandos verzerrtes Gesicht vor mir, die Klinge an seiner Kehle, den Strick um seine Handgelenke. Aber ich kann keinen Finger rühren.

Da springt Emilio plötzlich auf. »Lassen Sie ihn!«, ruft er.

Der Anführer der Banditen dreht sich zu ihm um. »Was hast du gesagt, Scheiß-Indio?«

»Sie sollen ihn lassen. Er hat nichts getan.«

»Ach, findest du? Na gut – fangen wir eben mit dir an. Ist sowieso die gottgegebene Reihenfolge.«

Seine Männer geben Fernando frei und stoßen ihn in unsere Richtung, sodass er zwischen Jaz, Ángel und mir auf das Dach knallt. Dann nehmen sie sich Emilio vor, was ihnen noch größeren Spaß zu machen scheint als vorher bei Fernando. Als er sich wehrt, schlägt ihm einer kurzerhand die Faust ins Gesicht, der andere reißt ihm die Hände nach hinten.

Fernando kocht vor Wut. Er rappelt sich hoch und will aufspringen, da ist ein lautes, metallisches Klicken zu hören. Der Anführer der Banditen hat sein Gewehr entsichert und zielt damit auf Fernando, die Mündung ist kaum eine Armlänge von seinem Kopf entfernt. Er erstarrt mitten in der Bewegung.

Inzwischen haben die beiden Männer Emilio gefesselt. Insgeheim, tief in mir drin, hoffe ich darauf, dass der Befehl, einen von uns vom Zug zu werfen, nicht ernst gemeint war. Nur eine Drohung, um uns einzuschüchtern. Uns zu zeigen, was passiert, wenn wir nicht gehorchen. Aber dann muss ich mit ansehen, wie sie Emilio tatsächlich zum Rand des Daches schleppen und ihn kopfüber in die Dunkelheit schleudern.

Jaz und Ángel schreien auf. Ehe mir klar wird, was geschieht, sind die beiden Männer wieder zurück und wollen sich Fernando greifen. Aber gerade als sie es tun, mischt sich der Alte ein, der uns die ganze Sache eingebrockt hat und bisher im Hintergrund geblieben ist. Er ruft ihnen zu, sie sollen noch warten, dann geht er zu dem Anführer und sagt etwas zu ihm.

Der lacht spöttisch. »Hast dich mit den Typen angefreundet, was? Welche Masche war's denn heute? Der gütige alte Alberto? Kannst ihn wieder wegpacken, er wird nicht mehr gebraucht.«

»Darum geht's nicht«, sagt der Alte. Er wendet sich von uns ab und flüstert, aber das meiste kann ich trotzdem verstehen. »Du weißt doch, wie's läuft. Ein toter Indio interessiert keinen, aber was glaubst du, was hier los ist, wenn sie noch vier Leichen neben den Schienen finden?«

»Na und? Dann sind wir längst weg.«

»Ja, aber wir wollen wieder hierher zurück und in Ruhe weiterarbeiten. Lass sie gehen, hörst du? Sie haben gesehen, was wir mit ihnen anstellen, wenn sie uns blöd kommen. Zu den

Bullen können sie nicht, sie haben keine Papiere. Und Schuhe haben sie auch keine mehr. Was sollen sie schon tun?«

»Ach, alter Mann, hör auf mit dem Gesabber!«, sagt der Anführer und schüttelt den Kopf. »Du wirst allmählich zu weich fürs Geschäft. Was soll ich bloß mit dir tun?«

Aber anscheinend haben die Worte des Alten doch Eindruck auf ihn gemacht, denn nach kurzem Zögern hängt er das Gewehr wieder über die Schulter und dreht sich zu uns um. »Los, Abflug!«, kommandiert er. »Und denkt immer daran: Wenn ihr uns folgt oder zu den Bullen geht, seid ihr tot.«

Wir springen auf und laufen zu den Leitern. Mein einziger Gedanke ist, so schnell wie möglich von dem Zug und den brutalen Kerlen wegzukommen. Und: Emilio zu finden!

Als ich runtersteige, schaffe ich es kaum, mich mit den nackten Füßen auf der Leiter zu halten. Der Zug ist ziemlich schnell, man kann es am Fahrtwind spüren. Über mir klettert Jaz herab, ich höre an den Geräuschen, dass sie es ist. Jetzt bin ich auf der untersten Sprosse. Der Boden ist nicht zu sehen, nur ein paar Schatten wie von Sträuchern fliegen vorbei.

»Pass auf dich auf!«, rufe ich nach oben, dann nehme ich meinen Mut zusammen und springe.

Alles, was ich noch wahrnehme, ist ein stechender, unerträglicher Schmerz in den Fußsohlen, der durch den ganzen Körper zuckt. Ich schreie auf, dann überschlage ich mich und pralle gegen ein Hindernis. Gleich darauf wird mir schwarz vor Augen.

Besonders lange kann die Ohnmacht nicht gedauert haben, denn als ich wieder aufwache, sind in der Ferne noch die Geräusche des Zuges zu hören. Dann ist es still. Ich versuche mich zu bewegen, aber irgendwas hält mich fest, und als ich es mit Gewalt probiere, ist es, als würde einer mit tausend Nadeln auf mich einstechen. Ich öffne die Augen, dann wird mir klar, was es ist: Ich hänge in einem Gebüsch und die Nadeln sind Dornen, die sich in meine Haut und meine Kleidung gebohrt haben.

»Miguel!«, ertönt von irgendwoher eine Stimme. Sie ist dumpf, schwer zu verstehen, hört sich nach Jaz an.

»Ja, ich bin hier. Jaz? Wie geht's dir?«

»Geht schon. Warte, ich komm zu dir rüber. Wo steckst du?«

»Hier, in so einem verdammten Dornbusch. Du musst mich irgendwie aus dem Ding rausziehen.«

Ich höre, wie sie sich zu mir vorarbeitet. Endlich ist sie da und in dem kalten Mondlicht auch zu sehen. Gott sei Dank, ihr scheint nichts passiert zu sein! Jedenfalls ist auf den ersten Blick noch alles an ihr dran.

»Konntest du keinen besseren Landeplatz finden?«, fragt sie vorwurfsvoll und hockt sich vor mich hin.

»Sei froh, dass ich vor dir gesprungen bin. Sonst wärst du hier reingeknallt. Und jetzt schwing keine langen Reden, sondern hilf mir!«

Jaz fängt an, die stachligen Äste aus meinen Kleidern zu ziehen. Ein paarmal sticht sie sich selbst einen Dorn in den

Finger und stöhnt auf, macht aber jedes Mal weiter, als wäre nichts gewesen. Bald kann ich mich wieder bewegen und ihr helfen, dann dauert es nicht mehr lange, bis das Gestrüpp mich freigibt.

Wir steigen auf den Bahndamm und rufen nach Fernando und Ángel. Erst rührt sich längere Zeit nichts, dann tauchen sie auf der anderen Seite der Schienen auf und schleppen sich zu uns hin. Ángel humpelt und Fernando hält sich den Kopf. Als sie bei uns sind, sehen wir, dass die Wunde auf seiner Stirn wieder aufgeplatzt ist. Er hat ein Stück von seinem T-Shirt abgerissen und presst es dagegen, aber sein Gesicht ist trotzdem voller Blut.

Jaz will ihm helfen und sich die Wunde ansehen, aber er wehrt ab. »Das ist jetzt egal, nimm die Pfoten weg«, sagt er und schiebt ihre Hand zur Seite. »Wir haben's nicht besser verdient, als was auf die Rübe zu kriegen.«

»Wieso verdient?«

»Na, ist doch nicht schwer zu kapieren. Wie kann man bloß so bescheuert sein, auf diesen alten Scheißkerl reinzufallen! Eingeseift hat er uns, nach allen Regeln der Kunst, und wir haben uns vorführen lassen wie die kleinen Kinder.«

Er dreht sich zu Ángel um. »Vor allem du, Mann! Ausgerechnet diesem wildfremden Bastard erzählst du von der Kohle, die wir dabeihaben. So blöd kann ein einzelner Mensch doch gar nicht sein.«

Ángel sagt nichts, er lässt nur den Kopf hängen.

»Ich hab wirklich gedacht, du hättest mehr Grips in der Birne. Aber da hab ich mich wohl getäuscht. Am besten haust du wieder dahin ab, wo du herkommst.«

»Jetzt hör aber auf, Fernando«, sagt Jaz. »Wenn Ángel es

nicht erzählt hätte, hätte ich's wahrscheinlich gemacht. Ich hab dem Alten auch vertraut.« Sie sieht mich an. »Du doch auch, oder?«

»Ja. Ich bin auch auf ihn reingefallen.«

Fernando schnaubt und wirft den blutigen Stofffetzen weg, den er sich noch immer vor die Stirn hält. Dann funkelt er mich an. »Ja, du! Du bist so unglaublich klug, dass du ihm sogar beim Telefonieren zusiehst, ohne dass dir klar wird, was läuft. Auf dich ist echt Verlass, du Held!«

»Verdammt, Fernando!«, flucht Jaz. »Hör auf, deine Wut an anderen auszulassen. Du bist doch nur wütend auf dich selbst, weil du Emilio immer so mies behandelt hast und weil er trotzdem den Kopf für dich hingehalten hat.«

Im nächsten Augenblick explodiert Fernando. »Red nicht so eine verfluchte Scheiße!«, herrscht er Jaz an und versetzt ihr einen Stoß, dass sie zurücktaumelt und hinfällt. »Lass mich bloß mit deiner Psychokacke in Ruhe!«

Ich springe zwischen die beiden und stoße nun Fernando zurück. »Und du lass sie in Ruhe, verstanden?«

»Ach ja? Sie will doch wie ein Junge behandelt werden, also mach ich's auch.«

»Kannst du ja mal versuchen, wenn du dich traust. Wirst schon sehen, was du davon hast.«

»Jetzt hört aber auf damit, und zwar alle beide«, schimpft Jaz von hinten. »Miguel, geh zur Seite!«

Ich zögere einen Moment, dann tue ich, was sie sagt.

»Fernando!«

»Was willst du?«

»Wir finden ihn, Fernando«, sagt Jaz. »Wir finden Emilio ganz bestimmt.«

Fernando atmet tief durch. Er presst die Zähne aufeinander, ich kann sehen, wie seine Backenknochen hervortreten. Auf einmal schimmert etwas in seinen Augen.

»*Ich* hätte es merken müssen«, sagt er. »Schon in dem Moment, als der alte Lügner von der Kohle erfahren hat, hätte ich ihn mit einem Faustschlag vom Zug befördern sollen. Und spätestens als Miguel mir von der Sache mit dem Handy erzählt hat, hätten alle Alarmlampen bei mir angehen müssen. Ich hab's vermasselt.«

»Das ist doch Blödsinn, Fernando«, sagt Jaz, rappelt sich hoch und steht auf. »Du kannst nicht alles vorhersehen. Manche Sachen passieren einfach, ohne dass du was dagegen tun kannst. Da ist nicht immer einer schuld.«

Fernando winkt unwillig ab. »Das ist dummes Gesülze. Soll ich dir sagen, wo der ganze Scheiß angefangen hat? Bei dem Padre in Tierra Blanca.«

»Wie kommst du denn darauf? Lass den Padre aus dem Spiel. Der hat nichts damit zu tun.«

»Und ob er was damit zu tun hat. Er hat sogar eine Menge damit zu tun. Ich sage ja nichts gegen ihn selbst, er ist ein guter Kerl. Aber das Problem ist: Wenn du einem wie ihm begegnest, fängst du wieder an, den Leuten zu vertrauen. Und das ist der schlimmste Fehler, den du machen kannst. Du bist verloren, wenn du anderen vertraust, ohne sie zu kennen. Ihr könnt mir glauben: Hätten wir den Padre nicht getroffen, wären wir auf den Alten auch nicht reingefallen.«

»Da könntest du recht haben«, sage ich zu ihm. »Weil wir's gar nicht erst so weit geschafft hätten.«

»Ach, hört auf, das bringt doch nichts«, sagt Jaz. »Wir stehen hier rum und streiten und Emilio liegt irgendwo da draußen und braucht Hilfe.« Sie wendet sich an Fernando. »Was glaubst du, wie weit die Stelle weg ist, an der sie ihn …«

Fernando schluckt. Er sieht eine Zeit lang auf den Boden, anscheinend versucht er, sich zu beruhigen und wieder einen klaren Kopf zu kriegen. »Schätze, so zwei oder drei Kilometer«, sagt er schließlich und wischt ein paar Blutstropfen weg, die ihm in die Augen laufen. Dann zeigt er die Gleise entlang, in die Richtung, aus der wir gekommen sind. »Also los. Am besten, wir gehen zwischen den Schienen, alles andere ist im Dunkeln zu gefährlich. Passt auf, dass ihr nur auf die Schwellen tretet und nicht dazwischen, sonst macht ihr euch die Füße kaputt. Wir rufen nach Emilio, und wenn er … Ich meine, wenn er nicht ohnmächtig ist oder so, wird er uns schon hören und sich melden.«

Der Vorschlag klingt gut, jedenfalls hat keiner von uns einen besseren. Also marschieren wir los, Fernando vorneweg, dann Ángel, dahinter Jaz und am Schluss ich. Zum Glück ist es noch ein bisschen heller geworden, der Mond steht jetzt hoch am Himmel, auch ein paar Sterne sind zu sehen. Trotzdem können wir nur ein kleines Stück der Gleise überblicken und auf den Seiten bestenfalls ein paar Büsche oder Kakteen erkennen, dahinter verschwindet alles im Dunkeln.

Das Gehen auf den Schwellen mit nackten Füßen ist mühsam. Das Holz ist rau, manchmal auch rutschig vom Öl der Züge, ich taste mich vorsichtig Schritt um Schritt voran. Immer wieder liegen kleine, scharfkantige Steine im Weg, jedes Mal, wenn ich auf einen trete, zuckt mir der Schmerz durch den ganzen Körper.

Als wir ein paar Minuten unterwegs sind, beginnen wir nach Emilio zu rufen. Meistens ist es Fernando, der es tut, er hat die lauteste Stimme von uns, manchmal auch Jaz. Danach lauschen wir, aber es kommt keine Antwort, außer ein paar Tierstimmen oder einem Knacken und Knistern im Gebüsch neben der Strecke. Egal wie laut wir brüllen: Emilio meldet sich nicht.

So laufen wir immer weiter durch die Nacht. Irgendwann merke ich, dass Ángel und Jaz langsamer werden. Wir sind bestimmt schon über eine Stunde unterwegs und müssen längst an der Stelle vorbei sein, an der die Banditen Emilio vom Zug geworfen haben. Meine Fußsohlen schmerzen, ich spüre, dass ich sie mir blutig gelaufen habe. Ángel scheint es noch schlechter zu gehen, er kann kaum mehr einen Fuß vor den anderen setzen. Zwischen ihm und Fernando klafft schon eine große Lücke.

»Hey, Fernando!«, rufe ich nach vorn.

Fernando bleibt stehen. Aber nicht, weil ich ihn gerufen habe, sondern um die Hände an den Mund zu heben und wieder nach Emilio zu brüllen. Als es ruhig bleibt, geht er weiter. Ich rufe noch mal, aber er hört es nicht – oder will es nicht hören. Wir können ihn kaum noch sehen, er ist schon fast in der Dunkelheit verschwunden.

Jaz dreht sich zu mir um. »*¡Deténlo!*«, flüstert sie nur, ihre Stimme klingt völlig erschöpft. »Halt ihn auf!«

Ich nehme alle Kräfte zusammen, die ich noch habe, und humpele zu Fernando nach vorn. Als ich bei ihm bin, packe ich ihn an der Schulter und halte ihn zurück.

»Hör auf damit, Fernando. Es hat keinen Zweck, wir sind längst an der Stelle vorbei. Ángel ist total erledigt und Jaz macht's auch nicht mehr lange.«

Fernando starrt nach vorne in die Dunkelheit, als ob er hofft, Emilio könnte uns plötzlich auf den Gleisen entgegenkommen.

Dann lässt er den Kopf hängen und sinkt in sich zusammen. Mit einem Mal wird mir klar, wie verzweifelt er ist. Bisher ist es mir nicht so aufgefallen, er hat es gut überspielt, erst mit seinem Wutausbruch, dann mit seinem Marsch die Schienen entlang. Aber jetzt kann ich es ihm anmerken. Ich habe ihn noch nie so erlebt, es schockt mich richtig.

»Ich hab's verbockt, Miguel«, sagt er nach einer Weile.

»Wieso denn, Mann? Was redest du da?«

»Ich hätte meine blöde Schnauze halten müssen auf dem Zug. Dann wär's nie so weit gekommen.«

»Deine blöde Schnauze gehört aber nun mal zu dir, sonst wärst du nicht derselbe. Außerdem wär wahrscheinlich das Gleiche passiert, wenn du nichts gesagt hättest.«

Das scheint ihn nicht besonders zu trösten. Er sieht mir in die Augen. »Emilio ist tot, oder?«

»Nein, das darfst du nicht sagen. Wir können ihn nur in der Dunkelheit nicht finden, das ist alles. Hör zu, Fernando: Wir müssen die Nacht irgendwie überstehen. Wenn es hell ist, suchen wir weiter. Das ist alles, was wir tun können. Was anderes bleibt uns im Moment nicht übrig.«

»Du glaubst doch nicht im Ernst, dass ich mich jetzt einfach irgendwohin hocke?«

»Musst du aber. Schon wegen Ángel und Jaz.«

Er blickt suchend über die Schienen zurück. »Wo sind die eigentlich?«

»Hab ich dir doch gesagt, dass sie nicht mehr können. Los, wir müssen zu ihnen zurück.«

Als wir wieder bei den anderen sind und Fernando sieht, wie sie zitternd und mit blutigen Füßen auf den Gleisen hocken, wird ihm auch klar, dass wir die Suche abbrechen müssen. Wir beschließen, einen Ort zu suchen, an dem wir die Nacht verbringen können, und dann gleich beim ersten Morgengrauen weiterzumachen. Inzwischen ist es empfindlich kalt geworden, meine Füße sind Eisklötze und tun höllisch weh.

»Wir brauchen unbedingt was Warmes«, sagt Jaz und wendet sich an Fernando. »Du hast doch bestimmt noch das Feuerzeug von dem alten Säufer?«

Fernando durchsucht seine Taschen. »Kacke, ich muss es verloren haben, als ich abgesprungen bin«, sagt er und klopft hektisch seine Hosenbeine ab. Dann hält er plötzlich inne. »Nein, es war im Rucksack. Und der ist …«

Wir sehen uns an. Mit einem Schlag wird uns klar, dass unsere sämtlichen Sachen auf dem Zug zurückgeblieben sind. In der Panik haben wir nicht daran gedacht, sie mitzunehmen. Die Rucksäcke, die Decken, alles ist weg. Nur das, was wir am Körper tragen, ist uns geblieben.

»O Mann, kein Feuer, keine Decken«, murmelt Jaz. »Das wird ganz schön hart.«

Fernando nickt düster. »Hilft aber nichts«, sagt er. »Los, weg von den Schienen. Wir müssen irgendwohin, wo uns wenigstens der Wind nichts anhaben kann.«

Ein paar Minuten humpeln wir durch die Gegend, dann finden wir eine Stelle in einer Senke, die fast auf allen Seiten von Büschen umgeben ist.

»Hier bleiben wir«, sagt Fernando. »Was Besseres finden wir nicht. Und jetzt machen wir die Schildkröte.«

»Die was?«, fragt Jaz.

»Ich hab mal mit ein paar Typen zusammengesessen, die haben mir erzählt, wie man eine Nacht im Gebirge am besten übersteht. Sie nannten es Schildkröte.«

Er zeigt uns, was damit gemeint ist. Wir setzen uns hin, im Kreis, die Gesichter zueinander, und stecken die Beine zusammen, bis unsere Füße einen großen Klumpen bilden. Dann zieht Fernando seinen Pullover aus und wickelt ihn herum, ganz fest, sodass sie an allen Stellen bedeckt sind.

»Das geht nicht, Fernando«, protestiert Jaz. »Du brauchst das Ding selbst. Du kannst nicht die ganze Nacht in deinem zerrissenen T-Shirt hier rumsitzen.«

»Halt die Klappe, wir sind noch nicht fertig«, sagt Fernando. »Lehnt euch vor, bis ihr mit den Schultern zusammenstoßt. Die Arme nach drinnen, die Hände zusammen und die Köpfe nach vorn, mit den Gesichtern nach unten, sodass der Atem alles warm hält. Seht ihr«, seine Stimme wird dumpf, weil wir schon so dahocken, wie er sagt, »das ist die Schildkröte.«

»Nicht übel«, sagt Jaz. »Nur: Wenn wir die ganze Nacht so sitzen, sehen wir morgen auch aus wie Schildkröten. Aufrecht laufen können wir dann jedenfalls nicht mehr.«

»Besser ein krummer Rücken als erfroren«, erwidert Fernando. »Und jetzt spar deinen Atem, den wirst du noch brauchen.«

Es dauert ein paar Minuten, bis alle eine Stellung gefunden haben, die halbwegs bequem ist. Dann kehrt allmählich Ruhe ein. Ich kann spüren, wie meine Hände und Füße an denen der anderen langsam warm werden. Zuerst schmerzt es, als das Blut in sie zurückkehrt, aber danach ist es einfach nur ein schönes Gefühl. Während von hinten noch immer die Kälte in meinen Rücken beißt, ist zwischen uns jetzt die kostbare Wärme, fast wie in einem Haus, einem winzigen Haus mitten in der Wildnis.

Irgendwo in der Nähe ruft eine Eule und gleich darauf

dringt – von ziemlich weit weg, fast wie eine Antwort – der Schrei eines Kojoten durch die Nacht. Ich horche noch eine Zeit lang auf den gleichmäßigen Atem der anderen, dann werde ich schläfrig.

Sie muss laufen. Laufen, laufen, laufen, damit ihre Füße warm bleiben. Bloß nicht müde werden und einschlafen! Bloß nicht stehen bleiben mit ihren kaputten Schuhen in der Kälte, bis sie kein Gefühl mehr hat und ihre Zehen blau werden und anfangen zu erfrieren!

Ich halte sie an der Hand und treibe sie an. Ich kenne viele Tricks, um sie am Laufen zu halten. Siehst du den Stein da vorne, Juana? Wenn du vor mir dort bist, hebe ich dich hoch und wirble dich durch die Luft. Siehst du, so! Jetzt aber weiter, sonst kommen wir zu spät. Mein Vorrat an Tricks reicht bis zur Müllhalde.

Als wir dort eintreffen, ist es früh am Morgen, die Sonne ist noch nicht aufgegangen. Aus allen Richtungen stoßen die anderen dazu. Wir begrüßen unsere Freunde und setzen uns zu ihnen, stecken die Füße in die warmen Aschehaufen und halten die Hände über qualmende Autoreifen, das tut gut.

Ich reibe Juanas Finger. Es riecht nach verfaultem Kompost und verbranntem Gummi. Langsam geht die Sonne auf, wir können die Umrisse der Abfallberge erkennen. Jetzt dauert es nicht mehr lange. Schon fahren die Müllwagen in langen Reihen über die Straße heran und wirbeln den Staub hoch.

Wir springen auf und laufen zur Rampe. Alles kämpft um die besten Plätze, unsere Freunde sind jetzt keine Freunde mehr. Ich umklammere den Plastiksack und achte darauf, dass Juana vor mir ist. Da, wo ich sie sehen kann.

Der erste Müllwagen fährt rückwärts an die Rampe heran, direkt über uns, er röhrt und brüllt wie ein Tier. Der Container ruckt nach oben und kippt, gleich darauf rauscht und prasselt es auf uns herab. Es ist wie ein Wasserfall aus Flaschen und Dosen, Kartons und Kleidern, der ganze Berg gerät ins Rutschen.

Wir stürzen vor und kämpfen uns nach oben. Juana ist die Kleinste, aber auch die Schnellste. Nur die Bussarde und Krähen, die mit wütendem Kreischen herabstoßen, sind noch schneller als sie. Wir haben nicht viel Zeit. In ein paar Minuten werden die Bulldozer da sein und alles einebnen, bis dahin müssen wir fertig sein.

Wir sind ein eingespieltes Team, Juana und ich. Bevor die Sonne so hoch am Himmel steht, dass es heiß wird auf der Deponie und der Gestank unerträglich, ist unser Plastiksack voll. Ich werfe ihn über die Schulter, wir gehen in die Stadt, um alles zu verkaufen, was sich noch zu Geld machen lässt.

Wenn wir am Abend nach Hause kommen, ist es oft schon dunkel. Es gibt viele solcher Tage. Bis schließlich jener eine da ist. Jener eine Abend, an dem meine Mutter sagt, dass es so nicht weitergeht. Ich will nicht mehr, dass ihr auf die Müllhalde geht, sagt sie. Ich werde euch verlassen. Es wird nicht für lange sein, ich bin bald wieder da. Aber auf die Müllhalde werdet ihr nie wieder gehen.

Am Morgen weckt mich ein Rascheln. Ich hebe den Kopf und öffne die Augen. Es dämmert, dunstige Nebelschleier hängen in der Luft. Direkt mir gegenüber, in den Büschen, steht eine Ziege und glotzt mich an. Sie zermalmt ein paar Blätter zwischen den Zähnen, dann dreht sie sich um und verschwindet.

Ich bin steif gefroren. Nur meine Hände und Füße sind warm, so weit hat Fernandos Schildkröte sich bewährt. Aber mein Rücken ist eiskalt und schmerzt, als hätte ihn jemand von oben bis unten in eine Schraubzwinge gesteckt. Ich richte mich auf, verschränke die Hände hinter dem Kopf und gehe ins Hohlkreuz. Dann atme ich ein paarmal tief durch.

Davon wachen auch die anderen auf und strecken sich. Jaz und Ángel sehen aus, als würden sie noch gar nicht begreifen, wo sie sind. Aber das ändert sich, als Fernando seinen Pullover packt und ihn erbarmungslos von ihren Füßen reißt.

»Ende der schönen Träume«, sagt er. »Ab jetzt ist wieder jeder selbst für seine Knochen verantwortlich.« Er springt auf, streift den Pullover über und lässt seine Arme wie Windmühlenflügel durch die Luft kreisen. »Seht zu, dass ihr in die Gänge kommt. Wir müssen los.«

Emilio!, schießt es mir durch den Kopf und ich stelle mir vor, wie er irgendwo die Nacht ganz allein hat verbringen müssen. Im nächsten Moment sind wir auf den Beinen und hüpfen durch die Gegend, um warm zu werden. Es ist inzwischen hell genug, wir dürfen keine Zeit mehr verlieren.

Wir laufen zu den Schienen zurück und gehen in die Richtung, aus der wir letzte Nacht gekommen sind. Fernando und Ángel halten sich auf der einen Seite des Bahndamms, Jaz und ich auf der anderen. So arbeiten wir uns langsam vor und durchsuchen jedes Gebüsch, jeden Strauch und jede Senke in der Hoffnung, Emilio irgendwo zu finden – oder wenigstens eine Spur von ihm.

Eine ganze Zeit lang tut sich nichts und es begegnet uns auch niemand. Dann höre ich plötzlich einen Schrei von der anderen Seite. Ángel! Ich will zu ihm, da erscheint er schon selbst auf dem Bahndamm. »Jaz!«, brüllt er zu uns rüber. »Das ist deiner!«

Triumphierend hält er einen von Jaz' Schuhen in die Höhe. Im nächsten Augenblick sind wir bei ihm, auch Fernando kommt angerannt.

»Hey, Mann!«, sagt er zu Ángel. »Wo war das Teil?«

»Steckte in einem Busch. Nur die Spitze hat rausgesehen.«

»Okay, dann sind die anderen auch in der Nähe. Lasst uns sehen, dass wir sie finden!«

Wir schwärmen aus und nach einiger Zeit haben wir im Umkreis von ein paar Hundert Metern unsere Schuhe wiedergefunden – auch die von Emilio. Sie sind alle ziemlich ramponiert, zerschunden und durchlöchert, aber zum Glück noch zu gebrauchen. Feierlich setzen wir uns auf die Gleise und ziehen sie an.

»Puh, ist ein gutes Gefühl, wieder was an den Füßen zu haben«, sagt Jaz. »Meine Sohlen wollten sich gerade in Luft auflösen.«

»Ja, macht die Sache einfacher.« Fernando wischt den Dreck von Emilios Schuhen, knüpft die Schnürriemen aneinander und hängt sie sich um den Hals. »Aber jetzt weiter! War nicht so viel Zeit zwischen der Sache mit den Schuhen und der mit Emilio. Also muss die Stelle, wo's ihn erwischt hat, irgendwo in der Nähe sein. Ab jetzt drehen wir jeden Stein einzeln um.«

Das Wiederfinden der Schuhe hat uns mächtig Auftrieb gegeben. Außerdem steht inzwischen die Sonne am Himmel, die ersten warmen Strahlen bringen unsere Lebensgeister zurück. Und Fernando hat recht: Es kann nicht mehr weit sein zu der Stelle, an der Emilio vom Zug geflogen ist. Wir springen auf und machen uns mit neuem Eifer an die Suche.

Ein paar Stunden sind wir unterwegs, rufen und brüllen und durchkämmen jeden Zentimeter neben der Strecke, um, wenn nicht Emilio selbst, so doch wenigstens einen Hinweis zu finden, ob er noch lebt und was mit ihm passiert sein könnte. Dann – es ist fast Mittag – stehe ich plötzlich wieder vor dem Dornbusch, in den ich letzte Nacht gerauscht bin und aus dem Jaz mich befreit hat.

Ich steige auf den Bahndamm, die anderen sind ein Stück hinter mir. »*¡Dejen!*«, rufe ich ihnen zu. »Hört auf! Es hat keinen Zweck.«

Fernando, der mir am nächsten ist, hebt den Kopf. »Wieso? Was ist passiert?«

»Sieh dich doch um. Das ist die Stelle, an der wir vom Zug gesprungen sind. Wir sind längst an Emilio vorbei.«

Fernando richtet sich auf. Er fährt sich unschlüssig mit der Hand durch die Haare, dann wird es ihm anscheinend selbst klar. Langsam steigt er zu mir hoch, gleich darauf sind auch Jaz und Ángel bei uns. Ratlos und erschöpft lassen wir uns auf die Gleise sinken.

»Keine Spur von ihm«, murmelt Fernando. »Nicht eine einzige beschissene Spur auf der ganzen Strecke. Wie kann das sein?«

»Weiß ich auch nicht«, sagt Jaz. »Aber überlegt mal: Eigentlich ist es kein schlechtes Zeichen, oder?«

Fernando starrt vor sich hin, er scheint sie gar nicht gehört zu haben. »Wir müssen noch mal zurück«, sagt er nur.

»Nein, wir haben alles abgesucht«, erwidert Jaz. »Wenn Emilio den Sturz nicht überlebt hat oder schwer verletzt irgendwo liegen geblieben ist, hätten wir ihn finden müssen. Haben wir aber nicht. Also muss er's geschafft haben, sich von selbst aufzurappeln. Das ist doch der Beweis, dass er noch lebt, oder?«

Fernando sieht Jaz düster an. »Es sei denn, irgendwer hat ihn vor uns gefunden«, knurrt er.

»Ach was, wer soll ihn denn finden in dieser Gegend? Hier ist doch keiner.«

Fernando zögert. Eine Zeit lang sieht er nachdenklich die Gleise entlang, dahin, wo wir hergekommen sind. Als er sich wieder zu uns umdreht, ist sein Gesicht nicht mehr ganz so düster. Anscheinend hat er ein bisschen Hoffnung geschöpft.

»Glaub mir, hier draußen kann viel passieren«, sagt er zu Jaz. »Aber gut – nehmen wir an, du hast recht und Emilio hat die Sache überstanden. Verletzt hat er sich trotzdem, da kannst du sicher sein. Ohne geht so ein Sturz nicht ab. Wahrscheinlich hat er sich sogar was gebrochen. Bestimmt war er erst mal ohnmächtig, sonst hätte er uns hören müssen, als wir in der Nacht nach ihm gesucht haben. Aber wer weiß? Vielleicht ist er irgendwann wieder aufgewacht.«

»Ja, so könnte es gewesen sein«, sagt Jaz. »Versuchen wir doch mal, uns in ihn reinzudenken. Er liegt verletzt im Dunkeln, er ist gefesselt, es geht ihm richtig dreckig und er ist allein. Aber er hat den Sturz überlebt und kann sich halbwegs bewegen. Also, Preisfrage: Was hat er getan?«

»Er könnte versucht haben, die Gleise entlangzugehen«, schlage ich vor, es ist das Erste, was mir einfällt. »Hinter dem Zug her. Weil er hofft, uns wiederzufinden.«

»Ja, wär möglich«, sagt Jaz. »Aber er könnte auch versucht haben, Hilfe zu finden. Selbst hier in diesen elenden Bergen müssen irgendwo Leute sein.«

Fernando grübelt vor sich hin. »Ich glaub nicht, dass er hinter dem Zug her ist«, sagt er dann und betrachtet Emilios Schuhe, die er immer noch um den Hals trägt. »Er ist nicht der Typ, der sich Hoffnungen macht, wo keine sind. Woher sollte er wissen, dass die Kerle uns freilassen? Konnte doch kein Mensch ahnen. Nein, Emilio ist kein Träumer. Glaubt mir, er hat sich gedacht: Wenn wir überhaupt noch leben, sind wir längst über alle Berge und er wird uns wahrscheinlich nie wiedersehen.«

Das klingt logisch. Und es würde zu Emilio passen, so zu denken. Seit ich ihn kennengelernt habe, hat er sich nie irgendwas vorgemacht, sondern die Dinge genommen, wie sie sind. Warum sollte es jetzt anders sein?

»Okay«, sage ich. »Angenommen, Jaz hat recht und Emilio ist los, um Hilfe zu suchen. Wohin kann er gegangen sein?«

»Zu einem Bauern«, mischt Ángel sich ein.

»Wieso denn das?«

»Na, weil er denen am ehesten traut.«

Jaz lacht. »Könnte stimmen«, sagt sie. »Der hinterletzte kleine Bauernhof, das würde zu Emilio passen. Irgendwie hab ich's im Gefühl, dass es so ist.«

Fernando steht auf. »Dann los, der Tag ist noch lang! Wir finden ihn – und wenn wir jede Farm in Mexiko einzeln abklappern müssen.«

Es ist eine schwache, undeutliche Spur. Ein schmaler Streifen im Gras, eine Winzigkeit dunkler als die Umgebung. Ángel hat sie entdeckt, als wir schon fast vorbei waren. Er hat auch die Blutstropfen als Erster gesehen, die getrockneten braunen Flecken an den Grashalmen.

Den ganzen Tag haben wir uns an den Bauernhöfen in der Nähe der Bahnstrecke herumgetrieben, aber keiner von den Leuten hatte Emilio gesehen oder von ihm gehört. Die meisten wollten nicht mal mit uns reden, obwohl wir immer die Hände gehoben und ihnen zugerufen haben, dass wir nichts Böses im Schilde führen. Kaum waren wir da in unseren zerrissenen Sachen, haben sie uns wieder von ihrem Land vertrieben, einer hat sogar seine Hunde auf uns gehetzt. Sie sind misstrauisch, die Leute in den Bergen.

Einen letzten Versuch wollten wir noch machen, bevor es dunkel wird, zu einer kleinen Farm ein paar Kilometer weiter, die wir in der Ferne erkennen konnten. Wir sind hingelaufen und auf dem Weg ist Ángel die Spur aufgefallen – der schmale Streifen mit den getrockneten Blutstropfen, der genau auf den kleinen Hof zuläuft.

»Ach, ich weiß nicht«, sagt Jaz, während wir uns den Häusern nähern. »Wenn die Spur wirklich von Emilio wär, hätten wir sie doch schon an den Gleisen sehen müssen.«

»Nein, da war alles steinig«, sagt Fernando.

»Aber die Blutstropfen!«

»Vielleicht hat er sich die Füße erst auf dem Weg hierher

blutig gelaufen. Oder wir haben's an den Gleisen übersehen, wir sind schließlich keine Fährtenleser.«

Die Spur führt schnurgerade auf einen Zaun zu, der rund um den Hof läuft. Wir klettern auf die andere Seite und bleiben vorsichtshalber am Boden hocken. Auch hier setzen die Blutflecken sich fort und laufen auf eine Scheune zu, die uns direkt gegenüberliegt.

Fernando legt warnend den Finger an die Lippen. Wir schleichen, so gut es geht in Deckung bleibend, zu der Scheune hin, öffnen das Tor und drücken uns hinein. Im Inneren riecht es nach frischem Heu und feuchtem Holz. Es ist düster und es dauert ein bisschen, bis ich mich an das Dunkel gewöhnt habe. Dann kann ich die Balken erkennen, die das Dach tragen, und über unseren Köpfen die Bretter, auf denen das Heu liegt. An einer Stelle führt eine Leiter hinauf.

Während Jaz, Ángel und ich noch dastehen und uns umsehen, steigt Fernando schon hoch und verschwindet im Heu. Eine Zeit lang hören wir ihn herumsuchen, dann taucht sein Kopf am Ende der Leiter wieder auf.

»Hier hat jemand gelegen«, sagt er. »Und Blutflecken gibt's auch überall.«

»Von Emilio?«, fragt Jaz.

»Weiß nicht, hab sonst nichts gefunden hier oben. Könnte jeder gewesen sein.«

Jaz geht zu der Leiter und setzt sich auf die unterste Stufe. »Aber es würde zu ihm passen, oder? Stellt's euch doch mal vor.« Sie hebt den Kopf und sieht mich an. »Er hat den Sturz überlebt und schleppt sich von den Gleisen weg. Irgendwann sieht er die Farm hier im Mondlicht, schleicht in die Scheune und verkriecht sich im Heu, weil's da ein bisschen wärmer ist.

Vielleicht hat er gehofft, dass die Leute ihm dann am Morgen helfen.«

»Ja, wär möglich«, sagt Fernando und lässt die Beine von den Brettern runterbaumeln. »Ich frag mich nur die ganze Zeit schon eins: Die Blutspuren führen in die Scheune rein – aber es gehen keine mehr raus.«

»Vielleicht hat er sich die Füße irgendwie verbunden«, sagt Jaz. »Oder die Blutung hat in der Nacht aufgehört, ist doch nicht weiter wichtig.«

»Wie auch immer«, sagt Fernando und schwingt seine Füße auf die Leiter. »Wir werden's nur rauskriegen, wenn wir die Leute hier fragen. Mach mal Platz da unten!«

Jaz steht auf, Fernando kommt die Leiter wieder runter. Als er unten ist, fährt er sich durch die Haare und klopft das Heu von seinen Kleidern. Dann dreht er sich zu uns um.

»Wär nur besser, wenn wir nicht alle auf einmal gehen, schätze ich. Sonst werden sie wieder misstrauisch und jagen uns schneller zum Teufel, als wir gucken können.« Nachdenklich sieht er uns an, schließlich bleibt sein Blick an Ángel hängen. »Wie wär's, wenn du's versuchst? Bei dir haben sie bestimmt keine …«

Er bricht ab, als auf einmal das Tor der Scheune mit lautem Knarren aufschwingt. Das Licht von draußen fällt herein und im nächsten Moment schiebt sich ein Mann davor. Ich kann nicht viel von ihm sehen, nur dass er ein Gewehr hat und damit auf uns zielt. Dann höre ich einen Hund kläffen und gleich darauf springt das Vieh zu uns rein und lässt ein Bellen hören, dass die Wände wackeln.

Der Schreck fährt mir richtig in die Glieder, meine Finger verkrampfen. Im ersten Augenblick kann ich mich kaum bewegen, schaffe es gerade nur, ein paar Schritte zurückzuweichen, bis ich mit dem Rücken gegen einen der Balken stoße.

»Wer seid ihr?«, fragt der Mann. Ich kann ihn kaum verstehen, weil sein Hund so einen Höllenlärm macht. »Und was wollt ihr hier?«

Erst traut sich keiner, ihm zu antworten. Schließlich tritt Fernando einen Schritt vor. »Wir suchen jemanden«, sagt er.

Der Mann zögert, dann schnalzt er mit der Zunge, woraufhin sein Köter mit dem Bellen aufhört. »Und wen?«

»Unseren Freund Emilio«, sagt Jaz. »Banditen haben ihn vom Zug geworfen. Wir müssen ihn finden!«

Als er das hört, lässt der Mann das Gewehr sinken und kommt ein paar Schritte näher. Jetzt kann ich ihn besser erkennen. Er ist schon ziemlich alt und geht ganz gebückt. Besonders bedrohlich wirkt er nicht, eher so, als hätte er mindestens genauso viel Angst vor uns wie wir vor ihm.

»Lass gut sein, Carlito«, sagt er zu seinem Hund und wendet sich dann wieder an uns. »Nehmt's mir nicht übel, dass ich euch wie Einbrecher behandelt habe. Aber ich habe gedacht, ihr gehört vielleicht zu den Banditen, die eurem Freund das angetan haben.«

Es dauert einen Moment, bis ich begreife, was er da sagt. Dann wird es mir klar: Er kennt Emilio, er hat ihn gesehen, anscheinend sogar mit ihm gesprochen!

»Das heißt – er war hier?«, fragt Jaz, bevor ich es tun kann.

»Ja, war er.«

»Also ist die Blutspur wirklich seine«, sagt Fernando. »Wie geht es ihm? Ist er schwer verletzt?«

»Na ja, besonders gut hat er nicht ausgesehen, könnt ihr euch ja denken. Seine Sachen waren zerrissen und er hat am ganzen Körper geblutet. Vor allem seine Füße waren ganz schön kaputt. Aber gebrochen war nichts, so wie's aussah. Er ist ein kräftiger Kerl, er wird's überstehen. Nichts, was nicht in ein paar Wochen wieder heile wäre.«

Jetzt können wir uns nicht mehr zurückhalten und bestürmen den Mann mit Fragen darüber, was letzte Nacht passiert ist, was Emilio erzählt hat und vor allem: wo wir ihn finden können. Er hebt die Hände und wehrt uns ab. Dann geht er zum Tor der Scheune, horcht kurz nach draußen und schließt es.

»Seid bitte leise«, sagt er und sieht uns fast flehend an. »Meine Frau hat anscheinend noch nichts gemerkt. Und es ist auch besser, wenn es so bleibt. Sie ist ein bisschen ängstlich, wisst ihr?«

Er geht zu seinem Hund, der sich inzwischen hingesetzt hat, uns aber immer noch misstrauisch ansieht, und streicht ihm beruhigend übers Fell. Danach stellt er sein Gewehr an die Wand und kommt wieder zu uns.

»Also, ich erzähle euch die Geschichte von letzter Nacht«, sagt er. »Aber ihr müsst mir versprechen, dass ihr dann weiterzieht. Glaubt mir, es ist besser so. Für uns alle.«

»Wir haben sowieso nicht vor hierzubleiben«, sagt Fernando. »Alles, was wir wollen, ist Emilio.«

»Gut, dann hört zu. Es war bestimmt schon nach Mitternacht. Ich bin aufgewacht, weil ich ein Geräusch auf dem Hof gehört habe. Durchs Fenster habe ich beobachtet, wie euer Freund in die Scheune schlich. Ich habe meine Frau schlafen lassen und bin ihm nachgegangen, um nach dem Rechten zu sehen. Er lag im Heu und hat vor sich hin gestöhnt. Ich habe gleich gesehen, dass ich vor ihm keine Angst haben muss.«

»Haben Sie ihm geholfen?«, fragt Jaz.

»Ich habe ihm angeboten, ihn zu einem Arzt zu bringen, aber das wollte er nicht. Da habe ich selbst seine Wunden versorgt, so gut es ging. Dann habe ich ihm eine Decke und Schuhe gebracht. Schuhe von meinem Sohn. Er braucht sie nicht mehr, er lebt jetzt in der Stadt. Ich habe euren Freund in der Scheune schlafen lassen und ihn gebeten, am Morgen so früh wie möglich weiterzuziehen, damit meine Frau ihn nicht sieht und sich ängstigt. Daran hat er sich auch gehalten. Als ich heute in die Scheune kam, war er weg.«

Fernando klopft nervös mit den Fingerknöcheln gegen einen Balken. »Ja, aber – wo ist er hin?«

»Das hat er nicht gesagt. Tut mir leid, aber – er hat eigentlich überhaupt nicht viel gesagt.«

Ich sehe die anderen an. Alle wirken ein wenig ratlos. Einerseits ist es eine Riesenerleichterung, dass Emilio lebt und nicht allzu schwer verletzt ist, dass er die Nacht überstanden hat und überhaupt – dass es ihm halbwegs gut geht. Aber andererseits hatte ich schon angefangen zu hoffen, er wäre noch hier, im Haus oder zumindest in der Nähe, und wir würden ihn bald wiedersehen. Jetzt weiß ich nicht, ob ich froh oder traurig sein soll.

Doch bevor noch jemand etwas sagen oder tun kann, geht das Tor der Scheune plötzlich wieder auf. Diesmal aber nicht mit einem lauten Knarren wie vorhin, sondern leise und vorsichtig und nur ein kleines Stück. Eine Frau blickt durch den Spalt zu uns herein.

»Was sind das für Leute, Antonio?«, fragt sie.

Der Mann geht zu ihr und stellt sich zwischen sie und uns. »Es ist nichts, Maria«, sagt er. »Geh wieder ins Haus und mach dir keine Sorgen. Es sind nur Leute vom Zug.«

Die Frau zögert einen Moment, dann öffnet sie das Tor ganz, schiebt ihren Mann zur Seite und betrachtet uns.

»*¡Por Dios!*«, stößt sie hervor. »O Gott, das sind ja noch Kinder!« Sie dreht sich zu ihrem Mann um und sieht ihn vorwurfsvoll an. »Wo hast du deine Augen, Antonio? Siehst du nicht, dass sie hungrig sind? Bitte sie ins Haus!«

»Ich glaube, dazu haben sie keine Zeit«, sagt der Mann zögernd. »Sie wollten gerade wieder gehen.«

»Ach, das ist Unsinn. Sieh sie doch an.« Die Frau nickt uns zu und macht eine auffordernde Handbewegung. »Keine Widerrede: Ihr kommt mit ins Haus!« Ohne auf uns zu warten, verschwindet sie nach draußen.

Wir bleiben unentschlossen stehen. Der Mann überlegt eine Weile, dann seufzt er.

»Na schön, vielleicht hat sie recht. Vielleicht ist es wirklich nicht richtig, euch einfach wegzuschicken.« Er senkt die Stimme. »Aber versprecht mir um Himmels willen eins. Ihr dürft meiner Frau auf keinen Fall von eurem Freund erzählen und davon, was ihm zugestoßen ist. Egal was passiert: Ihr müsst es für euch behalten!«

Die niedrige Decke, die Wände, die vom Rauch ganz dunkel sind, die klappernden Töpfe, die Bilder der Heiligen über der Tür, die knarrenden Bretter auf dem Boden, die Kräuter auf dem Regal über dem Herd – alles ist vertraut. Alles ist wie früher. Ich muss nicht einmal die Augen schließen, um wieder dort zu sein. Zurück in den kleinen Bauernhäusern des Dorfes, in dem ich geboren bin. Und dann der Geruch. Der würzige, muffige, warme Geruch nach Bergen und Feuer und Holz und Brot. Er dringt mir in die Augen, bis sie feucht sind.

Ich mag die Frau. Wenn sie etwas sagt, hat man nie das Gefühl, sie könnte in Wahrheit etwas anderes meinen, das passt zu dem kleinen Raum mit den dunklen Wänden. Ihre Augen verraten, was sie fühlt, sie kann gar nicht anders, als es zu zeigen. In gewisser Weise sind sie und das Haus das genaue Gegenteil zur Welt der Züge und allem, was wir dort erlebt haben.

Wir sitzen in der Küche am Tisch und essen, die Frau hat für uns gekocht, kaum dass wir die Scheune verlassen und das Haus betreten haben. Es gibt heiße Chilibohnen mit etwas Fleisch und vielen Zwiebeln und dazu warmes Maisbrot. Wir sind ziemlich ausgehungert, stopfen alles in uns rein, was auf unseren Tellern landet, und am Ende nehmen wir das Brot und wischen damit noch die letzten winzigen Reste der Soße auf, bis die Teller so blank sind, als hätten wir sie abgeleckt.

Und dann kommt der Moment, in dem Ángel sich verplappert. Wir haben nicht viel geredet beim Essen. Der Mann sitzt zwar dabei, ist aber schweigsam und wirkt irgendwie ängstlich, kaum dass einer von uns doch mal den Mund auftut. Die Frau war die ganze Zeit zwischen Tisch und Herd unterwegs, jetzt wird sie langsam ruhiger, setzt sich auch dazu und fragt, was wir in dieser abgelegenen Gegend eigentlich wollen. Schließlich sei kein Bahnhof in der Nähe und von den Schienen wären wir auch ein gutes Stück weg.

»Wir suchen einen Freund«, murmelt Ángel schmatzend, während er sich noch was von dem Brot abreißt.

Jaz stößt ihm warnend den Ellbogen in die Seite, aber es ist zu spät, der Satz ist raus.

»Was für einen Freund?«, will die Frau wissen.

Ángel hört auf zu kauen und wird knallrot im Gesicht. »Ich – ich habe gesagt, Sie sind sehr *freund*lich«, versucht er die Situation zu retten.

Die Frau runzelt die Stirn. »Hör zu, mein Junge, ich habe zwar keine besonders scharfen Augen mehr, aber meine Ohren funktionieren noch ganz gut. Du hast gesagt, ihr sucht einen Freund. Also: Wen meinst du damit?«

Ángel starrt zu Boden und schweigt, auch wir anderen sagen nichts. Jaz spielt mit ihren Füßen unter dem Tisch und Fernando fängt umständlich an, etwas aus seinen Zähnen zu pulen.

»Antonio!«, sagt die Frau und wendet sich an ihren Mann. »Was soll das bedeuten?«

Er druckst eine Zeit lang herum, aber das macht die Sache nicht besser. Schließlich bleibt ihm nichts anderes übrig, als zuzugeben, dass wir einen Jungen suchen, der letzte Nacht bei ihnen in der Scheune geschlafen hat.

»Ich habe ihm etwas zu essen und zu trinken und eine Decke gebracht«, sagt er. »Du bist nicht aufgewacht und ich dachte, ich erzähle lieber nichts davon, weil ich dir keine Angst machen wollte.«

Sie sieht ihn ungläubig an. »Warum sollte ich Angst vor einem Jungen haben, der unsere Hilfe braucht? Da steckt doch mehr dahinter, Antonio!«

»Nein, es steckt nicht mehr dahinter, jetzt beruhige dich. Der Junge hatte sich nur ein kleines bisschen verletzt und ich wollte nicht, dass du es siehst, das ist alles.«

Die Frau wirft ihm einen nachdenklichen Blick zu, dann dreht sie sich zu uns um. »Was ist mit eurem Freund passiert?«, fragt sie. »Du, Fernando. So heißt du doch, nicht wahr? Du bist der Älteste. Sag es mir!«

Fernando hört auf, in seinem Mund herumzustochern. Er setzt sich aufrecht hin, blickt von der Frau zu ihrem Mann und wieder zurück – und dann fängt er an zu erzählen. Er erzählt alles, von dem Moment an, als der Alte seine Tasche auf den Zug geworfen hat, bis zu den Ereignissen in der Scheune. Nichts lässt er aus, so als könnte er nicht mehr aufhören, nachdem er einmal angefangen hat.

Während er redet, geht mit der Frau eine seltsame Veränderung vor. Ich kann es gut beobachten, weil ich ihr direkt gegenübersitze. Zuerst hört sie auf zu lächeln. Sie hat ein freundliches Gesicht mit warmen, dunklen Augen, aber jetzt verschwindet die Fröhlichkeit daraus. Dann sinkt sie langsam in sich zusammen. Und schließlich – als Fernando von der eiskalten Nacht und von Emilios Blutspur berichtet – laufen ihr die Tränen übers Gesicht. Am Ende schlägt sie die Hände vor die Augen und sitzt nur noch schluchzend auf ihrem Stuhl.

Ich weiß zuerst nicht, was ich davon halten soll. Warum nimmt die Geschichte sie so mit? Klar, sie hat ein gutes Herz und kann bestimmt nachfühlen, wie es in uns aussieht. Aber das allein kann es doch nicht sein.

»Unser Sohn, wisst ihr …«, sagt der Mann, der auch ganz niedergeschlagen dasitzt, nach einiger Zeit. »Ich habe euch erzählt, dass er in die Stadt gegangen ist, aber das stimmt nur halb. Er ist losgezogen, so wie ihr. Nach Norden, um da sein Glück zu suchen.«

»Ich dachte, das tun nur die Leute bei uns«, sagt Jaz.

»Nein, das gibt es auch in Mexiko. Es ist ein ärmliches Leben hier in den Bergen, viele sehen darin keine Zukunft mehr. Unser Junge – er ist ein paar Jahre älter als ihr – wollte nicht länger in der Gegend bleiben. Vor einem Monat hat er sich auf den Weg gemacht. In der ersten Woche hat er sich noch zwei- oder dreimal gemeldet, seitdem haben wir nichts mehr von ihm gehört. Er hat auch den Zug genommen, so wie ihr. Jetzt sind wir in furchtbarer Sorge.« Er bricht ab und seufzt. »Vor allem meine Frau. Deshalb wollte ich nicht, dass sie von der Sache hier erfährt.«

»Aber – wir hatten einfach Pech«, sagt Jaz schnell. »Es ist mit Abstand das Schlimmste, das uns bisher passiert ist, die meisten erleben nie so etwas.«

Die Frau nimmt die Hände vom Gesicht und winkt ab. »Es ist nett, dass du versuchst, uns zu beruhigen. Aber ich muss euch ja nur in die Augen sehen, um zu wissen, wie viel Furchtbares ihr erlebt habt. Ihr könnt es nicht verbergen, vor allem der Kleine nicht. Und …«, dabei sieht sie Fernando an, »du kannst es auch nicht.«

Sie holt ein Tuch aus ihrem Kittel und wischt sich die Tränen ab. »So, und jetzt nehmt noch eine Portion«, sagt sie und zeigt auf den Topf mit den Bohnen. »Ich will nicht, dass etwas von dem Essen übrig bleibt.«

Wir sehen uns an. Keiner will als Erster zugreifen. Zu der traurigen Stimmung, die im Raum ist, passt es irgendwie nicht, sich den Bauch vollzuschlagen.

Als die Frau sieht, dass wir zögern, schiebt sie den Topf zu uns rüber. »Macht mir die Freude, ja? Ich will einfach sicher sein, dass wir alles für euch getan haben. Denn wenn es irgendwo einen Gott gibt, der das hier mit ansieht, dann wird er hoffentlich dafür sorgen, dass da draußen auch jemand ist, der für unseren Jungen alles tut.«

Das ist natürlich was anderes. Es ist ja nicht so, dass wir keinen Hunger mehr haben – im Gegenteil. Und selbst wenn wir satt wären: Es ist immer gut, sich ein bisschen was anzufuttern. Auf den nächsten Engpass werden wir nicht lange warten müssen, das steht fest, und dann werden wir froh sein über alles, was wir hier gekriegt haben. Also nehmen wir den Topf und machen ihn leer.

Als wir aufgegessen haben, holt Fernando plötzlich Emilios Schuhe unter seinem Stuhl hervor. Während unserer Suche hat er sie die ganze Zeit um den Hals getragen, auch in der Scheune noch, erst hier am Tisch hat er sie abgelegt. Jetzt hält er sie dem Mann und der Frau hin.

»*¡Tomen!*«, sagt er. »Nehmen Sie sie. Sie sind von Emilio, aber jetzt hat er ja andere und braucht sie nicht mehr. Damit Sie immer wissen, dass Sie alles getan haben, was Sie konnten.«

Der Mann zögert kurz, dann lächelt er und nimmt die Schuhe. »Wisst ihr – ihr solltet euch keine Sorgen um euren Freund machen. Ich glaube, es geht ihm jetzt besser. Und ich meine damit nicht, dass ich seine Wunden versorgt habe. Er weiß jetzt wieder, wohin er gehört.«

»Wie kommen Sie darauf?«, fragt Fernando.

»Na ja, viel gesprochen haben wir nicht, das sagte ich euch ja schon. Aber ich habe ihm in die Augen gesehen. Ich glaube, er wird zu seinen Leuten zurückgehen. Und das ist wohl auch das Beste für ihn. Er hat ausgesehen wie einer, der seine Lektion gelernt hat. Ich kann es euch nicht besser erklären. Es ist nur so ein Gefühl.«

Fernando blickt nachdenklich vor sich hin, dann nickt er langsam. Ob er denkt, dass der Mann mit seinem Gefühl richtigliegt? Ich hoffe eigentlich immer noch, Emilio könnte den Weg fortsetzen und wieder mit uns zusammentreffen. Aber irgendwo tief in mir drin weiß ich auch, dass der Mann wahrscheinlich recht hat.

Inzwischen ist es draußen längst dunkel geworden. Der Mann bietet uns an, die Nacht über zu bleiben. Morgen wären wir dann ausgeruht, könnten zur Bahnstrecke zurück und unsere Fahrt fortsetzen.

»Ihr könnt hier im Haus schlafen, wenn ihr wollt«, sagt er. »Allzu viel Platz haben wir nicht, aber wenn ihr zusammenrückt, wird es schon gehen.«

Mir scheint es ein vernünftiger Vorschlag zu sein, aber Fernando schüttelt den Kopf.

»Die anderen können machen, was sie wollen«, sagt er. »Ich schlafe in der Scheune. Da, wo Emilio gelegen hat.«

Die Frau beugt sich vor und legt ihm die Hand auf den Arm. »Dieser Emilio – er war ein guter Freund von dir, oder?«

Fernando zuckt zusammen. Zuerst zieht er den Arm weg und runzelt wütend die Stirn. Dann entspannt sich sein Gesicht wieder, aber ich kann sehen, wie es in ihm arbeitet. Eine halbe Ewigkeit bleibt es still. Plötzlich rückt er seinen Stuhl zurück, steht auf und geht zur Tür. Er ist schon halb draußen, da bleibt er noch mal stehen und dreht sich um.

»Ja«, sagt er. »Emilio war mein Freund. Ich hab's nur nie gemerkt.«

Etwas später liegen wir alle in der Scheune im Heu. Die Vorstellung, im Haus neben dem Herd zu schlafen, ist verlockend, aber irgendwie spüren wir, dass Fernando recht hat. Emilio ist weg, vielleicht sehen wir ihn nie wieder, und hier ist der Ort, der uns wenigstens noch ein bisschen an ihn erinnert.

Der Mann und die Frau haben uns ein paar Decken mitgegeben und außerdem einen Zettel mit ihrer Adresse und mit dem Namen ihres Sohnes. Wenn wir was von ihm hören, haben sie gesagt, sollen wir ihnen schreiben. Wir haben es versprochen, obwohl wir wissen, dass es sinnlos ist. Das Land ist viel zu groß, wir werden nichts über ihn herausfinden. Aber sie haben so viel für uns getan, wir wollen ihnen die Hoffnung nicht nehmen.

Jetzt liegen wir in unsere Decken gewickelt da. Jaz und Ángel schlafen schon, ich höre es an ihrem Atem. Fernando liegt auf der anderen Seite von mir. Ich kann ihn nicht sehen, weil es stockfinster ist, aber irgendwie fühle ich, dass er noch wach ist und sich den Kopf zermartert.

»Hey, Fernando!«, flüstere ich in seine Richtung.

Das Heu neben mir knistert, anscheinend hat er den Kopf gehoben. Aber er antwortet nicht.

»Erinnerst du dich an die Nacht auf dem Friedhof? In Tapachula?«

Er sagt wieder nichts. Aber ich weiß, dass er mir zuhört.

»Als ich damals aufgewacht bin, morgens, als es hell wurde – da warst du weg. Erinnerst du dich? Weil du was zu essen besorgen wolltest. Aber das wusste ich nicht. Ich wusste nicht, wo du bist. Und dann hatte ich auf einmal Panik. Ich dachte, du ziehst ohne uns weiter. Weil wir dir auf die Nerven gehen.«

Es knistert wieder. So als würde er sich aufrichten und auf die Ellbogen stützen. »Das hast du im Ernst gedacht?«

»Ja. Hab ich.«

»Oh, Mann.« Er stößt ein kurzes Lachen aus. »Du hast echt manchmal komische Ideen. Aber – eigentlich war es gar nicht so abwegig. Du kanntest mich noch nicht. Warum solltest du mir trauen?«

»Na ja, Emilio kannte dich auch nicht. Aber er hat dir trotzdem vertraut.«

»Wie kommst du darauf?«

»Er hat's gesagt.«

»Er hat gesagt, dass er mir vertraut?«

»Ja. Ich hab den anderen erzählt, was ich denke – dass du vielleicht nicht wiederkommst. Jaz und Ángel waren geschockt. Nur Emilio, der hat keine Sekunde an dir gezweifelt. Fernando bleibt bei uns, hat er gesagt. Verlasst euch drauf.«

Eine Zeit lang ist es still, dann höre ich, wie Fernando ins Heu zurücksinkt. »Warum erzählst du mir das?«

»Weiß nicht. Ich musste an Emilio denken, da ist es mir eingefallen. Ist irgendwie typisch für ihn, oder?«

Fernando seufzt. Es raschelt, und als er dann wieder was sagt, klingt seine Stimme viel näher, so als wäre sein Kopf gleich neben meinem.

»Was glaubst du, wo er jetzt ist?«, fragt er.

»Würd viel drum geben, wenn ich's wüsste. Als der Alte

uns hier in der Scheune von ihm erzählt hat, da hab ich noch gehofft, er fährt weiter nach Norden und wir treffen ihn wieder – spätestens an der Grenze. Aber jetzt hab ich irgendwie das Gefühl, dass es so ist, wie der Alte vorhin gesagt hat: dass er zu seinen Leuten zurückgeht, weil er nur da wirklich hingehört.«

»Ja, glaub ich auch. Und wahrscheinlich hat er schon länger darüber nachgedacht.«

»Weißt du noch, was er uns mal erzählt hat? Am Feuer, als wir in Ixtepec in dieser Bruchbude geschlafen haben?«

»Da hat er einiges erzählt. Wahrscheinlich mehr als in seinem ganzen übrigen Leben zusammen.«

»Ja, aber – ich meine das mit den Rebellen.«

»Ach, dass er zuerst nicht wusste, ob er nach Norden gehen soll oder in die Berge?«

»Genau. Und eben hab ich gedacht: Vielleicht holt er's ja jetzt nach. Vielleicht geht er jetzt in die Berge.«

Fernando zögert. Dann spüre ich seine Hand, sie tastet an mir rum und bleibt auf meiner Schulter liegen.

»Damit könntest du recht haben«, sagt er und es klingt fast, als hätte er für ein Rätsel, über dem er ewig gebrütet hat, endlich die Lösung gefunden. »Natürlich! Das ist der Grund, warum er uns nicht mehr gefolgt ist. Er hat gemerkt, dass er das tun muss, was er eigentlich von Anfang an tun wollte. Und weißt du, was er als Erstes machen wird, sobald er zu Hause ist und sich den Rebellen angeschlossen hat? Er wird zu der Plantage gehen, wo er gearbeitet hat, und sich rächen. An diesem ... Warte mal, wie hat er den Kerl genannt?«

»Verwalter, glaub ich.«

»Genau. An dem und seinen Söhnen. Für jede einzelne verdammte Narbe an seinen Beinen wird er sich rächen. Und zwar so, dass sie's ihr Leben lang nicht mehr vergessen. Das ist gleichzeitig so was wie seine Aufnahmeprüfung bei den Rebellen. Danach gehört er richtig dazu.«

»Ja. Und so, wie ich ihn kenne, ist er bestimmt bald einer der Anführer.«

»Da kannst du sicher sein. Und zwar nicht *einer* der Anführer, sondern *der* Anführer. Und weißt du, wie er dann sein wird?«

»Nein. Wie?«

»Stumm. Stumm, entschlossen und unbestechlich. Er wird jeden Tag höchstens drei Worte sagen. So was wie ›Hängt ihn auf!‹ oder ›Brennt alles nieder!‹ oder ›Befreit die Gefangenen!‹. Aber das wird mehr bedeuten, als wenn irgendein Scheißpolitiker eine stundenlange Rede hält. Bald ist er in aller Munde. Er erscheint im Fernsehen und in den Zeitungen und auf den Plakatwänden. Und wir können sagen, wir haben ihn gekannt.«

Ich muss Fernando nicht sehen, um zu merken, wie seine Laune sich verändert. Vor ein paar Minuten war er noch ganz niedergeschlagen, jetzt ist es, als würden ihm riesige Steine vom Herzen fallen. Wir liegen da und steigern uns immer mehr rein in unsere Geschichte.

»Und irgendwann«, sagt Fernando schließlich, als uns nichts mehr einfällt. »Irgendwann werden die Leute sagen, dass es in den Bergen von Mexiko begonnen hat. Auf einem Zug, mitten in der Nacht, als Emilio endgültig zu dem wurde, der er später sein sollte. Hier und heute, werden sie sagen – hier hat alles angefangen.«

Die Welt draußen ist auf zwei Kreise geschrumpft. Zwei kleine Kreise voller Licht am Ende der Dunkelheit. Der eine rechts von mir, der zweite auf der anderen Seite, hinter Jaz, Ángel und Fernando. Jenseits der Kreise ist es hell, hier drinnen düster und still. Und es tut gut, in der Dunkelheit zu sein, sie bedeutet Schutz. Draußen, im Licht, lauert die Gefahr.

Zwei Tage haben wir gebraucht, um aus den Bergen hierherzukommen. Ungefähr da, wo wir unsere Schuhe neben den Gleisen gefunden hatten, sind wir wieder auf den Zug gesprungen, aber es war eine mühselige Fahrt. Der erste Tag war noch ganz okay, am zweiten hat uns wieder der Hunger geplagt. Wir haben versucht, kleine Tiere zu fangen, aber so geschickt wie Emilio sind wir dabei nicht. Dann haben wir angefangen zu betteln, in den Dörfern an der Strecke. Zum Glück ist Ángel bei uns. Der weiß aus seiner Zeit als Straßenjunge, wie es geht, und wir haben bald gemerkt, dass es am besten läuft, wenn wir ihn alleine vorschicken. Er hat einfach das richtige Aussehen, um die Leute weichzumachen.

Am Abend des zweiten Tages lagen die Berge dann hinter uns und wir sind in die Nähe der Hauptstadt gekommen. Auf der linken Seite konnten wir sie sehen: ein endloses Häusergewimmel unter Dunstschwaden, aus denen Türme und Wolkenkratzer ragten. Zum Glück sind wir nicht durchgefahren, sondern in gehöriger Entfernung daran vorbei, an Fabriken und Einkaufszentren entlang. Und als es dunkel wurde, waren wir in Lechería, dem größten Güterbahnhof des Landes, über den – wie Fernando sagt – die ganze riesige Stadt am Leben gehalten wird.

Weil er gut bewacht ist, sind wir abgesprungen, haben ihn umgangen und uns auf einem kleinen Feld nördlich davon versteckt. Ein paar alte Abwasserrohre lagen herum, in eins davon sind wir gekrochen und haben die Nacht darin verbracht. Jetzt wird es gerade hell, durch die Öffnungen des Rohres fallen von beiden Seiten die ersten Lichtstrahlen zu uns rein.

»*¿Hay algo para comer?*«, fragt Ángel, kaum dass er aufgewacht ist. »Gibt's noch was zu essen?« Er reckt sich stöhnend. Das Rohr ist so schmal, dass wir ganz zusammengekrümmt daliegen, mir tut auch jeder Knochen weh.

Jaz greift nach der Tüte mit unseren Vorräten. »Viel haben wir nicht mehr: ein paar Tortillas und ein Bündel Bananen«, sagt sie und verteilt die Sachen.

Während wir essen, hören wir von draußen Stimmen. Schon gestern Abend ist mir aufgefallen, dass wir nicht allein sind auf dem Feld. Ein paar der anderen Rohre waren schon besetzt und auch dazwischen lagen und hockten überall verwilderte Gestalten in der Dunkelheit.

»Scheint ja mächtig beliebt zu sein, der Platz«, sage ich.

Fernando klopft gegen das Rohr, ein metallisches Pochen ist zu hören. »Na ja, die Züge zur Grenze fahren nun mal in Lechería los«, sagt er. »Also versammeln sich alle, die's bis hier geschafft haben, an den Gleisen nördlich davon. Weit genug weg, damit sie vom Bahnhof keiner sieht. Aber nicht zu weit, weil die Züge sonst zu schnell sind. Gibt drei oder vier gute Stellen, und das hier ist eine davon. Na kommt, wir müssen raus, die Lage peilen.«

Wir kriechen ins Freie. Gestern Abend sind wir im Dunkeln angekommen, deshalb kann ich erst jetzt so richtig erkennen, wohin es uns verschlagen hat. Auf allen Seiten erheben sich Fabriken, graue Kästen mit qualmenden Schornsteinen, die die Gegend einnebeln, als wäre ein Feuer ausgebrochen. Dazwischen schiefe Häuser, aus denen Wälder von Fernsehantennen in die Höhe ragen. Und mitten durch das Ganze laufen die Gleise, vier- oder fünfspurig. Der Bahndamm wirkt wie eine Müllkippe, alte Reifen, kaputte Schuhe und zerbrochene Möbel liegen herum.

Unser Feld grenzt direkt an die Schienen. Im Hintergrund stehen ein paar Kühe und fressen die armseligen Grashalme, die hier wachsen, sie wirken völlig verloren in der Gegend. Zwischen und auf den Rohren lagern die Typen von den Zügen, einige kriechen gerade ins Freie, so wie wir. Ich habe lange nicht mehr so viele von ihnen auf einem Fleck gesehen, seit Chiapas nicht. Wie sie sich verändert haben! Da unten waren sie noch voller Kraft und Hoffnung. Hier sind sie abgemagert, haben Schatten unter den Augen, manche zittern oder krächzen, dass man sie kaum versteht. Klar, wir selbst sehen auch nicht viel besser aus. Aber wir sind jeden Tag zusammen, da fällt es nicht so auf.

Gerade rattert ein Zug über die Gleise nach Norden und macht einen Höllenlärm. Er scheint gar kein Ende zu nehmen. Es dauert eine halbe Ewigkeit, bis er vorbei ist.

»Und jetzt?«, fragt Jaz, während wir zusehen, wie die letzten Waggons zwischen den Fabriken verschwinden. »Wie geht's von hier aus weiter?«

»Na ja, das Dumme ist, dass es nicht nur einen Weg nach Norden gibt«, sagt Fernando. »Früher haben die meisten die

Strecke nach Tijuana genommen. Ganz im Westen, an der Grenze zu Kalifornien. Aber seit sie da eine Mauer gebaut haben, schafft's nicht mal mehr eine Ameise auf die andere Seite. Deshalb versuchen's viele in Nogales, ein Stück weiter im Osten. Da geht's leichter, nur ist hinter der Grenze die Wüste und es heißt, da würden viele elend verdursten. Also ist es das Beste, zum Río Bravo zu gehen, da sind die Chancen am größten.«

»Das ist dieser riesige Fluss, oder?«, sagt Jaz. »In welchen Ort müssen wir da?«

»Die größten sind Ciudad Juarez und Nuevo Laredo. Viele schwören auf Ciudad Juarez, aber wenn ihr mich fragt, ist Nuevo Laredo besser. Der Weg dahin ist kürzer, man kommt leichter über den Fluss und außerdem – na ja, hab ich da noch so was wie eine Rechnung offen.«

»Was für eine Rechnung?«

»Ach, Jaz, hör auf zu fragen«, sagt Fernando unwirsch und macht eine abwehrende Handbewegung. »Ich erklär's dir, wenn wir da sind.«

»Ich will's aber jetzt wissen«, sagt Jaz. »Ich hab keine Lust, irgendwohin zu fahren, nur weil *du* da was zu erledigen hast.«

Fernando stöhnt. »Glaub's mir einfach, ja? Nuevo Laredo ist das Beste für uns. Alles andere ist meine Sache und außerdem zu früh, um darüber zu reden. Wir müssen erst mal hinkommen.«

»Und wie stellen wir das an?«, mische ich mich ein, bevor die beiden sich in die Haare geraten. »Woher wissen wir, welches der richtige Zug ist?«

»Das ist eben das Problem«, sagt Fernando. »Keiner hier weiß das. In Lechería fahren alle Züge los, die nach Norden gehen. In welche Stadt genau, kannst du ihnen nicht ansehen.«

Während wir noch dastehen und ratlos auf die Schienen blicken, ist hinter uns auf einmal ein Kichern zu hören. Ich drehe mich um und sehe einen Mann, der an dem Abwasserrohr lehnt, in dem wir geschlafen haben. Er kann noch nicht lange dort stehen, aber unser Gespräch hat er anscheinend mitgehört.

»Ach, die bösen Züge!«, sagt er und kichert erneut. Er hat eine auffällige Lücke zwischen den Vorderzähnen und kleine rote Augen, mit denen er fast an ein Kaninchen erinnert. »Warum steht nicht einfach darauf, wohin sie fahren? Bitte einsteigen, verehrte blinde Passagiere, ich bringe euch nach – Nuevo Laredo! Auf jedem Wagen müsste das stehen, findet ihr nicht? Am besten in Leuchtschrift, damit man es auch nachts lesen kann.«

Fernando sieht ihn düster an, er scheint seine Witze nicht besonders komisch zu finden. »Hast du was zu melden?«, knurrt er nur. »Wenn nicht, hau ab.«

Der Mann tut, als hätte er ihn nicht gehört. Er sieht uns einen nach dem anderen an, dann zeigt er auf Jaz. »Wie hast du den da genannt? Jaz? Komischer Name für einen Jungen, oder?«

»Geht dich einen Scheißdreck an«, sagt Fernando. »Kümmere dich um deinen eigenen Mist.«

»Ich habe dich beobachtet«, sagt der Mann zu Jaz, als würde Fernando gar nicht existieren. »Wie du aus dem Rohr gekrochen bist und dich gestreckt hast. Du bist gar kein Junge, oder? Ich würde sagen, du bist entweder eine gottverdammte Schwuchtel oder – was ich eher glaube – in Wahrheit ein Mädchen. Und zwar, wenn ich mich nicht irre, das einzige hier weit und breit.«

Fernando baut sich vor ihm auf. »*¡Lárgate!*«, herrscht er ihn an. »Verpiss dich! Und zwar ein bisschen plötzlich.«

Der Mann grinst. »Und wenn ich's nicht tue?«

»Dann prügel ich dir die Scheiße aus deiner dämlichen Kaninchenfresse.«

»Na, du scheinst dich ja mächtig stark zu fühlen.« Der Mann dreht lässig den Kopf zur Seite und spuckt durch seine Zahnlücke. »Aber du kannst dich wieder abregen. Ob Mädchen oder Junge, das juckt mich nicht. Pass auf, ich mach dir ein Friedensangebot: Ich zeige euch den Zug nach Nuevo Laredo.«

Fernando sieht ihn misstrauisch an. »Und wie willst du das anstellen? Bist du ein Hellseher oder so was?«

»Nein, ich halte nur die Augen offen. Solltest du auch mal versuchen, lohnt sich. Dann wäre dir nämlich aufgefallen, dass auf den Waggons hier im Norden oft Firmennamen stehen. Tja, und da gibt es Firmen, die nur nach Tijuana liefern, andere nach Nogales und wieder andere nach Nuevo Laredo. Wenn du sie kennst, weißt du, wohin der Zug fährt. So einfach ist das!«

Fernando antwortet nichts mehr. Anscheinend trifft es ihn in seinem Stolz, dass er wie ein Schuljunge behandelt wird.

»Ach, jetzt guck nicht so böse«, sagt der Mann lachend, dann dreht er sich zu uns um. »Ihr seid neu im Norden, was? Na, dann hört mal zu, was ich euch sage. Ihr müsst aufpassen, dass ihr einen Zug erwischt, der euch möglichst weit bringt. Denn weil die Gleise hier besser sind als im Süden, fahren die Züge schneller. Ihr könnt also nicht einfach ab- und wieder aufspringen. Am besten, ihr nehmt einen, der bis zur Grenze durchfährt, und verlasst ihn dann nicht mehr.«

Während er redet, wendet Fernando sich von ihm ab und geht zur Seite. Er tut, als würde ihn das Ganze nicht interessieren, aber ich kann ihm ansehen, dass er ganz genau zuhört. Und es klingt ja auch einigermaßen logisch, was der Mann sagt.

»Und was ist mit den Waggons hier oben?«, frage ich ihn. »Welche sind die besten?«

»Ah, gut, dass du fragst. Das ist auch anders als im Süden. Ihr dürft auf keinen Fall auf den Dächern fahren. Über den Strecken sind oft Hochspannungskabel und die können tödlich sein, selbst wenn ihr sie nicht berührt, sondern nur unter ihnen durchfahrt. Außerdem beschäftigt die Eisenbahngesellschaft einen privaten Sicherheitsdienst und der stellt Posten auf, um die Züge zu beobachten. Also ist es am besten, ihr klettert ins Innere der Wagen – sie haben große Schiebetüren an den Seiten – und macht sie zu. Wenn ihr Glück habt, fahrt ihr in einem Rutsch bis zur Grenze.«

Er gibt uns noch ein paar andere Tipps, dann verlässt er uns und geht zu einer Gruppe von Leuten ein paar Meter weiter, um mit ihnen zu sprechen. Wir hocken uns in den Schatten zwischen den Rohren und warten auf die Züge, die den Bahnhof verlassen. Immer wenn einer zu hören ist, springen wir auf, aber nie gibt der Mann uns das Zeichen, das wir mit ihm verabredet haben. Er schaut kurz hoch, beobachtet den Zug und winkt ab, während er sich gleich darauf wieder einer neuen Gruppe zuwendet.

So geht es bis zum Mittag. Dann endlich ist es so weit. Erneut rattert ein Zug zwischen den Fabriken heran und jetzt kommt das ersehnte Zeichen: Mit beiden Armen und mit ausgestreckten Zeigefingern deutet der Mann auf die Gleise. Sofort rennen wir los – aber nicht nur wir, sondern fast alle, die auf dem Feld sind. Es sieht so aus, als wären wir nicht die Einzigen, die nach Nuevo Laredo wollen.

Der Zug ist endlos lang, es gibt genug Platz für alle. Wir sehen zu, wie einige der anderen es anstellen, die Wagen zu öffnen und reinzuklettern. Es scheint nicht allzu schwer zu sein, hier im Industriegebiet ist der Zug noch so langsam, dass man locker mitlaufen kann. Dann sind wir an der Reihe. Fernando und Ángel suchen einen Wagen aus, Jaz und ich nehmen den dahinter. Wir haben vereinbart, in den besseren der beiden zu steigen.

Während Jaz nebenherläuft, springe ich auf das Trittbrett, von dem ich den Riegel der Schiebetür erreichen kann, und drücke ihn nach unten. Wie in Zeitlupe fährt die schwere Tür zur Seite. Im Innern sind Kisten bis zur Decke gestapelt und lassen kaum einen Millimeter Platz. Während ich noch enttäuscht hineinblicke, höre ich von vorne Fernando rufen. Er winkt uns, anscheinend haben er und Ángel mehr Glück gehabt.

»Los, nach vorne, Jaz«, rufe ich noch, aber sie ist schon losgesprintet. Ich springe ab und laufe ihr nach. Als ich den Wagen vor uns erreiche, haben Fernando und Ángel sie bereits ins Innere gezogen, jetzt machen sie mit mir dasselbe.

Der Waggon hat Zementsäcke geladen. An einigen Stellen sind sie sorgfältig aufgeschichtet, an anderen achtlos übereinandergeworfen, so als hätten die Arbeiter die Lust verloren oder keine Zeit mehr gehabt, sie zu stapeln. In der Nähe der Tür ist genug Platz, dass wir alle sitzen können.

»Hey, bring mir einen der Säcke!«, ruft Fernando mir zu. »Ich muss die Tür blockieren.«

»Aber – ich dachte …« Mir fällt ein, was der Mann uns geraten hat.

»Jetzt red nicht, tu, was ich sage!«

Ich springe auf und wuchte einen der Säcke in die Höhe, er

ist höllisch schwer. Dann schleppe ich ihn zu Fernando hin, der an der Schiebetür steht und darauf achtet, dass sie nicht zufällt. Er nimmt den Sack, blockiert die Tür und lässt sich mit einem zufriedenen Seufzer auf den Boden fallen.

»Aber – hat der Mann nicht gesagt, wir sollen die Tür zumachen? Damit diese Streckenposten uns nicht sehen!«

Fernando winkt verächtlich ab. »Du darfst die Tür nie zumachen, das ist das Schlimmste, was du tun kannst. Wenn sie nämlich einmal zu ist, kriegst du sie nur noch von außen auf, nicht mehr von innen.«

»Das heißt: Wir wären gefangen?«

»Wir säßen wie die Lämmer in der Falle und bei einer Razzia wären wir aufgeschmissen. Außerdem wird's später in der Wüste so heiß, dass man's ohne ein bisschen Fahrtwind gar nicht aushält. Wir würden verdursten hier drin.«

»Aber warum hat der Typ das dann gesagt?«, fragt Jaz.

»Weil er auch nur ein blöder Klugscheißer ist«, antwortet Fernando. »Das mit den Firmennamen hat er gewusst, okay. Muss er irgendwo aufgeschnappt haben. Aber sonst hat er keine Ahnung, sieht man ja.«

Der Zug wird jetzt spürbar schneller. Eine Weile geht es noch durch das Industriegebiet, hinter dem zementsackbreiten Spalt rauschen Fabriken und Lagerhallen vorbei, darüber ist ein wirres Netz von Stromleitungen. Dann bleiben die letzten Ausläufer der Stadt zurück. Der Zug beschleunigt erneut, er ist jetzt längst zu schnell, als dass noch einer aufspringen könnte.

Fernando bleibt am Türspalt sitzen, um aufzupassen, dass der Zementsack nicht rausfällt oder zur Seite rutscht. Ich setze mich neben ihn, sodass ich eine gute Sicht nach draußen habe. Wir strecken uns aus, die Säcke geben ganz brauchbare Rückenstützen ab. Wirklich bequem ist es nicht, aber immerhin kann uns hier weder das Wetter was anhaben noch können wir vom Zug fallen oder von irgendwelchen Ästen erschlagen werden – und das ist schon mal einigermaßen beruhigend.

Der Zug fährt durch eine weite Kurve. Fernando lehnt sich nach draußen und späht in alle Richtungen.

»Kein Streckenposten in Sicht«, sagt er, als er wieder drinnen ist. »Und auf den Dächern scheint auch alles leer zu sein, was schon mal gut ist. Erhöht unsere Chancen, nicht angehalten zu werden.«

»Wahrscheinlich hat der Typ alle auf dem Feld davor gewarnt, auf die Dächer zu klettern«, vermutet Jaz. »Übrigens: Hat ihn einer von euch noch gesehen? Ist er auch auf dem Zug?«

Ich zucke mit den Schultern. Mir ist er nicht mehr aufgefallen, ich hatte nur noch Augen für die Waggons und die Türen. Auch die anderen wissen nicht, was aus ihm geworden ist.

»Na egal«, sagt Fernando. »Jedenfalls scheinen alle auf ihn gehört zu haben: Die Türen sind fast überall zu. Hoffentlich haben die Leute genug Wasser, sonst gibt's ein böses Erwachen – oder gar keins mehr.«

Jaz wirft einen Blick auf die Tüte mit unseren Vorräten, dann sieht sie mich an und lächelt schwach. Zu essen haben wir nichts mehr, aber immerhin zwei große Plastikflaschen mit Wasser. Die hat Ángel für uns erbettelt, seitdem füllen wir sie unterwegs an Brunnen und Wasserkränen immer wieder auf. Wenn wir sparsam damit umgehen, reicht es vielleicht für einen Tag und eine Nacht.

Der Zug macht ordentlich Dampf. Draußen zieht ein weites, welliges Hügelland mit Weizenfeldern und Rinderherden vorbei. Die Reiter auf den Weiden sehen aus wie Cowboys aus alten Filmen, dazwischen tauchen immer wieder abenteuerlich geformte Kakteen und weiße Dörfer auf. Wir versuchen zu schätzen, wie schnell wir sind und wie lange es noch dauern könnte, bis wir die Grenze erreichen, aber so richtig einigen können wir uns nicht.

So gehen die Stunden dahin. Zweimal schrecken wir hoch, weil Fernando einen Streckenposten in einem Baum entdeckt. Jedes Mal zerrt er sofort den Zementsack, mit dem er den Eingang blockiert, zu uns rein und lässt die Tür so weit zugleiten, dass nur seine Hand sie einen Spalt breit offen stehen lässt. Erst wenn wir sicher sind, dass der Posten außer Sicht ist, öffnet er sie wieder.

Schließlich beginnt es zu dämmern. Wir fahren an einer endlosen Reihe von Feldern vorbei, ich habe das Gefühl, der Übergang zur Nacht dauert hier viel länger als im Süden. Um uns die Zeit zu vertreiben und den Hunger zu vergessen, reden wir einfach drauflos. Über alles, was uns einfällt. Über Emilio, über die Leute auf dem Bauernhof, über den Padre, über die Grenze. Jeder erzählt eine Geschichte von Dingen, die er auf der Reise erlebt hat, als die anderen nicht dabei waren. Ich erzähle von dem Mann auf dem Zug. Der gesagt hat, dass wir uns wiedersehen. Und dass er seine Rechnungen immer bezahlt.

Als es Nacht geworden ist und die Sterne am Himmel stehen, würden wir am liebsten abspringen. Uns irgendwo ein Feld suchen, ein Maisfeld vielleicht, wie wir in der allerletzten Dämmerung eins gesehen haben, uns die Bäuche vollschlagen und in aller Ruhe zwischen den Halmen schlafen, während über uns der Wind durch die Blätter raschelt. Aber der Zug ist zu schnell und außerdem müssen wir daran denken, was der Mann in Lechería gesagt hat: dass man hier im Norden nicht einfach wieder aufspringen kann, wenn man den Zug erst verlassen hat.

»Stellt euch vor, die Säcke sind Kissen«, sagt Fernando. »Sie sind nicht grau, sondern hübsch bunt gemustert. Und es ist kein Zement drin, sondern weiche Daunenfedern. Dann ist es wie im Himmelbett hier.«

»Ja, und zum Einschlafen gibt's eine Kissenschlacht«, sagt Jaz. »Bin nur gespannt, wer sie überlebt.«

Wir richten uns, so gut es geht, unser Nachtlager in dem Wagen ein. Aber alle gleichzeitig zu schlafen erscheint uns zu riskant. Der Wagen schwankt und schaukelt, und wenn nicht ständig einer aufpasst, besteht die Gefahr, dass der Sack, mit dem wir die Tür blockiert haben, nach draußen rutscht und wir am Ende doch gefangen sind. Also beschließen wir, dass jeder ein paar Stunden Wache schiebt.

Die Reihenfolge losen wir aus, ich bin als Erster dran. Während die anderen sich aufs Ohr legen, beziehe ich meinen Posten an der Tür. Vorsichtshalber blockiere ich sie zusätzlich mit dem Fuß. Eine Weile vertreibe ich mir die Zeit, indem ich sie immer wieder mit einem kräftigen Tritt aufstoße und darauf warte, dass sie langsam zu mir zurückschwingt. Aber dann beschwert sich Jaz, bei dem Krach könnte ja kein vernünftiger Mensch schlafen, also lasse ich es sein.

Draußen ist es jetzt stockfinster, ich kann nicht mehr viel erkennen. Nur der Fahrtwind weht mir ins Gesicht, ab und zu höre ich an den Geräuschen, dass wir an einem Telegrafenmast oder einem Stromhäuschen oder was weiß ich vorbeirauschen. Sonst ist da nur das monotone Rumpeln der Räder, irgendwann das Schnarchen von Ángel, das ist alles.

Hin und wieder wandern in der Ferne die Lichter eines Dorfes oder einer kleinen Stadt vorbei. Ich versuche, sie so lange festzuhalten, wie es geht. Bis das letzte von ihnen verloschen ist. Bis meine Augen brennen. Und ich sie kaum noch offen halten kann.

Ich sitze am Fenster und sehe nach draußen. Der Weg ist verlassen bis auf die Staubwolken, die vom Wind aufgewirbelt werden. Nichts von dem, worauf ich warte – ihre Gestalt, ihre Augen, ihr Lächeln, ihre Stimme. Nicht einmal mein Freund, der Wind, trägt etwas davon zu mir zurück. Nicht einmal auf ihn ist Verlass.

Ich sitze oft hier, jeden Tag. Seit sie gegangen ist vor einigen Monaten. Ich sitze hier und stelle mir vor, wie sie auf einmal wieder dort draußen erscheint. Wie sie den Weg heraufkommt, mich in die Arme schließt und mir erklärt, dass alles nur ein Irrtum gewesen ist. Ein großer, trauriger Irrtum.

Das Letzte, an das ich mich erinnere, ist der Ausdruck in ihrem Gesicht, als sie ging. Als sie sich von mir und Juana verabschiedet hat. Sie hatte Tränen in den Augen. Wie üblich, wenn sie traurig ist, hat sie mit mir geschimpft, damit ich es nicht merke. Mir Tausende von Ermahnungen mit auf den Weg gegeben. Dass ich auf Juana aufpassen muss. Dass ich in die Kirche gehen soll. Dass ich Onkel und Tante keinen Ärger machen darf.

Du musst Geduld haben und warten, hat sie gesagt. Wenn du das tust, wird alles gut. Sobald ich da bin, hole ich euch nach, das ist das Erste, was ich tue. Dann ist sie gegangen. Am Tag danach habe ich hier gesessen und aus dem Fenster gesehen, und seitdem jeden Tag.

Nach ein paar Wochen ihr erster Brief. Ich bin im Norden angekommen. Es geht mir gut, ich habe Arbeit gefunden, als Kindermädchen bei reichen Leuten. Es sind nette Leute, jetzt kann ich euch schon bald holen. An deinem Geburtstag, Miguel. Wenn du neun wirst, sind wir alle wieder zusammen.

An meinem Geburtstag kam ein Päckchen. Eine teure Jacke war darin und Sportschuhe, wie ich sie mir immer gewünscht hatte. Meine Freunde haben mich darum beneidet. Eine Geburtstagskarte war auch dabei – aber kein Wort, warum sie ihr Versprechen bricht. Am Tag danach habe ich die Jacke und die Schuhe weggeworfen.

Dann das Geld. Die Zeiten auf der Müllhalde sind vorbei. Keine eiskalten Füße mehr, die wir über qualmenden Autoreifen wärmen. Keine Schlachten mehr mit Krähen und Bussarden. Keine hungrigen Mägen mehr. Es ist gut, das Geld. Aber es erzählt keine Geschichten am Abend, es antwortet nicht, wenn man es fragt, und es tröstet nicht in der Dunkelheit.

Vor ein paar Tagen konnte ich mich zum ersten Mal nicht mehr an ihr Gesicht erinnern. Zumindest nicht genau. Ich habe versucht, es festzuhalten, aber es verschwamm wie ein Spiegelbild im Wasser, in das ein Tropfen fällt. Das macht mir Angst.

Und so sitze ich hier und sehe nach draußen und frage mich jeden Tag, ob es einen anderen Grund geben könnte, warum sie gegangen ist. Ob alles nur Ausreden waren. Ob ich am Ende selbst der Grund bin. Aber es fällt mir nicht ein, was ich getan haben könnte. Was ich falsch gemacht habe.
Warum hat sie mich nicht mehr gewollt? Was bin ich wert, wenn sie mich nicht mehr will? Das geht mir immer wieder durch den Kopf.

Das Biest schlägt die Trommel. Es hat feurige Augen, rund und rot starren sie mich an. Es kommt auf mich zu, schnurgerade, bei jedem Schritt, den es tut, sausen die Stöcke von Neuem herab. Der Rhythmus ist monoton und unerbittlich. Er ändert sich nie, wird nur mit jedem Schlag lauter und lauter.

Schließlich ist der Lärm so unerträglich, dass ich davon aufwache. Aus dem Biest, das die Trommel schlägt, wird der Zug, der über die Schienenstöße rumpelt. Direkt unter mir kann ich das Rattatamm, Rattatamm, Rattatamm der Räder hören. Dann fährt mir der Schreck in alle Glieder. Ich bin schon halb aus dem Waggon nach draußen gerutscht. Ein kleines Stück noch und ich verliere ganz den Halt.

Hastig kralle ich mich irgendwo fest, krieche in den Wagen zurück und schiebe mich mit den Beinen so weit weg vom Eingang wie möglich. Aber kaum bin ich in Sicherheit, höre ich das schleifende Geräusch, mit dem die große Schiebetür zufällt. Und jetzt wird es mir klar: Der Sack, mit dem wir sie blockiert haben, muss nach draußen gerutscht sein. Das ist auch der Grund, warum ich fast aus dem Wagen gefallen wäre.

Ich springe vor und versuche die Tür zurückzuhalten, aber es ist zu spät. Mit einem lauten Knall fällt sie ins Schloss, gleich darauf ist das Rattern des Zuges nur noch als fernes Echo zu hören. Wir sind eingeschlossen!

Wütend schlage ich mit der flachen Hand gegen die Tür, dann verfluche ich mich selbst. Wie konnte ich nur so dumm sein, ausgerechnet bei der Wache einzuschlafen! Und wie soll ich es bloß den anderen erklären? Aber es hilft nichts. Ich krieche zu Fernando, taste nach seiner Schulter und wecke ihn.

»Was ist?«, murmelt er verschlafen. »Hab ich Wache?«

»Nein. Es gibt nichts mehr zu bewachen.«

»Was?« Er richtet sich auf und schiebt mich zur Seite. Ich höre, wie er zur Tür springt und sie abtastet. »Verdammt, wie konnte das passieren?«

»Weiß ich auch nicht. Bin wohl irgendwie ...«

»Scheiße, Mann.« Jetzt hämmert er genauso gegen die Tür, wie ich es eben getan habe. »Wenn so was den anderen passiert, kann ich's ja noch verstehen. Aber bei dir hätte ich gedacht ...«

Er redet nicht weiter. Und das trifft mich irgendwie härter, als wenn er mich aufs Übelste beschimpfen würde. Anscheinend hat er geglaubt, er könnte sich auf mich verlassen. Aber ich habe es gründlich verbockt. Und dabei ist mir seine Meinung die wichtigste von allen – na ja, Jaz mal ausgenommen.

Inzwischen sind auch die anderen aufgewacht und haben gemerkt, was los ist. Wir untersuchen jeden Winkel der Tür, in der Hoffnung, irgendwo eine versteckte Möglichkeit zu finden, sie doch von innen zu öffnen, aber es gibt natürlich keine. Sie ist wie zugeschweißt und bewegt sich keinen Millimeter.

»Irgendwann musste das ja passieren«, sagt Jaz, als wir aufgegeben haben und mit trüben Gedanken in der Ecke hocken. »Wir können nur warten. Aber worauf eigentlich?«

»Kann ich dir auch nicht sagen«, antwortet Fernando. »Entweder geht's im Blindflug zur Grenze oder wir werden vorher angehalten. Im ersten Fall wird's in der Wüste verdammt ungemütlich, im zweiten Fall kriegen sie uns vielleicht doch noch zu packen. Keine Ahnung, was wir uns wünschen sollen.«

Wir bleiben sitzen und warten, an Schlafen ist nicht mehr zu denken. Im Inneren des Wagens ist es jetzt stockdunkel, was unsere Stimmung nicht gerade hebt. Keiner sagt einen Ton. Je länger das Schweigen dauert, desto unangenehmer wird es mir, es fühlt sich an wie ein stummer Vorwurf, weil ich nicht aufgepasst habe.

Ich weiß nicht, wie lange wir so gesessen haben, als der Zug plötzlich langsamer wird. Ein heftiger Ruck geht durch den Wagen. Dann schreckt uns ein Krachen auf, einer der Zementsäcke muss von den Stapeln gerutscht und zu Boden gefallen sein. Erneut bremst der Zug, schließlich hält er ganz. Durch die Tür dringen dumpfe Stimmen zu uns herein. Irgendwer ruft Befehle, die ich nicht verstehe. Waggontüren rollen auf, Schreie sind zu hören, auf einmal fällt ein Schuss.

Der Lärm kommt näher. Jemand hantiert an unserem Wagen herum, die Tür springt auf. Im nächsten Moment fällt gleißend helles Licht ins Innere, wandert über die Ladung und erfasst uns in der Ecke, in die wir uns geflüchtet haben. Stimmen brüllen, wir sollen aussteigen.

Ich bin so erschrocken, dass ich gehorche, ohne einen einzigen Moment darüber nachzudenken. Aber das Licht blendet mich, ich verliere beim Aussteigen den Halt, rutsche ab und falle zu Boden. Jemand flucht und reißt mich hoch, dann schließt sich etwas Kaltes, Metallisches um meine Handgelenke.

Erst jetzt kann ich erkennen, dass der Zug auf offener Strecke hält, auf einem Weg stehen Geländewagen in breiter Front und strahlen ihn mit ihren Scheinwerfern an. Alle Waggons sind offen, überall werden Leute herausgetrieben und stolpern wie eine Herde Vieh auf den Weg mit den Wagen zu.

Auch ich bekomme einen Stoß in den Rücken und laufe los,

die anderen sind schon ein Stück voraus. Ganz in der Ferne, an der Spitze des Zuges, kaum noch zu erkennen, kniet jemand am Boden, wahrscheinlich der Lokführer. Einer der Männer, die den Zug angehalten haben, bedroht ihn mit einer Waffe. Was aus ihm wird, sehe ich nicht mehr, wir haben den Weg erreicht und müssen auf die Ladefläche eines der Geländewagen steigen. Zwei Männer klettern ebenfalls hoch und zwingen uns mit knappen Bewegungen runter auf den Boden. Dann knallen sie die hintere Ladeklappe zu, der Wagen fährt los.

Wir sitzen eng zusammengedrängt. Direkt neben mir ist Jaz, ein Stück dahinter kauern Ángel und Fernando. Der Wagen rumpelt über den Weg, fährt um eine Kurve und beschleunigt. Erst traue ich mich kaum, den Kopf zu heben, dann wage ich einen Blick auf die Männer, die uns verschleppt haben. Bullen sind es keine, so viel ist klar, und von La Migra sind sie auch nicht. Sie tragen schwarze Kampfanzüge, auch ihre Gesichter sind schwarz gefärbt. Ich weiß nicht, was ich von ihnen halten soll, aber sie wirken verdammt gefährlich.

Aus den Augenwinkeln beobachte ich die anderen, die auf der Ladefläche hocken. Die meisten haben den Kopf auf die Knie gelegt und starren zu Boden, keiner rührt sich oder sagt was. Fernando sitzt in der Ecke. Er sieht blass aus. So blass, wie ich ihn noch nie gesehen habe.

Bestimmt eine Stunde fahren wir durch die Dunkelheit. Dann hält der Wagen, wir müssen runter. Sie treiben uns auf ein Haus zu, das völlig verlassen in der Wildnis liegt, vielleicht eine Ranch. Als ich darauf zustolpere, habe ich das Gefühl, dass hier weit und breit keine andere Menschenseele in der Nähe ist.

Außer unserem Wagen sind noch ein paar andere angekommen und halten ebenfalls vor dem Haus. Im Scheinwerferlicht erkenne ich den Kerl mit dem Kaninchengesicht, der auf dem Feld bei Lechería mit uns gesprochen hat. Einer der düsteren Typen drückt ihm ein paar Geldscheine in die Hand, dann verschwindet er in der Dunkelheit.

Wir haben den Eingang des Hauses erreicht und werden nach drinnen gestoßen. Über eine Treppe geht es in den Keller. Es riecht muffig da unten und feucht, nach Schweiß und nach irgendwas anderem. Wir laufen mehrere Gänge entlang, bleiben vor einer Stahltür stehen.

Einer der Männer schließt sie auf und schubst uns rein. Der Raum, in den wir kommen, sieht aus wie ein Verlies. Er ist ganz kahl, nur an der Decke baumelt eine nackte Glühbirne und Rohre laufen an den Wänden entlang. Daran sind Leute festgekettet, bestimmt ein Dutzend oder mehr. Sie hocken am Boden, seltsam verrenkt, die Arme nach oben gereckt, wo sie mit ihren Handschellen an den Rohren hängen. Als ich sie sehe, verschlägt es mir den Atem. Die meisten sind völlig abgemagert, alle haben Spuren von Schlägen oder Tritten im Gesicht. Einige sehen mehr tot als lebendig aus.

An einer Wand sind noch ein paar Plätze frei, da müssen wir uns hinsetzen. Einer der Männer löst mir die Handschellen, legt sie um ein Rohr und kettet mich daran fest. Mit Jaz, Ángel und Fernando macht er das Gleiche. Alles passiert in völligem Schweigen, nur das Klicken der Handschellen und das Echo in den Rohren ist zu hören. Dann verschwinden die Männer, schlagen die Stahltür zu und verschließen sie. Eine Zeit lang dringt noch das Geräusch von Schritten zu uns rein, weitere Türen werden geöffnet und geschlossen, schließlich ist es still.

Ein paar der anderen, die an den Wänden hocken, haben die

Köpfe gehoben, als wir reingebracht und angekettet wurden. Sie kommen auch von den Zügen, das kann man ihnen ansehen, sind aber älter als wir. Nachdem sie uns betrachtet haben, lassen sie die Köpfe wieder sinken. Einige blicken nicht mal auf, sondern dämmern nur teilnahmslos vor sich hin.

Neben mir sitzt Fernando und rührt sich nicht. Ich lausche eine Zeit lang nach draußen, auf den Gängen scheint keiner mehr zu sein. Dann beuge ich mich zu ihm.

»Fernando! Was ist hier los?«

Er dreht langsam den Kopf in meine Richtung. »Das Übelste, was uns passieren konnte«, murmelt er. »Bullen, Banditen, La Migra – alles wär besser gewesen als das hier.«

»Wieso? Was sind das für Leute?«

»Bist du blind? Zetas, was sonst.«

»Du meinst – die *narcos*? Diese …«

Mörderbande, will ich sagen, bringe es aber nicht mehr raus. Allein der Name verschlägt mir die Sprache. Wo ich herkomme, ist Mexiko zwar ziemlich weit entfernt, aber von den Zetas haben alle schon gehört. Dass sie von den vielen miesen Typen im Drogengeschäft die Allermiesesten sind. Und dass sie vor nichts und niemandem zurückschrecken.

»Aber – was wollen die von uns? Wir haben mit Drogen nichts zu schaffen.«

Fernando stöhnt und richtet sich ein Stück auf. Die Kette zwischen seinen Handschellen schleift über das Rohr, an dem wir festgebunden sind.

»Das eine Mal, als ich's bis zur Grenze geschafft hab«, sagt er, »da hat mir einer erzählt, die Zetas würden nicht nur im Drogengeschäft mitmischen, sondern hätten inzwischen überall die Finger im Spiel. Überall, wo sich Geld machen lässt, auch bei den Zügen. Ich hab bisher gedacht, es wär nur ein Gerücht, aber – Scheiße, anscheinend steckt wirklich was dahinter.«

»Trotzdem: Wie sollen sie mit Leuten wie uns Geld machen? Wir haben doch nichts.«

»Die Typen sind raffinierter, als du denkst«, erwidert Fernando. »Mit ein bisschen Taschengeld geben die sich nicht zufrieden. Sie wollen Lösegeld erpressen. Erst müssen wir ihnen die Telefonnummern von unseren Leuten sagen – von allen, denen was an uns liegt. Dann rufen sie da an und drohen, wenn nicht bald ein Haufen Kohle zu ihnen rüberwächst, bringen sie uns um.«

»Aber wo soll das Geld herkommen?«, flüstert Jaz, die auf der anderen Seite von Fernando sitzt und anscheinend alles mitgehört hat. Sie beugt sich vor, so weit ihre Fesseln es zulassen. »Keiner von uns kennt einen, der viel auftreiben kann, oder? Ich jedenfalls nicht. Und ihr bestimmt auch nicht.«

»Ach, verdammt, das spielt doch überhaupt keine Rolle«, sagt Fernando und schlägt wütend gegen das Rohr, an dem wir hängen. »Ihr habt nicht kapiert, was hier läuft. Ob einer für uns zahlt oder nicht, ist scheißegal. Selbst wenn's einer tut, kommen wir aus dem Loch hier nicht mehr raus. Oder glaubt ihr, die lassen zu, dass einer sie verrät?«

»Aber – das würde ja heißen, dass wir überhaupt keine Chance mehr haben. Egal was passiert«, sagt Jaz mit stockender Stimme.

Zuerst antwortet Fernando nicht. Er sieht nur vor sich hin und knirscht mit den Zähnen. »Wer weiß? Vielleicht doch«, sagt er dann. »Wir können zwar unsere Hände nicht mehr gebrauchen, aber unseren Kopf schon. Wahrscheinlich werden sie bald kommen und uns ausquetschen. Dann müssen wir ihnen was bieten. Sie müssen glauben, dass bei uns was zu holen ist. Solange sie das nämlich tun, werden sie uns am Leben lassen. Und solange wir am Leben sind, haben wir Zeit, uns was zu überlegen. Keine Ahnung, was, aber – das ist alles, was wir im Moment tun können.«

»Ich weiß nicht, ob ich das bringe, ihnen irgendeine Geschichte aufzutischen«, sagt Jaz. »Ich hab so eine Scheißangst.«

»Natürlich hast du Angst. Wer hier unten keine Angst hat, ist entweder Supermann oder ein Idiot. Aber du musst es schaffen – also wirst du's auch. Wir müssen's alle schaffen.« Fernando beugt sich vor und sieht Ángel an, der hinter Jaz sitzt. »Du auch, hast du kapiert?«

Ángel, der aufrecht unter dem Rohr hängt und kaum mit dem Hintern den Boden erreicht, stöhnt. »Die Handschellen jucken«, sagt er nur. Irgendwie habe ich das Gefühl, dass er noch gar nicht begriffen hat, in welcher Lage wir sind.

»Ángel!«, wiederholt Fernando. »Hast du verstanden, was ich gesagt habe?«

»Ja. Ich weiß auch schon, was ich tue. Ich erzähle ihnen von Santiago und seiner Bande. Dann kriegen sie Angst.«

»Oh, Mann!« Fernando verdreht die Augen. »Tu das bloß nicht, das ist das Dümmste, was du machen kannst. Diese Typen kriegen doch keine Angst, wenn du ihnen mit deinem großen Bruder drohst.«

»Aber was soll ich dann sagen?«

»Sag, dass dein Bruder in Los Angeles ist und eine Menge Geld verdient. Und dass er dich liebt und alles für dich tun wird. Das reicht, okay?«

Mit düsteren Gedanken bleiben wir hocken. Ich sehe mich um und überlege fieberhaft, ob es eine Möglichkeit geben könnte, aus dem Keller zu fliehen. Aber das Rohr, an das wir gekettet sind, ist viel zu stabil, und selbst wenn wir es schaffen, davon loszukommen, gibt es immer noch die Stahltür und oben im Haus die bewaffneten Männer: Es ist aussichtslos.

Nach einiger Zeit wird die Tür aufgeschlossen, zwei der Zetas betreten den Raum. Sie blicken sich kurz um, dann kommen sie zu uns. Einer bleibt stehen, der andere hockt sich vor mich und sieht mir ins Gesicht. Ich schlage hastig die Augen nieder. Sein Blick macht mir Angst und irgendwas sagt mir, dass ich ihn besser nicht erwidern sollte.

Eine Weile starrt er mich nur an, mein Herz pocht wie verrückt. Es ist totenstill im Raum und sein bohrender Blick macht mich halb wahnsinnig. Warum sagt er nichts? Oder – will er vielleicht, dass ich es tue?

»Ich warte«, höre ich endlich seine Stimme, sie klingt reichlich genervt. »Aber ich tu's nicht mehr lange.«

»Meine – meine Mutter«, sage ich schnell. »Ich kann Ihnen die Nummer von meiner Mutter geben. Sie ist in Los Angeles. Sie wartet auf mich. Wir – wir haben uns ewig nicht mehr gesehen.«

Eigentlich hatte ich mir eine ganze Geschichte zurechtgelegt, aber jetzt bringe ich nicht mehr als ein Stammeln heraus. Ich sehe kurz hoch, er blickt mir spöttisch ins Gesicht.

»Dann hat sie bestimmt große Sehnsucht nach dir.«

»Ja, ich – ich glaube schon. Sie würde alles tun, um mich wiederzusehen. Ich meine, sie – sie hat nicht so viel, sie arbeitet als Kindermädchen, aber sie …«

Bevor ich weiterreden kann, schlägt er zu. Er gibt mir nicht einfach eine Ohrfeige, er schlägt mir mit der Faust ins Gesicht. Es geht so schnell, dass ich mich nicht mal wegdrehen kann.

Der Schmerz explodiert in meinem Kopf wie ein Feuerwerk, alles dreht sich vor mir.

»Das wird sie uns selbst erzählen.« Ich höre seine Stimme wie aus weiter Ferne, so als wäre ein Vorhang zwischen uns. »Wie ist die Nummer?«

»Ich – ich habe sie nicht im Kopf, sie ist …«

Wieder schlägt er zu. Diesmal knalle ich mit dem Hinterkopf gegen die Wand. Für einen Moment ist alles schwarz, ich habe ein ekelhaftes Pfeifen in den Ohren.

»… unter meiner Fußsohle«, bringe ich irgendwie heraus.

Er reißt mir die Schuhe von den Füßen und wirft sie zur Seite. Nachdem er die Tätowierung kurz betrachtet hat, sieht er mich an und grinst.

»Ist leider nicht dein Glückstag heute. Ich habe nämlich nichts zu schreiben dabei.« Plötzlich hält er ein Messer in der Hand. »Deshalb muss ich die Nummer wohl rausschneiden.«

Panik durchzuckt mich wie ein Stromschlag. Aber bevor er seine Ankündigung wahr machen kann, drängelt sich der andere, der bisher hinter ihm gestanden hat, an seine Stelle und schiebt ihn zur Seite.

»Kümmere dich um den Nächsten«, sagt er, zieht ein Notizbuch aus der Tasche und schreibt die Nummer auf.

»Name?«

»Miguel.«

Er steckt das Notizbuch wieder weg. »Zwei Fehler hast du jetzt gemacht, *amigo*«, sagt er. »Mach keinen dritten.«

Damit wendet er sich von mir ab. Fernando ist der Nächste. Ich kriege nicht viel mit von dem, was sie mit ihm anstellen, weil ich genug mit mir selbst zu tun habe. Mein Kopf dröhnt und schmerzt, als hätte jemand mit dem Hammer daraufgeschlagen. Erst als ich mich gegen die Wand lehne, wird es allmählich besser. Dafür läuft mir jetzt Blut aus der Nase. Weil ich mit den Händen nicht ans Gesicht komme, lecke ich es mit der Zunge von den Lippen. Als ich den Geschmack spüre, wird mir auch klar, welcher Geruch mir eben aufgefallen ist, als sie uns hierhergebracht haben. Es riecht nach Schweiß – und nach Blut.

Auch bei den anderen geht es nicht ohne Schläge ab, nicht mal bei Ángel. Anscheinend ist es egal, was man sagt, sie schlagen immer. Wahrscheinlich, um die Leute zu zermürben und kleinzukriegen. Um sie einzuschüchtern und dafür zu sorgen, dass sie nicht auf dumme Gedanken kommen.

Dann endlich sind die beiden Männer weg. Zum Glück haben sie unsere Geschichten geschluckt und scheinen erst mal zufrieden zu sein. Wir haben eine Galgenfrist. Aber wie lange? Und was wird dann passieren? Ich versuche, nicht daran zu denken. Ich versuche an gar nichts zu denken.

Wir rücken zusammen, so eng es geht. Unsere Gesichter sehen furchtbar aus. Jaz und Ángel haben zwar nicht ganz so viel abgekriegt wie Fernando und ich, aber irgendwie wirkt bei ihnen auch das Wenige besonders schlimm. Vor allem bei Jaz. Ich sehe, wie ihr das Blut übers Gesicht läuft. Es zerreißt mir fast das Herz.

Und dann, als wir so zu viert dahocken, muss ich mit einem Mal an Emilio denken. Gut, dass wenigstens er das hier nicht mehr miterlebt, geht es mir durch den Kopf. Gut, dass er kapiert hat, wo er hingehört, und zurückgegangen ist. Vielleicht hätten wir es längst alle genauso machen sollen.

Es geht nicht«, sagt Ángel. »Ich schaff's nicht, Fernando. Es tut einfach zu weh.«

»Ach, Unsinn. Du bist doch schon fast durch, du packst das. Los, streng dich an!«

Ángel beißt die Zähne zusammen und versucht es noch mal. Er stöhnt, sein Gesicht ist zur Grimasse verzerrt, von seinem Handgelenk tropft Blut. Aber er kommt nicht frei. Am Ende gibt er auf und lässt den Kopf sinken.

»Es geht nicht«, sagt er wieder. »Es geht einfach nicht.«

Eine Nacht, einen Tag und noch eine halbe Nacht sitzen wir jetzt in dem Verlies fest. In der ersten Nacht waren wir so verzweifelt, dass keiner ein Auge zutun konnte. Mein Gesicht brannte von den Schlägen wie Feuer, ich hatte elenden Hunger und das Schlimmste von allem war die furchtbare Angst und Ungewissheit, was mit uns passieren würde.

Am Morgen kamen die beiden Zetas in den Keller, die uns schon am Abend verhört hatten. Sie ketteten uns einen nach dem anderen los und schlugen uns zusammen, alle im Raum mussten dabei zusehen. Dann banden sie uns wieder fest und ließen uns in ein Diktiergerät sprechen. Wir mussten sagen, dass wir gefangen gehalten werden und dass sie uns töten, wenn nicht in den nächsten Tagen ein Lösegeld gezahlt würde.

Danach ließen sie uns allein. Aber anscheinend waren sie nicht zufrieden mit dem, was wir aufgesprochen hatten, denn nach ein paar Stunden waren sie wieder da und alles ging von vorne los. Diesmal waren die Prügel, die wir bekamen, noch heftiger, und als wir wieder angekettet waren, schrien sie uns ins Gesicht und drohten, uns totzuschlagen, wenn wir nicht gehorchen. Als unsere Angst am größten war, ließen sie uns erneut in das Diktiergerät sprechen. Und diesmal trafen wir wohl den Ton, den sie haben wollten, denn danach ließen sie uns in Ruhe.

Am schlimmsten war das, was am Nachmittag passierte. Zwei von ihnen, die wir noch nicht kannten, kamen in den Raum und banden einen der anderen Gefangenen los. Es wäre kein Geld für ihn gezahlt worden, sagten sie, und es würde auch nichts mehr gezahlt. Sie brachten ihn nach draußen. Den letzten Blick, den er uns zuwarf, werde ich nie vergessen. Durch die Tür konnte ich sein Bitten und Flehen und Jammern hören, dann fiel ein Schuss. Danach war es still.

Das wiederholte sich noch drei Mal, dazwischen Warten, Hoffen, Bangen und am Ende nur nackte Angst. Zweimal bekamen wir was zu essen und zu trinken, aber es war so wenig, dass wir danach hungriger waren, als wenn wir gar nichts gehabt hätten. Vor ein paar Stunden ist es schließlich wieder Nacht geworden. Seitdem hängen wir an den Rohren im kalten Licht der Glühbirne und fühlen uns so elend und verzweifelt, wie wir es uns nie hätten vorstellen können.

Schon die ganze Zeit habe ich mitgekriegt, wie Ángel an seinen Handschellen rüttelt. Zuerst habe ich nicht groß darauf geachtet, aber dann ist mir klar geworden, dass er es mit seinen kleinen Händen vielleicht wirklich schaffen kann, sich von den Fesseln zu befreien. Jetzt sitzen wir da, beobachten, wie er sich quält, und werden halb wahnsinnig, weil wir ihm nicht helfen können.

»Es hat keinen Zweck«, sagt er schließlich. »Wenn ich's noch mal versuche, breche ich mir die Hand.«

»Na und? Die heilt wieder«, knurrt Fernando. »Was ist dir lieber: eine kaputte Hand oder ein kalter Arsch?«

»Ach, lass deine Sprüche, Fernando, das bringt doch nichts«, sagt Jaz. Dann wendet sie sich an Ángel. »Du bist der Einzige von uns, der es schaffen kann. Du *musst* es noch mal versuchen, hörst du? Sonst sterben wir hier unten.«

Ángel schließt die Augen und lässt den Kopf hängen. Eine Zeit lang sitzt er so, ohne sich zu rühren, dann holt er tief Luft und zieht mit einem heftigen Ruck an seinen Fesseln. Ich kann es gar nicht mit ansehen und drehe den Kopf weg. Eine halbe Ewigkeit höre ich ihn stöhnen und wimmern – dann plötzlich ein furchtbares Knacken – und gleich darauf das Geräusch, wie die Kette seiner Handschellen über das Rohr rasselt.

Als ich wieder zu ihm hinsehe, liegt er zusammengekrümmt am Boden. Sein ganzer Körper bebt vor Schmerzen, aber irgendwie hat er es geschafft, sich zu befreien. Was mit seiner Hand ist, kann ich nicht erkennen, er dreht mir den Rücken zu und hält sie vor sich.

»Ángel!«, sagt Jaz und macht eine Bewegung, als ob sie zu ihm kriechen will, aber ihre Fesseln halten sie zurück. »Was ist mit dir?«

Ángel hört auf zu wimmern, rappelt sich mühsam hoch und dreht sich um. Die Handschellen hängen jetzt nur noch an seiner rechten Hand, die linke ist frei. Aber sie sieht grauenhaft aus, voller Blut und verkrampft wie eine Kralle. Er geht zu Jaz und rüttelt mit der Rechten an ihren Fesseln.

»Das hat keinen Zweck, Ángel«, sagt Fernando. »So kriegst

du uns nicht los. Du musst hier raus und Hilfe holen, das ist unsere einzige Chance.«

Ángel zögert kurz, dann geht er zur Tür und versucht sie zu öffnen, aber sie ist abgeschlossen, wie immer.

»Nicht da, Junge«, sagt plötzlich einer der anderen, die mit uns gefangen sind. Er sitzt gleich neben der Tür und hat sich so lange nicht mehr bewegt, dass ich schon dachte, er wäre hinüber. »Die ist zu wie Beton und dahinter lauert der Tod.« Er deutet über unsere Köpfe. »Da oben musst du's versuchen.«

Über Fernando und mir, gleich unter der Decke, ist ein winziges Fenster und dahinter ein schmaler Schacht, der mit einem Gitter bedeckt ist. Von dort fällt tagsüber ein bisschen Licht in den Keller. Ich habe nie darauf geachtet, weil das Ganze viel zu klein für einen normalen Menschen ist. Aber der Typ an der Tür könnte recht haben: Für Ángel gilt das nicht unbedingt.

Fernando stößt mich an und zeigt nach oben. Ich verstehe, was er meint. Wir richten uns auf, so weit die Fesseln es zulassen.

»Du musst an uns hochklettern, Ángel«, sagt Fernando. »Dann sieh zu, dass du irgendwie an das Fenster kommst.«

Ángel tut, was er sagt. Er steigt auf unsere Knie, von da auf unsere Schultern und schließlich auf das Rohr, an dem wir festgekettet sind. Mit Mühe schafft er es auf ein zweites Rohr darüber und von da kann er das Fenster erreichen.

Es lässt sich problemlos öffnen, aber jetzt folgt der schwierige Teil. Ángel muss in den Schacht klettern, der voll mit alten, staubigen Spinnweben ist – und das mit nur einer Hand, denn seine Linke ist anscheinend so schwer verletzt, dass er damit nicht mehr zupacken kann. Er braucht einige Versuche, aber schließlich schafft er es. Er windet sich durch das Fenster in den Schacht, schiebt die Spinnweben zur Seite und drückt das Gitter nach oben. Dann schwingt er sich hoch, ruft uns mit unterdrückter Stimme irgendetwas zu, das ich nicht verstehen kann – und ist verschwunden.

»Viel Glück, Kleiner«, murmelt Fernando und lässt sich wieder auf den Boden sinken.

Ich setze mich zu ihm. »Hast du gehört, was er gerufen hat?«

»Nein.«

»Was glaubst du, was er jetzt macht?«

»Na, was würdest du tun? Die Beine in die Hand nehmen und nichts wie weg von hier. So weit weg wie möglich. Und dann – keine Ahnung.«

»Du hast doch gesagt, er soll Hilfe holen«, erinnert Jaz ihn.

»Ja, klar hab ich das gesagt. Aber das war nicht mehr als ein frommer Wunsch. Ich meine: Wo soll er schon hin? Zu den Bullen? Ihr wisst doch selbst, wie's läuft. Hier gibt's keine Hilfe.«

Wir lauschen durch den Schacht nach draußen, aber nichts ist zu hören. Was immerhin ein gutes Zeichen ist: Anscheinend haben die Zetas von Ángels Flucht nichts gemerkt. Vielleicht ist er ja schon ein gutes Stück vom Haus weg. Ich stelle mir vor, wie er mit seiner kaputten Hand und den runterhängenden Handschellen im Dunkeln über Felder und Hügel läuft, wie er die Grashalme an den Füßen spürt und den Wind im Gesicht. All die schönen Dinge, die wir hier unten vielleicht nie mehr erleben werden …

Ein paar Minuten nachdem Ángel verschwunden ist, schließt plötzlich jemand die Stahltür auf. Erst kriege ich einen mordsmäßigen Schreck, weil ich fürchte, die Zetas könnten ihn doch entdeckt und gefasst haben und jetzt halb bewusstlos geprügelt wieder zu uns bringen. Aber dann geht die Tür auf – und es ist kein anderer als Ángel selbst, der den Kopf zu uns reinstreckt.

Fernando fährt auf, als er ihn sieht. »Verflucht noch mal, ich hab doch gesagt, du sollst abhauen«, zischt er ihm entgegen. »Die Chance kriegst du nie wieder.« Dann stutzt er. »Wo hast du eigentlich den Schlüssel her?«

Ángel schiebt sich durch den Türspalt zu uns rein. »Hing neben der Tür. Und das hier auch.« Er hält einen ganzen Schlüsselbund in die Höhe.

»Ich glaub's nicht! Das sind die für die Handschellen«, sagt Fernando. »Los, her damit!«

Zuerst probiert Ángel die Schlüssel mit zittrigen Fingern nur einen nach dem anderen aus, bis Jaz entdeckt, dass Zahlen darauf stehen, die auch auf den Handschellen sind. Von da an geht es schnell, bald sind wir die elenden Dinger los. Fernando befreit noch den Mann an der Tür und lässt ihm den Schlüsselbund da, damit er sich um die anderen kümmern kann, dann verschwinden wir aus der Todeszelle.

Zum Glück scheinen die Zetas nicht damit zu rechnen, dass Gefangene aus dem Keller entkommen könnten, denn weder die Treppe noch der Eingang sind bewacht. Ein paar von ihnen lärmen oben im Haus herum, aber sie kriegen nichts von uns mit. Wir schleichen nach draußen und rennen los, so schnell wir können. Über die Richtung machen wir uns keine Gedanken, wir wollen nur weg von diesem verfluchten Haus, von dieser Hölle auf Erden.

Es ist eine wilde Flucht. Am Himmel stehen ein paar Sterne, aber ihr Licht ist schwach, wir können kaum den Boden vor uns erkennen. Immer wieder stolpern wir oder treten in irgendwelche Löcher oder es tauchen Zäune vor uns auf, in die wir fast reinrennen. Trotzdem halten wir nicht an, sondern laufen weiter, bis von dem Haus nichts mehr zu sehen ist, nicht mal die Lichter in den oberen Stockwerken.

»Fernando!«, keucht Jaz schließlich. »Warte! Wo laufen wir eigentlich hin?«

»Woher soll ich das wissen?«, sagt Fernando und bleibt schwer atmend stehen. »Wir wissen ja nicht mal, wo wir sind. Jedenfalls müssen wir weiter. Wenn die Zetas merken, dass wir getürmt sind, werden sie wie der Teufel hinter uns her sein. Spätestens wenn es morgen hell wird, heften sie sich an unsere Fersen, dann müssen wir so weit weg sein wie möglich.«

»Ja, aber – in welche Richtung?«

»Scheißegal.« Fernando sieht sich um und zeigt auf ein paar Sterne, die ein auffälliges Dreieck bilden. »Nehmen wir die da. Wir gehen immer drauf zu. Dann sind wir jedenfalls sicher, dass wir nicht im Kreis laufen.«

Also traben wir wieder los. Fernando an der Spitze versucht, den Kaninchenbauten und anderen Fallen auszuweichen. Hinter ihm folgt Ángel, der seine verletzte Hand vom Körper weghält und ab und zu einen leisen Schmerzensschrei ausstößt, er hält sich verdammt tapfer. Gleich vor mir ist Jaz. Als ich sie sehe, muss ich daran denken, was ich dem Padre versprochen habe. Ich bin heilfroh, dass ihr nichts Schlimmes passiert ist, denn es wäre meine Schuld gewesen, und das hätte ich mir nicht mal im Grab verzeihen können.

Wir gehen jetzt langsamer, die Sterne sind unser Führer. Ab und zu zwingt das Gelände uns zu einem Umweg, sodass wir von unserem Kurs abweichen, aber es dauert nie lange, dann haben wir das leuchtende Dreieck wieder vor uns. Die Gegend ist verlassen, Dörfer oder so was scheint es nicht zu geben. Es dauert bestimmt eine Stunde, wenn nicht länger, bis ein kleiner Bauernhof vor uns auftaucht.

Fernando bleibt stehen. »Am besten, wir umgehen die Hütte«, schlägt er vor. »Weit genug, damit uns keiner bemerkt.«

»Aber – wollen wir nicht versuchen, Hilfe zu kriegen?«, fragt Jaz. »Irgendwer muss sich um Ángels Hand kümmern.«

Fernando schüttelt den Kopf. »Zu gefährlich. Wir wissen nicht, wer da wohnt. Vielleicht gehören sie auch zu den Zetas oder stecken mit ihnen unter einer Decke. Oder wollen sich ein bisschen was dazuverdienen, indem sie uns wieder auf der Ranch abliefern.«

Jaz seufzt. »Wir brauchen aber was zu essen und zu trinken«, sagt sie. »Und einen, der uns sagen kann, wo's zur Bahnlinie geht.«

Auch Ángel will anscheinend liebend gerne zu dem Haus hin, er sieht schwach und erschöpft aus. Ich werfe einen Blick auf den kleinen Hof. Er liegt ganz friedlich da, in einer Senke unter den Sternen, aus dem Schornstein kräuselt Rauch.

»Lass uns hingehen, Fernando«, sage ich. »Wir brauchen wirklich Hilfe, sonst stehen wir die Nacht nicht durch.«

Fernando zögert. »Na gut«, gibt er sich dann geschlagen. »Aber haltet die Augen auf. Und richtet euch in jeder Sekunde darauf ein, dass wir abhauen müssen!«

Wir steigen in die Senke hinunter und gehen auf den Hof zu. Alles bleibt ruhig. Also fassen wir uns ein Herz und klopfen an die Tür. Als sich nichts tut, klopfen wir wieder, diesmal lauter. Nach einer Weile sind Schritte zu hören.

»Wer ist da?«, ruft eine unfreundliche Stimme von drinnen.

»Wir – wir brauchen Hilfe«, sagt Jaz zögernd. »Wir sind überfallen worden.«

Erst ist es still, dann wird ein Riegel zurückgeschoben. Die Tür schwingt auf, die Mündung eines Gewehrs erscheint in der Öffnung, dahinter steht ein Mann mit einem alten, bärtigen Gesicht und verkniffenen Augen, die uns misstrauisch betrachten.

»Verschwindet!«, herrscht er uns an, nachdem er uns lange genug gemustert hat, und hebt das Gewehr ein Stück höher. »Haut ab und lasst euch bloß nie wieder hier blicken!«

Wir stehen unschlüssig da. Trotz seines Gebrülls und der Waffe wirkt der Mann auf mich eher ängstlich als bedrohlich. Die Mündung des Gewehrs zittert nur so vor unseren Köpfen.

»Um Gottes willen, Felipe«, ist plötzlich eine andere Stimme zu hören. Eine Frau tritt neben ihn. »Sie sind aus dem Haus.«

»Ich weiß, wo sie her sind«, knurrt der Mann. »Deshalb müssen sie ja weg. Ich will keinen Ärger mit diesen Leuten.«

»Aber – es sind fast noch Kinder«, sagt die Frau.

»Das spielt keine Rolle. Wenn sie sie bei uns finden, töten sie uns alle – egal ob Kinder oder nicht.« Er lädt die Waffe durch. »Also fort mit euch!«

Fernando sieht ihm düster ins Gesicht. Dann dreht er sich wortlos um und schiebt Ángel nach vorne.

Die Frau schlägt die Hand vor den Mund, als sie ihn sieht. »Ich hole etwas zu essen«, murmelt sie. »Und Verbandszeug.« Damit verschwindet sie im Haus.

Der Mann lässt den Kopf sinken, schließlich nimmt er auch das Gewehr runter und stellt es in den Türrahmen. Er traut sich kaum, uns in die Augen zu sehen. »Warum tut ihr das?«, sagt er nur und starrt an uns vorbei. »Warum bleibt ihr nicht da, wo ihr hingehört? Warum tut ihr uns das an?«

»Wir tun keinem was an«, sagt Fernando. »Und ich glaube, das wissen Sie.«

Der Mann zuckt nervös mit den Augenlidern. »Diese Gegend ist verflucht«, flüstert er. »Früher war es eine gute Gegend. Aber heute ist sie verflucht.«

»Wir wollen nur etwas zu essen«, sagt Jaz. »Und Hilfe für Ángel. Das ist alles. Dann ziehen wir weiter.«

Ohne uns noch mal anzusehen, nimmt der Mann sein Gewehr und geht nach drinnen. Kurz darauf kehrt seine Frau zurück und kümmert sich um Ángels Hand.

»Die ist gebrochen, mein Junge«, sagt sie. »Damit musst du so schnell wie möglich zum Arzt.«

Sie legt Ángel einen Verband an und bindet ihm einen Schal um, in den sie seinen Arm legt. Dann drückt sie Fernando einen Beutel mit Lebensmitteln in die Hand.

»Geht jetzt«, sagt sie. »Mehr können wir nicht für euch tun. Lauft, so schnell und so weit ihr könnt, und kehrt nie wieder in diese Gegend zurück.«

Sie nickt uns noch mal zu, geht ins Haus und verriegelt die Tür. Gleich darauf kann ich sie und den Mann am Fenster sehen, sie stehen hinter einem Vorhang und beobachten uns.

»Na kommt, lasst uns gehen«, sagt Fernando. »Die machen sich ja ins Hemd vor Angst.«

»Würdest du auch, wenn du sie wärst«, sagt Jaz. »Stell dir vor, du wohnst hier, ganz in der Nähe von diesem Haus, bist in ihrem Alter und kannst nicht mehr weg. Da hättest du auch Angst, jeden Tag, von morgens bis abends.«

Fernando zuckt mit den Schultern. »Kann sein. Jedenfalls wird es uns hier an jedem Haus gleich gehen. Also nichts wie weg aus der Gegend!«

Während wir loslaufen, durchsucht er den Beutel, den die Frau uns gegeben hat. Es sind Tortillas darin, ein paar Mangos, einige Maiskolben und andere Dinge, die sie auf die Schnelle zusammengerafft hat. Wir schlingen alles runter, bis der Beutel leer ist, und werfen ihn weg. Es tut verdammt gut, was in den Magen zu kriegen, auch wenn es nicht viel ist. Ohne die Sachen hätten wir nicht mehr lange durchgehalten. Im Geheimen schicke ich ein Dankesgebet für die Frau zum Himmel.

Nachdem wir für eine Weile wieder unserem Sternendreieck gefolgt sind, fängt es im Osten an zu dämmern. Ganz langsam zieht der Tag herauf, von Minute zu Minute kann ich mehr von der Landschaft erkennen, durch die wir laufen. Irgendwie macht die Helligkeit Mut, wir kommen viel besser und sicherer voran. Aber sie hat auch was Bedrohliches: Wenn die Zetas jetzt ausschwärmen, finden sie uns im Tageslicht viel leichter als in der Nacht.

Als die Sonne aufgegangen ist, taucht eine weitere Farm vor uns auf. Wieder bleiben wir stehen und überlegen, was wir tun sollen. Diesmal sind wir uns schnell einig, dass wir hinmüssen, schließlich können wir nicht ewig so ziellos durch die Gegend laufen. Wir müssen endlich wissen, wo wir sind und wie wir am besten wieder zur Bahnstrecke finden.

Die Farm ist größer und besser in Schuss als der kleine Bauernhof der alten Leute, das sehen wir auf den ersten Blick. Die Häuser sind ziemlich neu, auf den Weiden ringsum grasen Rinderherden. Auf dem Platz zwischen dem Wohnhaus und den Ställen steht ein Junge, ungefähr in Fernandos Alter, und hackt Holz. Als er uns sieht, lässt er die Axt, die er über den Kopf gehoben hat, sinken und zögert. Dann legt er sie über die

Schulter und kommt auf uns zu. Ein paar Meter vor uns bleibt er stehen, betrachtet uns und geht schließlich zu Fernando hin.

»Ihr seid – aus dem Haus, stimmt's?« Er redet so leise, als würde er fürchten, von da gehört zu werden.

Fernando sieht ihm ins Gesicht, dreht den Kopf zur Seite und spuckt aus. »Und wenn?«, entgegnet er.

Der Junge wirft einen Blick auf Ángels Verband. Ich habe das Gefühl, dass ihm das schon reicht, um zu wissen, was passiert ist.

»Sind sie euch auf den Fersen?«, fragt er.

»Nein«, sagt Fernando. »Noch nicht. Aber vielleicht bald.«

»Dann steht nicht hier rum. Kommt lieber ins Haus.«

Wir folgen ihm an den Ställen vorbei ins Wohnhaus. Als wir eintreten, hebt ein Mann den Kopf, der dort, über einige Papiere gebeugt, an einem Tisch sitzt. Er sieht uns aus zusammengekniffenen Augen an, blickt zu dem Jungen hin und macht eine knappe Bewegung mit dem Kopf in die Richtung, aus der wir gekommen sind. Der Junge nickt nur.

»Verdammte Schweine«, murmelt der Mann vor sich hin und steht auf. »Mach den Wagen fertig, Ramón«, sagt er zu dem Jungen. »Pack was zu essen nach vorn und ein paar von den Planen auf die Ladefläche.«

Während der Junge verschwindet, wendet er sich an uns. »Ihr könnt hier nicht bleiben. Bestimmt suchen sie euch schon. Wenn sie euch finden, bleibt keiner von uns am Leben.« Er überlegt kurz. »Am besten, ich fahre euch nach San Luis Potosí. In die *Casa del migrante*. Dort kümmern sie sich um euch, in der Migrantenherberge seid ihr sicher.«

»Kommen wir von da zur Bahnlinie?«, frage ich.

»Ja«, sagt Fernando, bevor der Mann antworten kann. »Tun wir. Ich kenn die Hütte, Miguel.«

Wir wollen gehen, aber Jaz zögert. »In dem Haus«, sagt sie leise. »Da sind noch mehr Gefangene. Müssen wir nicht …«

Der Mann unterbricht sie mit einer energischen Handbewegung. »Nein«, sagt er. »Wir können nichts tun. Nicht gegen die Narcos. Los jetzt, lasst uns fahren!«

Als wir nach draußen gehen, hat der Junge schon einen alten Pick-up beladen und startklar gemacht. Der Mann führt uns hin und zeigt auf die Ladefläche. Anscheinend sollen wir uns unter den Planen verstecken, die der Junge ausgebreitet hat. Als Fernando es sieht, zögert er und blickt sich misstrauisch um.

»Was ist los?«, fragt der Mann ihn. »Glaubst du, ich will euch reinlegen? Denkst du, ich fahre euch wieder zu den Schweinen hin und kassiere Geld für euch?«

Fernando antwortet nicht.

Der Mann geht zu ihm und legt ihm die Hand auf die Schulter. »Traust du uns das zu?«, fragt er. »Mir und meinem Jungen?«

Fernando sieht ihm in die Augen, eine ganze Zeit lang. »Nein«, sagt er dann. »Schon gut.«

Er nickt uns zu und steigt auf die Ladefläche. Wir folgen ihm, kriechen unter die Planen und machen uns so klein wie möglich. Ich höre, wie der Mann in den Wagen steigt und den Motor startet, gleich darauf fährt der Pick-up los.

Die Fahrt ist ganz schön holprig, wir rumpeln nur so über irgendwelche Feldwege und Schotterpisten. So was wie Stoßdämpfer scheint der Wagen nicht zu kennen, ständig gibt es heftige Schläge. Von den Prügeln, die ich im Verlies der Zetas bekommen habe, tut mir sowieso noch alles weh, bei jedem Stein und jeder Wurzel, über die wir fahren, könnte ich aufschreien vor Schmerz. Trotzdem bin ich heilfroh, dass wir unter den Planen liegen und nicht mehr draußen herumrennen müssen, wo wir schutzlos und für jeden sichtbar sind.

Die Fahrt nimmt gar kein Ende. Erst als die Sonne schon so hoch am Himmel steht, dass die Luft unter den Planen heiß und stickig geworden ist, hält der Wagen. Der Mann steigt aus und kommt zu uns.

»Wir sind jetzt weit genug«, sagt er und schlägt die Planen zurück. »In dieser Gegend passiert euch nichts mehr. Ihr könnt vorne sitzen.«

Das lassen wir uns nicht zweimal sagen. Wir steigen von der Ladefläche, klettern in die Fahrerkabine und quetschen uns alle nebeneinander auf die Sitzbank. Während der Mann wieder losfährt, machen wir uns über die Sachen her, die sein Sohn für uns eingepackt hat. Es ist nicht so wie in der Nacht, da hatten wir nur was für den schlimmsten Hunger. Jetzt können wir uns zum ersten Mal seit Tagen wieder richtig satt essen.

»Danke für alles«, sagt Jaz, als wir fertig sind. »Wir können das nie wiedergutmachen, was Sie für uns tun.«

»Das spielt keine Rolle«, sagt der Mann und winkt ab. »Wichtig ist nur eins, und das müsst ihr mir wirklich versprechen. Egal mit wem ihr redet: Ihr wart nie auf unserer Farm. Ihr seid nie mit diesem Auto gefahren und ihr habt meinen Sohn und mich nie kennengelernt. Wenn nämlich die falschen Leute rausfinden, dass wir euch geholfen haben, geht's uns dreckig.«

»Von uns erfährt keiner was«, sagt Fernando. »Da können Sie sicher sein.«

»Gut. Dann noch etwas: Erzählt in der Herberge nichts von dem Haus und den Zetas. Ich habe gehört, es sind gute Leute dort. Sie würden bestimmt etwas unternehmen wollen, und das könnte verdammt übel für sie ausgehen. Bringt sie gar nicht erst auf die Idee, ja?«

»Aber – wie sollen wir erklären, wer uns so zugerichtet hat?«, fragt Jaz. »Und wo Ángel sich die Hand gebrochen hat?«

»Lasst euch was einfallen«, sagt der Mann. »Ihr macht das schon. Sonst wärt ihr schließlich nicht so weit gekommen.«

Wenig später erreichen wir San Luis Potosí. Es ist eine ziemlich große Stadt, mit Fabriken und Supermärkten und Kirchen und allem, was eben so dazugehört. Wir fahren durch einen Vorort, dann hält der Mann.

»Von hier ab müsst ihr es alleine schaffen«, sagt er. »Passt auf, dass ihr nicht der Polizei in die Arme lauft. Man sieht euch auf zehn Kilometer an, dass ihr von den Zügen kommt.«

Wir steigen aus und verabschieden uns von ihm. Er will uns noch den Weg zur Herberge erklären, aber Fernando winkt ab und sagt, er wäre schon da gewesen. Der Mann nickt, dann wendet er den Wagen, winkt uns noch mal zu und ist gleich darauf in einer Staubwolke verschwunden.

»Hoffentlich bringen wir ihm kein Unglück«, murmelt Jaz, während wir ihm hinterhersehen.

»Nicht, wenn wir die Schnauze halten«, sagt Fernando. »Du hast ihn doch gehört.«

Uns gegenüber, auf der anderen Straßenseite, ist ein Markt. Viele kleine Verkaufsstände gibt es dort mit gelben und roten Dächern, die von da, wo wir stehen, fast an ein Blumenmeer erinnern. Als ich es sehe, frage ich mich, ob wir die letzten beiden Nächte wirklich erlebt haben. Es wirkt so fern, wie ein Albtraum, der so übertrieben und grauenhaft war, dass er unmöglich etwas mit der wahren Welt zu tun haben kann.

Ich sehe wieder in die Richtung, in die der Mann verschwunden ist. Ein Geländewagen biegt um die Straßenecke. Es schnürt mir die Kehle zusammen, als ich ihn sehe. Hinter dem Steuer sitzen Männer mit schwarzen Gesichtern. Sie sehen uns und halten auf uns zu. Jetzt sind sie da – und biegen ab, auf den Markt gegenüber. Es sind Bauern, sie haben Melonen und Tomaten geladen. Und ihre Gesichter sind nur gebräunt von der Sonne.

Ein Schauer läuft mir über den Rücken, ich schüttle mich. »Lasst uns gehen«, sage ich zu den anderen. »Lasst uns bloß hier verschwinden.«

Liebe Juanita!

Endlich schaffe ich es wieder, Dir zu schreiben. Vorher ging es einfach nicht. Wir sind vom Weg abgekommen in den letzten Tagen und mussten einen Umweg machen, um die Bahnstrecke wiederzufinden. Zum Glück haben uns ein paar Leute geholfen. Jetzt geht es uns wieder besser. Mir und den anderen, von denen ich Dir letztes Mal geschrieben habe.

Wir sind inzwischen weit im Norden. Das große Gebirge liegt hinter uns und darüber sind wir heilfroh, weil es da manchmal elend kalt war und verdammt schwer durchzukommen. Aber wir haben es geschafft, jetzt ist es nicht mehr weit bis zur Grenze.

Die Stadt, in der wir sind, heißt San Luis Potosí. Es gibt eine Herberge hier für Leute wie uns, in der wir uns für ein paar Nächte ausschlafen können und was Ordentliches zu essen kriegen. Und es gibt heißen Kakao hier, so viel wir wollen! Ich kann Dir sagen, ich hatte schon fast vergessen, wie es ist, in einem richtigen Bett zu schlafen und was Warmes zu essen. Als würdest Du durch die Wüste laufen, schon halb verdurstet, und endlich kommst Du zu einer Oase mit Wasser und Schatten und Bäumen – so ungefähr fühlen wir uns jetzt.

Die Herbergsmutter ist so ziemlich der netteste Mensch, den ich jemals kennengelernt habe. Sie kümmert sich fast so um uns, als wären wir ihre eigenen Kinder. Irgendwie hat sie eine Art an sich, dass man ihr Sachen erzählt, die man sonst nie einem erzählen würde, und erst hinterher wird einem klar, was man da alles von sich gegeben hat. Sie hat mir auch das Papier und den Stift gegeben, um den Brief hier zu schreiben, das Notizbuch habe ich nämlich irgendwo in den Bergen verloren. Wenn wir weiterfahren, sorgt sie dafür, dass der Brief zur Post kommt, damit Du ihn auch kriegst.

Du kannst Dir nicht vorstellen, wie dankbar wir ihr sind. Sogar Fernando! Bei dem dauert es immer, bis er mal einem vertraut. Aber sogar der hat sich von ihr umarmen lassen, als er gedacht hat, es sieht gerade keiner zu.

Ein, zwei Tage bleiben wir noch, dann geht es weiter. Die Herberge ist nur ein paar Hundert Meter von der Bahnlinie entfernt, wir hören immer das Schnaufen und Pfeifen der Züge, vor allem nachts. Eine einzige Fahrt noch, wenn alles gut geht. Eine Fahrt, dann sind wir in Nuevo Laredo. Das liegt an der Grenze, dahinter sind die USA.

Jetzt dauert es nicht mehr lange, Juanita. Bald bin ich am Ziel, dann kriegst Du wieder einen Brief von mir. Oder von Mamá und mir zusammen. Bleib nur in Tajumulco und warte. Bald sehen wir uns wieder.

Ich umarme Dich.

Miguel

Kannst du nicht mal deine dreckigen Schuhe runternehmen?«, sagt Jaz und stößt mir den Ellbogen in die Seite.

»Wieso dreckig? Die sind nur ein bisschen ausgelatscht.«

»Ja, aber stell dir vor: Ich will auch keine ausgelatschten Schuhe in meinem Bett haben.«

Ich tue ihr den Gefallen und ziehe die Treter aus. Obwohl sie wirklich nicht besonders dreckig sind. Jedenfalls nicht so, dass man sich deswegen gleich anstellen müsste.

»So, weg sind sie. Zufrieden?«

»Ja, schon besser. Schön, dass du dich in meinem Bett so wohlfühlst. Wie lange willst du eigentlich bleiben?«

»Bis morgen, dachte ich.«

»Bis morgen?« Jaz lacht und tippt sich mit dem Finger an die Stirn. »Das ist der Mädchenschlafsaal, schon vergessen?«

»Ach, Jaz, wie könnte ich das vergessen! Ich hab nur gedacht: Bisher musstest du immer so tun, als wenn du ein Junge wärst, also tu ich jetzt mal so, als wenn ich ein Mädchen wär. Ist doch nur gerecht, oder?«

Aus dem Bett neben uns kommt ein Kichern. Da liegt Alicia, mit der sich Jaz in den letzten Tagen angefreundet hat. Sie hat raspelkurze Haare, wie ein Soldat, sieht aber trotzdem ganz süß aus. Sie und Jaz sind die Einzigen hier bei den Mädchen. Drüben, bei den Jungs, sind wir zwanzig oder dreißig.

»Wenn *du* als Mädchen durchgehen willst, musst du dich aber noch mächtig ins Zeug legen«, sagt sie zu mir.

»Mach ich auch. Und außerdem: Im Mädchenschlafsaal bin ich ja schon mal. Ist ein Anfang, oder?«

Alicia lacht. »Dein Freund ist eine echt komische Nummer, Jaz, das muss man dir lassen.«

»Ach, du darfst ihn nicht beachten, dann hört er irgendwann von selbst auf, dummes Zeug zu reden.« Jaz wendet sich zu mir um und grinst. »Hast du gehört?«

Sie hat recht, ich rede dummes Zeug. Aber im Moment ist mir einfach danach. Zwei Tage und zwei Nächte sind wir jetzt in der Herberge von San Luis Potosí. Wir haben getan, was wir dem Mann versprochen haben, und nichts von dem Haus und den Zetas erzählt. Aber der Leiterin der Herberge – La Santa heißt sie bei den Leuten hier – können wir nichts vormachen. Wenn sie einem tief in die Augen sieht, hat man das Gefühl, dass sie genau weiß, was passiert ist. Sie muss gar nicht danach fragen, sie weiß es einfach.

Inzwischen sind die Verletzungen von den Prügeln und die Wunden an den Handgelenken halbwegs verheilt, ein paar blaue Flecken und Schrammen und Krusten sind uns geblieben. Ein Arzt hat sich Ángels Hand angesehen, die Knochen gerichtet und ihm eine Schiene verpasst. Bei dem guten Essen blühen wir richtig auf, aber das ist alles nur äußerlich. Innen drin, im Kopf, sieht es anders aus, vor allem nachts. Und das ist der Grund, warum ich mich für ein Stündchen zu Jaz ins Mädchenzimmer geschlichen habe – auch wenn es eigentlich verboten ist.

»Konntest *du* eigentlich schlafen letzte Nacht?«, frage ich und sehe sie an.

»Nicht richtig. Eigentlich hab ich die ganze Zeit mit Alicia gequatscht. Wir haben uns erzählt, was auf unseren Fahrten so passiert ist. Und du?«

»Nein. Deswegen frag ich ja. Ich hab nur so ein bisschen vor mich hin gedöst. Bin irgendwann hochgeschreckt und war schweißgebadet. So richtig am ganzen Körper, als wenn ich ins Wasser gefallen wär. Und dann ist mir auf einmal was klar geworden. Nämlich dass es uns nicht mehr geben würde, wenn Ángel es nicht geschafft hätte, seine Handschellen loszuwerden. Da war's vorbei. Ich hab angefangen zu zittern. Konnte gar nicht mehr aufhören damit.«

»Und? Was hast du gemacht?«

»Bin aufgestanden und raus in den Hof. Fernando war auch da, er hat unter den Bäumen gehockt. Hatte sich irgendwo ein paar Zigaretten geschnorrt und war am Qualmen.«

»Und Ángel?«

»Den hab ich nicht gesehen. In seinem Bett war er nicht.«

»Wahrscheinlich bei La Santa.«

»Glaubst du?«

»Ja. Er hat mir erzählt, er wär bei ihr gewesen.«

»Na ja, spielt ja auch keine Rolle. Jedenfalls hab ich mich zu Fernando gesetzt und wir haben zusammen geraucht.«

»Worüber habt ihr geredet?«

»Dies und das.«

»Los, erzähl!«

»Nichts weiter. Wir haben nur ein bisschen rumfantasiert.«

»Ja, aber worüber?«

»Ach, Fernando hat damit angefangen. Es waren nur so ein paar Hirngespinste, nichts Besonderes. Wir haben uns vorgestellt, was wir machen würden, wenn wir ein paar Leute mehr wären und Waffen hätten. Was wir dann mit den Zetas anstellen würden und so.«

Jaz sieht mich verständnislos an. »Wieso anstellen?«

»Na, geht's dir denn nicht so, dass du dich an den Typen rächen willst?«

»Wie kommst du denn darauf? Ich bin froh, wenn ich nie wieder zu denen hinmuss.«

»Okay, dann ist es bei dir eben anders. Wir haben's uns jedenfalls vorgestellt. Wie wir hinfahren, mitten in der Nacht, und sie überraschen. Wie wir die Leute im Keller alle befreien. Wie die Zetas vor uns knien und um ihr Leben winseln. Wie wir das Gleiche mit ihnen machen, was sie mit uns gemacht haben. Genau das Gleiche, weißt du – das ganze Programm. Wie wir sie schön langsam krepieren lassen.«

Jaz zögert. Sie blickt mir in die Augen und für einen Moment hat sie einen Ausdruck im Gesicht, als hätte sie mich vorher nie gesehen. »Das könntest du tun?«, fragt sie.

»In der Stimmung von letzter Nacht – ja, glaub schon.«

»Nein.« Sie schüttelt entschieden den Kopf. »Könntest du nicht. Ich kenn dich besser.«

»Ach ja? Na, wenn du meinst. Jedenfalls hat's letzte Nacht irgendwie gutgetan, sich so was vorzustellen. Ich hab aufgehört zu zittern. Und später konnte ich sogar noch ein paar Stunden schlafen.«

Jaz sagt eine Zeit lang nichts. Dann rückt sie näher an mich heran.

»Weißt du, was mir am meisten Angst macht?«, fragt sie leise.

»Nein. Was?«

»Dass ich manchmal gar nicht mehr daran denke, wo ich überhaupt hinwill. Und warum. Ich hab's fast vergessen. Ich will nur irgendwie durchkommen, das ist alles. Aber wozu eigentlich?«

»Ja. Geht mir ähnlich. Manchmal fällt mir plötzlich ein, was mal der Grund für das alles hier gewesen ist, aber dann versuch ich's meistens genauso schnell wieder zu vergessen.«

»Warum?« Jaz sieht mich an und legt ihre Stirn in Falten. »Sei doch froh, dass du's noch weißt.«

»Ich weiß es ja eben nicht, das ist es doch gerade. Ich weiß nicht mehr, ob ich wirklich nach meiner Mutter suche oder – nach irgendeinem Bild, das ich mir in den letzten Jahren von ihr gemacht hab. Ich weiß gar nichts mehr. Nicht mal mehr, ob sie überhaupt meine Mutter ist.«

»Was soll sie denn sonst sein?«

»Na, irgendeine Frau, die ich mal gekannt hab und die mich nicht mehr wollte. Und nach wie vor nicht will. Vielleicht betrügen wir uns ja selbst. Vielleicht sollten wir mit der ganzen albernen Geschichte aufhören und anfangen, unser eigenes Ding durchzuziehen, statt irgendwelchen Hirngespinsten nachzujagen.«

»Hat Fernando das gesagt?«

»Nein. Stell dir vor, manchmal hab ich meine eigenen hellen Momente.«

Jaz senkt den Blick und sieht nachdenklich vor sich hin. »Um rauszukriegen, ob wir uns was vormachen, müssen wir aber erst mal ankommen«, sagt sie.

»Ja. Klingt logisch. Vielleicht ist das ja der einzige Sinn des Ganzen: rauszufinden, wie bescheuert wir sind.«

»Keine Ahnung«, sagt Jaz. »Vielleicht ist der einzige Sinn des Ganzen ja auch, dass wir uns kennengelernt haben. Und ein paar schöne Momente zusammen hatten. Wer weiß? Vielleicht ist das am Ende alles, was von der Sache hier übrig bleibt.«

Am nächsten Tag gehen wir zu La Santa in ihr kleines Büro, um uns von ihr zu verabschieden. Die drei Nächte, die wir bleiben dürfen, sind vorbei. Andere warten schon darauf, dass unsere Betten frei werden.

Das Büro ist ganz schlicht. Es ist nicht viel darin und das Wenige ist sorgfältig aufgeräumt. Ein Kreuz hängt an der Wand, ein paar Bilder daneben, es wirkt wie ein Ort der Ruhe und Gelassenheit inmitten des Chaos draußen auf den Straßen und an der Bahnstrecke.

Wir haben uns zu viert auf das Besuchersofa gequetscht, La Santa sitzt uns gegenüber. Sie ist klein und unscheinbar, aber der Eindruck täuscht, das haben wir in den Tagen hier gemerkt. Sie hat uns zum Abschied noch etwas zu essen eingepackt und jetzt ist sie gerade dabei, uns zu erklären, wie wir am besten aus der Stadt und weiter nach Norden kommen.

»Unser Bahnhof ist einer der am besten bewachten im ganzen Land«, sagt sie. »Deshalb empfehle ich meinen Leuten meistens, es weiter im Norden zu versuchen, in Bocas. Da gibt es eine kleine stillgelegte Bahnstation, an der fast alle Züge halten, weil die Strecke von da ab eingleisig ist und sie auf den Gegenverkehr warten müssen. Wachposten sind dort keine. Es ist zwar ein Fußmarsch von einem Tag, aber – ihr wisst ja – besser sicher als schnell.«

»Wieso sagen Sie, meistens?«, fragt Fernando. »Dass Sie es den Leuten *meistens* empfehlen?«

La Santa lächelt. »Weil es heute anders ist. Ich hatte eben Besuch von einem Mann, der …« Sie zögert. »Nun, wie er heißt und was er ist, spielt keine Rolle. Jedenfalls fühlt er sich der Kirche und meiner Herberge sehr verbunden und tut ab und zu gerne etwas Gutes, ohne dass gleich die ganze Welt davon wissen muss. Wir haben einen Kaffee zusammen getrunken. Dann bin ich nach nebenan gegangen und er hat ein längeres Selbstgespräch geführt, das ich zufällig mit angehört habe.«

Sie zwinkert uns zu. »Deshalb weiß ich, dass heute gegen Mittag ein größerer Güterzug in Richtung Nuevo Laredo vom Bahnhof abgeht. Von Gleis 8, wenn ihr es genau wissen wollt. Und der Mann, der bei mir war, wird dafür sorgen, dass dieser Zug nicht kontrolliert wird.«

Fernando will etwas dazu sagen, aber sie wehrt ab. »Das ist alles, was ihr von mir dazu hört. Ich wasche meine Hände in Unschuld. Ihr werdet schon wissen, was ihr zu tun habt.«

Das ist typisch. So, wie ich La Santa kennengelernt habe – und nach den Geschichten, die sich die anderen Leute hier über sie erzählen –, würde sie, um uns zu helfen, so ziemlich alle Regeln und Gesetze brechen, die es gibt. Nicht weil sie etwas gegen Regeln hätte. Im Gegenteil: In der Herberge gibt es eine Menge davon. Aber sie überlegt sich genau, welche Gesetze es wert sind, sich daran zu halten. Und wenn sie es nicht wert sind, dann pfeift sie eben darauf.

Sie gibt uns ein paar weitere Ratschläge und eine Zeit lang unterhalten wir uns noch, dann stehen wir auf und wollen los. Aber sie hält uns zurück.

»Wartet noch einen Augenblick«, sagt sie. »Ángel möchte euch etwas mitteilen.«

Erst jetzt fällt uns auf, dass Ángel auf dem Sofa hocken geblieben ist. Als wir uns wieder zu ihm setzen und ihn ansehen, wird er rot und rutscht hin und her. Dann steht er auf und setzt sich auf den Stuhl neben La Santa, uns gegenüber.

»Ich komme nicht mit«, murmelt er leise, ohne uns anzusehen.

Zuerst denke ich, meine Ohren spielen mir einen Streich. Auch Jaz und Fernando sind fassungslos. Aber Ángel scheint es wirklich ernst zu meinen, er sitzt nur da und blickt schweigend zu Boden.

»Ángel!«, sagt Jaz nach einer Weile. »Was soll das heißen?«

Kurz ist es still, dann verlangt auch Fernando nach einer Erklärung und schließlich reden wir zu dritt auf Ángel ein und versuchen ihn umzustimmen. Er hat Tränen in den Augen und reagiert nicht.

La Santa hebt die Hand. »Nein, hört auf damit«, sagt sie. »Versucht nicht, ihn von seinem Entschluss abzubringen. Wir haben lange darüber gesprochen. Und wir sind uns einig: Es ist das Beste für ihn, zurückzugehen.«

»Aber warum?«, fragt Jaz. »Und warum ausgerechnet jetzt? Wo wir es fast geschafft haben!«

»Ach, das hat mehrere Gründe«, sagt La Santa. »Zunächst das, was ihr erlebt habt. Ángel wollte erst nicht darüber reden, weil ihr es wohl dem Mann versprochen habt, der euch hergebracht hat. Aber irgendwann konnte er es nicht mehr für sich behalten. Ich weiß, was ihr durchgemacht habt.«

Fernando steht auf, schiebt die Hände in die Hosentaschen und tigert durch den Raum. Dann bleibt er vor La Santa stehen. »Na schön, Sie wissen es also«, sagt er. »Und? Es ist vorbei, wir haben's überstanden. Kein Grund, jetzt aufzugeben.«

»Für euch vielleicht nicht«, sagt La Santa. »Aber ihr seid auch ein paar Jahre älter als Ángel. Ihr habt mehr erlebt als er und könnt vielleicht schon ein bisschen besser damit umgehen. Ihr könnt es verdrängen und irgendwo in euch drin die Kraft finden weiterzumachen. Ángel kann das nicht.«

Fernando wendet sich von ihr ab und sieht Ángel an. Dann

schüttelt er den Kopf, geht zur Tür und lehnt sich dagegen. Er dreht uns den Rücken zu.

»Aber wir kümmern uns um ihn«, sagt Jaz. »Wir helfen ihm bei allem.«

»Ja, wahrscheinlich tut ihr das«, erwidert La Santa. »Aber es gibt noch einen anderen Grund und der ist viel wichtiger. Ihr wollt zu euren Eltern. Ángel aber hat nur einen Bruder in den USA und der ist in einer von diesen Straßengangs. Ihr wisst, was das bedeutet. Wahrscheinlich sind sie nicht besser als die Maras oder Zetas oder was es hier bei uns eben so gibt. Ihr habt sie kennengelernt.« Sie hebt die Stimme. »Fernando! Du weißt es doch am besten von uns allen.«

Fernando dreht kurz den Kopf in ihre Richtung, dann sieht er wieder weg.

»Solche Typen sind nichts Romantisches, keine Vorbilder, keine Freunde. Sie sind einfach nur brutal. Grausam und gemein. Ángel weiß das jetzt auch, nicht wahr?«

Ángel blickt immer noch zu Boden und nickt nur stumm. Als ich ihn ansehe, tut er mir wahnsinnig leid. Er sitzt da wie ein Häufchen Elend, wie einer, der gerade seine schönsten Hoffnungen und Träume begraben musste. Darüber also hat La Santa in den Nächten mit ihm gesprochen! Und anscheinend hat sie es gründlich getan.

»Also was soll er bei seinem Bruder?«, sagt sie. »Ist doch klar, wie es enden würde. Tut ihm das nicht an und lasst ihn gehen.«

Eine Zeit lang ist es still. Ich weiß gar nicht, was ich denken soll. Ángel sitzt da und die Vorstellung, ohne ihn weiterzufahren und ihn einfach hier zurückzulassen, ist schrecklich. Aber gleichzeitig spüre ich, dass La Santa recht hat mit dem, was sie sagt. Ich will nur nicht, dass sie recht hat.

Irgendwann kommt Fernando wieder zu uns und setzt sich. »Was hast du jetzt vor?«, fragt er Ángel.

»Ich kenne den Chef von La Migra in San Luis Potosí«, antwortet La Santa, bevor Ángel etwas sagen kann. »Seine Leute bringen ihn zur Grenze nach Guatemala. Keine Angst: Es passiert ihm nichts.«

Alle sitzen ziemlich betreten da. Schließlich hebt Ángel den Kopf und bricht das Schweigen.

»Ich gehe zurück zu meinen Großeltern«, sagt er. »Die freuen sich bestimmt, wenn ich wieder da bin. Mit mir hatten sie ja keinen Streit. Nur mit Santiago. Und – vielleicht versuch ich's in ein paar Jahren noch mal. Wenn ich älter bin.«

Er sieht Fernando an. »Du hattest recht, Fernando. Du und El Negro und alle, die gesagt haben, ich wär zu jung für die Fahrt. Ihr hattet alle recht.«

Fernando schneidet ihm mit einer energischen Handbewegung das Wort ab. »Das hab ich damals gedacht«, sagt er. »Am Anfang. Jetzt weiß ich's besser. Du hast uns alle gerettet. Ohne dich wäre keiner von uns mehr am Leben. Nach dem, was du für uns getan hast, würde ich dich barfuß auf den Schultern zur Grenze tragen – wenn du mich nur ließest.«

Bevor er weitersprechen kann, mischt La Santa sich ein. »Die Entscheidung ist gefallen«, sagt sie. »Und ich denke, es ist die richtige Entscheidung. Ihr drei wollt euren Weg weitergehen. Und ihr werdet es schaffen. Aber für Ángel ist die Reise hier zu Ende.«

Sie steht auf, verabschiedet sich von uns und wünscht uns alles Gute. Dann bleibt uns nichts anderes übrig, als auch Ángel Lebewohl zu sagen. Fernando macht den Anfang. Er steht da, ein bisschen gebeugt, die Hände in den Taschen, und ich kann sehen, dass er einen Kloß im Hals hat. Er will etwas sagen, bringt aber nichts heraus – was ich bei ihm noch nie erlebt habe. Dann dreht er sich um und stürmt nach draußen.

Jaz drückt Ángel an sich, als wenn sie ihn nie wieder loslassen wollte, ein paar Tränen laufen ihr übers Gesicht. Als ich ihn dann als Letzter umarme, quetscht es mir richtig das Herz zusammen. So lange haben wir uns aufeinander verlassen, alles geteilt, die schlimmsten Sachen gemeinsam überstanden – und jetzt ist alles in einem einzigen Augenblick vorbei.

Ich kann Ángel gar nicht mehr in die Augen sehen, drehe mich um und laufe Jaz und Fernando nach, die schon draußen auf der Straße sind. Vielleicht ist das ja von allem, was uns hier passiert, das Schlimmste, geht es mir durch den Kopf: Man lernt Leute kennen, freundet sich mit ihnen an, schließt sie ins Herz und dann verliert man sie aus den Augen oder muss sie zurücklassen und weiß genau, dass man sie wahrscheinlich nie wiedersieht.

Es ist brutal, es ist gemein und es tut unglaublich weh. Es ist einer von den Momenten, in denen ich mir wünsche, ich wäre nie zu dieser verdammten Fahrt aufgebrochen.

Es kommt mir vor, als würden wir aus dem Backofen in einen Kühlschrank steigen. Vor ein paar Stunden, als die Sonne noch am Himmel stand, war es so unerträglich heiß, dass wir uns nur von einem Schatten zum nächsten geschleppt haben und gierig auf jeden Windhauch waren. Jetzt, wo es dunkel ist, wird es auf einmal erbärmlich kalt. Wir hocken neben den Gleisen in unseren dünnen T-Shirts, drängeln uns aneinander, eingewickelt in die Decke, die wir aus der Herberge mitgenommen haben, und wünschen uns die Hitze der Sonne zurück.

Den ganzen Tag sind wir mit dem Zug, von dem La Santa gesprochen hat, nach Norden gefahren. Je weiter wir kamen, umso trockener wurde die Landschaft. Zuerst hörten die Bäume auf, es gab nur noch Gestrüpp und Sträucher, dann nicht mal mehr das. Das Gras wurde braun und bleich, der Boden sandig und steinig, ausgetrocknete Flussbetten tauchten auf. Ein paar einsame Dörfer mit kleinen Kapellen lagen noch am Rand der Strecke, sonst nichts.

Irgendwann waren wir dann mitten in der Wüste. Bis zum Horizont nur Steine, Geröll und Sand, ab und zu ein paar kahle Hügel, die Schienen liefen schnurgerade hindurch. Alles, was es an Grünem noch gab, waren die Kakteen, die ihre Stacheln zum Himmel reckten. Ab und zu kamen wir an ausgestorbenen Geisterstädten vorbei, die aussahen, als wären sie mal die Kulisse für einen alten Western gewesen.

In unserem Waggon wurde es so heiß, dass uns der Schweiß

übers Gesicht lief und wir nicht mal was dafür tun mussten. Unsere Wasservorräte gingen zu Ende, bald waren wir völlig ausgetrocknet. Eigentlich wollten wir auf dem Zug bleiben, aber am Abend konnten wir es nicht länger aushalten. Als er auf einem Ausweichgleis hielt, nutzten wir die Gelegenheit und sprangen ab, um nach etwas Trinkbarem zu suchen.

Bestimmt eine Stunde waren wir unterwegs, dann lag in einer Senke, in der es ein paar Grashalme gab, eine Weide mit klapprigen Kühen vor uns. Das Wasser in der Tränke sah reichlich abgestanden aus, aber wir waren so elend durstig, dass wir uns nicht daran störten. Wir stürzten hin, soffen uns richtig voll und füllten schließlich auch noch unsere Flaschen in dem Trog.

Als wir zu den Gleisen zurückkamen, war der Zug längst weg. Es wurde dämmrig und kühl, schließlich dunkel und kalt. Und jetzt sitzen wir hier unter unserer Decke und versuchen uns irgendwie warm zu halten.

»Da kommt wieder einer«, sagt Fernando.

Diesmal reagieren wir gar nicht mehr. Vor etwa einer Stunde ist schon mal ein Zug vorbeigefahren. Wir sind zu den Gleisen gerannt, aber er war viel zu schnell, als dass wir es auf einen der Wagen geschafft hätten. Auch der hier hält nicht an, sondern donnert mit ohrenbetäubendem Lärm vorbei. Kein Grund, die Wärme unter der Decke für ihn zu opfern.

»Vielleicht wären wir doch besser auf unserem Zug geblieben«, sagt Jaz, als das Geräusch der Räder in der Ferne verklingt.

»Kann man nie wissen«, antwortet Fernando. »Wenn er in der Hitze bis zur Grenze durchgefahren wär, dann wären wir wahrscheinlich als Trockenobst angekommen.«

Jaz zieht die Decke ein Stück höher über ihren Hals. »Ja, und so bleiben wir wie ein paar Kakteen hier hocken. Wer weiß, wann wir weiterfahren können.«

»Irgendwann hält schon wieder einer«, sagt Fernando. »Dafür ist dieses verlotterte Gleis schließlich da. Wir dürfen ihn nur nicht verpassen.«

Es ist inzwischen stockdunkel. Als wir so dahocken, muss ich an die Nacht im Gebirge denken, in der wir Emilio verloren und nach ihm gesucht haben. Die Nacht mit Fernandos Schildkrötentaktik. Und vor allem muss ich daran denken, dass wir damals noch zu viert waren – fast sogar zu fünft.

»Was glaubt ihr, wie's Ángel jetzt geht?«, frage ich die anderen. »Ob er schon an der Grenze im Süden ist?«

»Nein, ist zu weit«, sagt Fernando. »Die brauchen mindestens zwei Tage, um ihn da runterzukarren. Vielleicht sogar drei.«

»Hoffentlich sitzt er nicht in diesem Bus, von dem du erzählt hast.«

»Im Bus der Tränen? Glaub ich nicht. Nach dem, was La Santa gesagt hat, gehen sie bestimmt anständig mit ihm um.«

»Trotzdem«, sagt Jaz. »So, wie er ausgesehen hat, ist er mindestens genauso traurig wie wir. Und er ist allein. Er hat keinen, mit dem er reden kann.«

»Ja, und von dem Zeug hier hat er auch nichts«, sagt Fernando. Er stößt mich an und reicht mir die Tüte mit dem Klebstoff rüber. Wir lassen sie schon seit einiger Zeit rumgehen, es ist verdammt gut, dass wir sie haben. Ich setze sie an die Lippen und sauge so viel von dem Zeug in mich rein, wie ich kann. Danach gebe ich sie an Jaz weiter, die das Gleiche tut.

»Eigentlich wär's unsere Aufgabe gewesen«, sagt sie dann. Ihre Stimme klingt anders als sonst. Sie ist ganz belegt von dem tiefen Zug, den sie genommen hat.

»Was wär unsere Aufgabe gewesen?«, fragt Fernando.

»Na, es ihm zu sagen. Wisst ihr nicht mehr, wie er von seinem Bruder erzählt hat? Als wir durch die Berge gefahren sind! Wir haben doch gemerkt, dass er sich was vormacht. Aber keiner hat's ihm gesagt. Wir haben nur dagesessen und die Klappe gehalten.«

Fernando nimmt die Tüte wieder in Empfang. Ich kann hören, wie er sie zusammenknüllt und wegsteckt.

»Jedenfalls müsst ihr's *mir* sagen, das müsst ihr versprechen«, fährt Jaz fort. »Wenn ihr das Gefühl habt, dass ich mir auch was vormache und eigentlich alles Blödsinn ist. Ihr müsst es mir ins Gesicht sagen!«

Inzwischen haben wir es geschafft, so eng zusammenzurücken, dass die Decke uns von allen Seiten einhüllt und nicht die winzigste Lücke frei lässt, durch die die Kälte eindringen kann. Auch der Klebstoff tut seine Wirkung. Es ist schön warm in mir drin, und je weiter die Wärme sich ausbreitet, umso mehr verlieren die Gedanken ihre Schärfe und alles, was um uns ist, seinen Schrecken. Alle Sorgen scheinen dahinzuschmelzen wie Schokolade auf einer heißen Herdplatte und dann verlaufen sie zu einem süßen, klebrigen Brei, in dem ich mich treiben lasse.

Irgendwann döse ich ein. Ein paarmal schrecke ich hoch, aber ich weiß gar nicht, ob ich wirklich aufwache oder es nur träume. Beim ersten Mal fährt ein Zug vorbei, nur ist er ganz leise und scheint über den Gleisen zu schweben wie eine Sinnestäuschung. Beim zweiten Mal ist der Mond aufgegangen und in dem weichen Licht steht nur wenige Meter neben uns ein verwilderter Hund. Er lässt die Zunge aus dem Maul hängen und starrt uns neugierig an. Beim dritten Mal ist der Hund verschwunden, aber genau an der gleichen Stelle steht nun auf einmal der Mann, den ich auf der Fahrt von Ixtepec nach Veracruz getroffen habe.

Er lächelt, als er mich sieht. »Hallo, Junge. Erinnerst du dich? Ich habe dir gesagt, dass wir uns wiedertreffen.«

Ich bin total verblüfft von seinem plötzlichen Auftauchen. »Wo – wo kommen Sie her?«

»Tja, schwer zu sagen«, antwortet er. »Wo kommst du her?«

»Ich dachte, Sie hätten es nicht überlebt. Als Sie vom Zug gesprungen sind. Damals in der Nacht – bei der Razzia.«

Er lacht und tritt näher. Dann setzt er sich neben mich. Jaz und Fernando kriegen nichts davon mit, sie schlafen beide tief und fest.

»Das war eine Nacht, was? Sie hatten uns wirklich in der Falle. Aber irgendwie geht es immer weiter. Auf die eine oder andere Art zumindest.«

»Woher haben Sie gewusst, dass wir uns wiedertreffen? Und: Wer sind Sie eigentlich?«

»Oh, ich bin dein Begleiter, der immer bei dir ist – egal was passiert.«

Er krümmt auffordernd seinen Zeigefinger, ich beuge mich in seine Richtung. »Weißt du, ich habe meine Meinung von damals geändert«, flüstert er. »Damals habe ich gedacht, du wärst nur einer von diesen Traumtänzern. Jetzt weiß ich, dass du ein ganz schön zäher Bursche bist. Vielleicht schaffst du ja doch, was du dir vorgenommen hast. Ich wünsche es dir jedenfalls.«

Er legt mir die Hand auf die Schulter. »Erinnerst du dich, was ich dir damals zum Abschied gesagt habe?«

»Ich weiß nicht mehr genau. Dass Sie Ihre Rechnungen immer bezahlen oder so.«

»So ist es. Das hat mir keine Ruhe gelassen, weißt du? Und genau deshalb bin ich jetzt hier: um meine Rechnung zu bezahlen.« Er deutet in Richtung der Gleise. »Da steht euer Zug. Ihr dürft ihn nicht verpassen. Es ist für lange Zeit der letzte, der hier hält.«

Ich drehe mich um. Tatsächlich: Ein Zug steht auf dem Ausweichgleis. Er muss ganz lautlos herangefahren sein. Ich kann ihn deutlich sehen, der Morgen dämmert schon herauf.

»Du musst jetzt aufwachen«, höre ich den Mann sagen. Als ich mich wieder zu ihm hinwende, ist er aufgestanden und gerade dabei zu gehen – mitten in die Wüste hinein. Aber er bleibt noch einmal stehen.

»Diesmal treffen wir uns nicht mehr wieder«, sagt er. »Viel Glück, Junge!«

Ich will ihm etwas hinterherrufen, aber im gleichen Moment höre ich ein lautes Pfeifen. Ich schrecke hoch, öffne die Augen und da wird es mir schlagartig klar: Auf dem Ausweichgleis steht wirklich ein Zug und das Pfeifen kann nur von der Lokomotive kommen, auf die er wartet. Gleich wird der andere Zug vorbeirattern, dieser hier wird anfahren und die kostbare Gelegenheit ist vertan.

Hastig wecke ich die anderen. Fernando kapiert sofort, was los ist, springt auf und rafft seine Sachen zusammen. Jaz braucht ein bisschen länger, ich muss sie erst schütteln, damit sie aus ihren Träumen findet. Schon rollt die Karawane der Waggons auf dem anderen Gleis vorüber. Wir laufen zu dem wartenden Zug, öffnen einen Wagen nach dem anderen, bis wir einen gefunden haben, der genug Platz bietet, und klettern rein. Gleich darauf ruckelt der Zug an und fährt los.

Während Jaz und ich uns zwischen die Kisten und Säcke fallen lassen, die der Wagen geladen hat, bleibt Fernando an der Tür sitzen und blockiert sie mit dem Fuß.

»Mensch, Miguel!«, stöhnt er, als der Zug Fahrt aufgenommen hat. »Ist echt ein Schweineglück, dass du aufgewacht bist. Ich glaub, ich hätte noch Stunden weitergeschlafen, wenn du uns nicht geweckt hättest.«

»Ja.« Ich muss an mein seltsames Erlebnis denken. »Das war wirklich – Glück.«

Draußen ist es jetzt schon einigermaßen hell, durch die Tür, die Fernando mit dem Fuß offen hält, kann ich die Gegend gut erkennen. In der Ferne ist ein Hügel, darauf sitzt der Hund, den ich im Dunkeln gesehen habe, und blickt zu uns rüber. Als ich ihn entdecke, wird mir ganz anders. Was von den Dingen, die ich in der Nacht erlebt habe, war Wirklichkeit und was nur ein Traum? Es läuft mir kalt den Rücken runter.

»Jedenfalls bin ich verdammt froh, wenn wir aus der Wüste raus sind.«

»Ja, kannst du laut sagen«, erwidert Fernando. »Die Leute erzählen, wenn einer zu lange in der Wüste bleibt, wird er irgendwann verrückt.« Um es zu unterstreichen, malt er mit dem Finger kleine Kreise vor der Schläfe. »Richtig durchgeknallt, wenn du verstehst, was ich meine.«

Ich lehne mich an die Wand des Wagens und warte, bis der Hund nicht mehr zu sehen ist. Dann überlege ich, ob ich von meinem seltsamen Erlebnis erzählen soll. Aber noch bevor ich es tun kann, reißt mich Jaz plötzlich aus meinen Gedanken.

»*¡Ey, miren!*«, ruft sie von hinten. »Seht mal!«

Wir drehen uns zu ihr um. Sie hat die Ladung durchstöbert und kurzerhand ein paar von den Kisten aufgebrochen. Triumphierend hält sie eine Dose mit Pfirsichen in die Höhe. »Hier ist noch mehr davon«, sagt sie.

Mir schießt das Wasser im Mund zusammen. Fernando stöhnt auf, kramt in seiner Hosentasche, zieht ein Klappmesser heraus und wirft es Jaz hin.

»Los, mach sie auf!«

Jaz nimmt das Messer, stößt die Klinge in den Deckel der Dose und schneidet ein großes Loch hinein. Dann setzt sie die Öffnung an den Mund und trinkt in großen Schlucken. Wir hängen ihr richtig an den Lippen.

Als sie fertig ist, hat sie ein verklärtes Lächeln auf dem Gesicht. »Ah, das tut gut«, sagt sie und reicht die Dose an mich weiter. »Endlich bin ich den Geschmack von dieser Kuhtränke los!«

Ich trinke ebenfalls ein paar tiefe Schlucke, fingere eine der Pfirsichhälften heraus und stecke sie mir gleich in einem Stück in den Mund. Es ist wie im Paradies.

Als Fernando an der Reihe ist, schiebt er die Tür noch etwas weiter auf und streckt sich lang auf dem Rücken aus. Dann hebt er die Dose über den Kopf und schüttet sich den Pfirsichsaft in hohem Bogen in den Mund.

»Ah«, sagt er und leckt sich genießerisch die Lippen. »So kann man's bis zur Grenze aushalten. Mach gleich noch eine auf, Jaz. Oder am besten zwei. Gibt's auch andere Sorten?«

»Ananas, Mango, Birnen«, zählt Jaz auf. »Am besten nehm ich von jeder Sorte welche, da müssen wir nicht so oft laufen.«

Sie kommt schwer bepackt zu uns an die Tür, stellt die Dosen ab und macht sich wieder mit dem Klappmesser an ihnen zu schaffen. Wenig später sitzen wir da, im Kreis um die geplünderten Konserven, und essen, während draußen die Sonne aufgeht, eine nach der anderen leer.

»Wie weit ist es eigentlich noch bis zur Grenze?«, fragt Jaz, während sie sich eine Ananasscheibe in den Mund stopft.

»Na ja, ich bin kein Navi«, sagt Fernando und wirft zwei leere Dosen über die Schulter nach draußen. »Aber ich würde sagen, wenn wir Glück haben und der Zug durchfährt, können wir heute Abend da sein.«

Jaz grinst mich an. Sie sieht witzig aus. Ihre Augen leuchten und der Obstsaft, der ihr aus dem Mund gelaufen ist, hat ein paar helle Streifen über ihr Kinn gezogen.

»Diese Stadt, in die wir müssen«, sage ich zu Fernando. »Du warst doch schon mal da. Wie ist es da so?«

»Nuevo Laredo?« Fernando lacht und winkt ab. »Na ja, dass es in Grenzstädten ein bisschen rauer zugeht als anderswo, ist ja bekannt. Aber Nuevo Laredo ist die reinste Hölle. Richtig verpestet mit Drogendealern, das Nest. Die schmuggeln das Zeug in die USA und machen eine unglaubliche Kohle damit. Die Narcos kontrollieren die ganze Stadt.«

»Aber mit denen haben wir nichts zu tun, oder?«, fragt Jaz.

»Wer da hingeht, hat automatisch mit ihnen zu tun. Sie sind überall, haben die Stadt komplett im Griff. Vor ein paar Jahren ist rausgekommen, dass sie die Bullen geschmiert haben. Da hat die Armee die Kontrolle übernommen. So ist es bis heute. Ständig fahren Soldaten auf gepanzerten Wagen mit Maschinengewehren durch die Straßen. Aber nicht mal das ändert was. Inzwischen steht auch die halbe Armee bei den Narcos auf der Gehaltsliste. Gegen die ist einfach kein Kraut gewachsen. Wer sich gegen sie stellt, ist so gut wie tot.«

»Das heißt«, sage ich, »wir ziehen hübsch die Köpfe ein, wenn wir da sind?«

»Und zwar im wahrsten Sinn des Wortes«, erwidert Fernando. »Das Schlimmste ist, dass es mehrere Drogenkartelle gibt, die sich bis aufs Messer bekämpfen. Ständig gibt's Schießereien auf offener Straße. Die normalen Leute trauen sich kaum noch raus, die Stadt ist ein einziger Albtraum. Wir müssen einfach so schnell wie möglich über die Grenze.«

»Hört sich echt beruhigend an«, sagt Jaz. »Und ausgerechnet da bringst du uns hin?«

»Glaub nicht, dass es woanders an der Grenze besser ist«, sagt Fernando. »Und außerdem: Wo das Chaos am größten ist, fallen Leute wie wir am wenigsten auf. Das ist unsere Chance.«

Wir rollen weiter nach Norden, durch das kahle Land mit den Kakteen und den ausgetrockneten Flussbetten. Nach einiger Zeit übernehme ich von Fernando den Wachposten an der Tür und lasse die Landschaft an mir vorbeiziehen. Der Unterschied könnte nicht größer sein zu dem satten grünen Dschungel im Süden, der mir jetzt wie eine Welt aus der fernen Vergangenheit erscheint.

So weit haben wir es also gebracht!, geht es mir durch den Kopf. Ausgeplündert und zusammengeschlagen, halb verhungert, halb erfroren, aber immer noch auf dem Weg, immer noch da und endlich auf der letzten Etappe. Ich muss an unsere erste Fahrt denken, zwischen Ciudad Hidalgo und Tapachula. Wie neu damals alles war und wie uns jedes Rumpeln des Zuges den Angstschweiß auf die Stirn trieb – zumindest Jaz und mir. Jetzt sind wir fast wie alte Hasen, die kaum noch was erschüttern kann.

Und an den Fluss muss ich denken, an den Río Suchiate. Wie

wir dasaßen im Gebüsch und so erwartungsvoll und ängstlich zugleich zur anderen Seite blickten. Ich habe Fernandos Stimme noch im Ohr. *Von hundert Leuten, die über den Fluss gehen*, hat er damals gesagt, *packen es gerade mal zehn durch Chiapas, drei bis zur Grenze im Norden und einer schafft's rüber.*

Als ich darüber nachdenke, wird mir plötzlich klar, dass er bis hierher in gewisser Weise recht gehabt hat. *Drei bis zur Grenze im Norden* … Das stimmt, wir sind drei: Fernando, Jaz und ich. Als wenn er es vorhergesehen hätte.

… *und einer schafft's rüber*. Ich hoffe nur, der letzte Teil seiner Prophezeiung geht nicht auch noch in Erfüllung.

Die Sträucher leben. Sie haben Augen und Ohren, aus denen sie in alle Richtungen spähen und lauschen. Sie haben Münder, mit denen sie atemlose Botschaften ins Dunkel flüstern. Sie haben Hoffnungen und Ängste. Und immer wieder lösen sich ein paar Schatten aus ihnen und schleichen hinunter zum Fluss.

Da unten liegt er und fließt breit und behäbig vor sich hin: der Río Bravo. Der Fluss, an dem sich irgendwann das Schicksal von allen, die es bis hier geschafft haben, entscheidet. Meistens nicht so, wie sie es erhoffen. Manchmal aber schon. Und die Geschichten von den paar Glücklichen sind das, woran sich alle anderen klammern.

Wir haben es tatsächlich bis zum Abend nach Nuevo Laredo geschafft. Kurz vor dem Bahnhof haben wir den Zug in der Dämmerung verlassen und sind durch düstere Sträßchen zur Migrantenherberge geschlichen. Da gab es ein warmes Abendessen und gleich danach haben wir uns auf den Weg zum Fluss gemacht, um wenigstens einen fernen Blick zu riskieren auf das Land, in das wir wollen.

Besonders ermutigend ist der Anblick nicht. Die Grenzbefestigungen am anderen Ufer sind ganz schön beeindruckend. In regelmäßigen Abständen stehen Türme mit Scheinwerfern darauf, deren Lichtkegel über den Fluss wandern – von der einen Seite zur anderen und wieder zurück, immer von Neuem, vermutlich die ganze Nacht. Vor den Wachtürmen ist ein Weg, auf dem die Grenzer patrouillieren, manche in Geländewagen, manche zu Fuß mit Spürhunden. Und als wäre das noch nicht genug, erscheint alle paar Minuten ein Hubschrauber und fliegt so tief über dem Wasser, dass er es richtig aufpeitscht.

Dazu kommen die ständigen Lautsprecherdurchsagen mit Warnhinweisen, ein einziges Gebrüll, das über den Fluss zu uns rüberdröhnt. Alles wirkt bedrohlich und düster und ich kann mir nicht vorstellen, wie es überhaupt jemand schaffen will, hier mit heiler Haut die andere Seite zu erreichen.

Wir sitzen auf einer Mauer, hinter uns ist eine Schnellstraße, über die der Verkehr rauscht. Unter unseren Füßen geht es einige Meter in die Tiefe und da fängt er an: der Uferstreifen mit seinen Sträuchern und Gehölzen, in denen die Leute hocken, die es heute Nacht wagen wollen.

Fernando zeigt nach unten. »Der Todesstreifen«, sagt er.

Ich sehe mir das Gelände vor uns an, aber viel erkennen kann ich nicht. Alles ist ruhig und dunkel – wenigstens auf den ersten Blick. »Wieso Todesstreifen? Danach sieht's eher auf der anderen Seite aus, wenn du mich fragst. Hier ist doch alles ganz harmlos.«

»Täusch dich nicht. Da steckt viel übles Gesindel in den Büschen. So ähnlich wie in La Arrocera. Wenn wir zum Beispiel so blöd wären, jetzt hier runterzuspringen, würd's keine drei Minuten dauern und die Typen wären da, um uns auszurauben.«

»Oh, Mann! Das heißt, es ist mal wieder der reinste Spießrutenlauf bis zum Ufer?«

»Ja, so ungefähr.«

»Und dann? Wie geht's über den Fluss?«

»Na ja, der Río Bravo ist nicht der Suchiate. Ist nicht nur breiter und tiefer, es gibt auch viele Strudel, aus denen du nicht wieder rauskommst, wenn du einmal drin bist. Und dann sind da diese kleinen grünen Schlangen. Sehen aus, als könnten sie kein Wässerchen trüben, aber in Wahrheit sind sie giftig wie die Pest.« Fernando schüttelt angewidert den Kopf und zeigt flussabwärts. »Hab mal gehört, weiter unten würden regelmäßig Tote angeschwemmt. Das sind die, die es nicht bis zur anderen Seite geschafft haben.«

Jaz seufzt. »Hört sich nicht so an, als hätten wir überhaupt eine Chance«, murmelt sie.

»Ein Spaziergang ist es nicht«, sagt Fernando. »Aber auch kein Grund, den Kopf hängen zu lassen. Wir müssen nur den richtigen *coyote* finden.«

»Coyote?« Im ersten Augenblick muss ich an das Tier denken, aber das kann er ja wohl kaum meinen. »Was soll das sein?«

»So nennen sie hier die Schlepper, die die Leute über die Grenze bringen. Gibt Hunderte von den Kerlen. Die meisten sind in Banden organisiert, viele gehören zu den Kartellen und schmuggeln gleich noch ein bisschen Stoff mit rüber.«

»Das heißt: Hier versucht man gar nicht erst, alleine rüberzukommen?«

Fernando beugt sich vor und lässt einen Mund voll Spucke in die Tiefe fallen. »Klar gibt's welche, die's auf eigene Faust versuchen. Vor allem die, die keine Kohle haben, die Kojoten zu bezahlen. Aber die sieht nie einer wieder. Entweder werden sie schon hier unten fertiggemacht oder sie ertrinken im Fluss oder werden spätestens von den Grenzern auf der anderen Seite erwischt. Sieh dir die Festung doch an! Da schaffst du's nur rein, wenn du einen hast, der die geheimen Wege kennt.«

Wie auf Kommando erscheint wieder der Hubschrauber, als Fernando das sagt. Er fliegt den Fluss entlang, das Licht aus seinen Scheinwerfern gleitet über die Wellen. An einer Stelle bleibt er stehen und geht tiefer, das Wasser brodelt und schäumt. Mitten im Fluss kann ich ein paar Inseln erkennen. Zwischen ihnen und dem Ufer auf unserer Seite treibt etwas im Wasser, dann geht es unter. Der Hubschrauber steigt höher und verschwindet.

»Du warst doch schon mal hier, Fernando«, sagt Jaz, als das Schlagen der Rotorblätter nicht mehr zu hören ist. »Hast du da versucht rüberzukommen?«

Fernando blickt finster vor sich hin. Nach einer Weile nickt er nur kurz.

»Was ist passiert? Warst du nicht mit einem dieser Schlepper unterwegs?«

»Doch«, knurrt Fernando. »Aber der Kerl hat mich gelinkt.«

Als ich das höre, drängt sich mir ein Verdacht auf. »Ist das vielleicht die Sache, die du hier zu erledigen hast?«

Fernando schnaubt. »Verdammt, du siehst eben nicht jedem an, ob er ein Betrüger ist oder nicht. Ich war unvorsichtig. Der Kerl hat mein Geld kassiert und sich aus dem Staub gemacht, als wir am anderen Ufer waren. Die Grenzer haben mich geschnappt und in diesen elenden Knast gesteckt. Da war ich mit Typen in einer Zelle, die dir die Fresse schon poliert haben, wenn du sie nur einmal zu oft angeguckt hast. Zum Glück nicht allzu lange, dann haben sie mich abgeschoben.«

»Und jetzt? Willst du dich an dem Kerl rächen?«

»Ach, was heißt rächen. Wär zu viel Ehre für das Schwein. Ich hol mir nur zurück, was mir gehört. Freu mich schon darauf, den Kerl wiederzusehen.«

Jaz rutscht unruhig auf der Mauer hin und her. »Ich hab kein gutes Gefühl dabei, Fernando«, sagt sie.

»Musst du auch nicht. Die Sache hat mit deinen komischen Gefühlen nichts zu tun.«

»Trotzdem. Ich hab keine Lust, dass wir so kurz vor dem Ziel alles aufs Spiel setzen, nur weil du mit irgendeinem Typen deinen Privatkrieg führen musst.«

»Mensch, du raffst es einfach nicht.« Fernando schlägt genervt auf die Mauer. »Es geht nicht um mich, es geht um uns. Wir brauchen einen Haufen Kohle, um über die Grenze zu kommen, und der Kerl schuldet mir schon mal eine ganze Menge davon. Hast du's jetzt kapiert?«

»Um wie viel geht's denn?«, frage ich ihn. »Wie viel hast du ihm damals gegeben, damit er dich rüberbringt?«

»1200 Dollar.«

»1200 Dollar?« Ich weiß nicht genau, wie viel das ist, aber es klingt ziemlich beeindruckend. »Wo hattest du so viel Geld her?«

»Na, ich hab's verdient.«

»Was, hier?«

»Klar hier, wo sonst. In der Wüste bestimmt nicht.«

»Und womit?«

»Das wirst du noch eher rausfinden, als dir lieb ist«, sagt Fernando. »Gibt viele Möglichkeiten, auf der Straße Geld zu verdienen. Wem nichts Besseres einfällt, der putzt den Leuten die Schuhe oder vertickt Süßigkeiten oder wäscht Autos oder macht sonst irgendeinen Scheiß.«

»Und wem was Besseres einfällt?«

Fernando lacht, dann winkt er ab. »Darüber müssen wir nicht heute Abend schon reden.«

»Na, egal was es ist«, sagt Jaz. »Ich glaub trotzdem nicht dran. Wie sollen wir's schaffen, so viel Geld zu verdienen, dass wir für alle drei die Tour da rüber bezahlen können? Dafür brauchen wir Jahre!«

Fernando blickt eine Weile schweigend auf den Fluss und die Wachtürme am anderen Ufer. Dann fängt er an, seelenruhig ein Lied vor sich hin zu pfeifen.

»Das schaffen wir schon«, sagt er schließlich, als er damit fertig ist. »Die Stadt ist zwar ein Dreckskaff, aber eins muss man ihr lassen: Das Geld liegt auf der Straße. Und wir sind ja nicht blöd, oder?«

»Nein, aber abgebrannt und ausgehungert und außerdem kennen wir hier keinen«, sagt Jaz. »Und selbst wenn wir's schaffen, so viel Geld zusammenzubringen: Wie sollen wir's anstellen, dass uns nicht wieder das Gleiche passiert wie dir?«

Fernando hebt die Hand. »Hey, das durftest du jetzt einmal sagen, aber sag's nie wieder, ja?« Er sieht Jaz an. »Ich hab schon viele Fehler gemacht in meinem Leben. Aber eins steht fest: Ich mach nie den gleichen zweimal, das tun nur Dummköpfe. Diesmal lassen wir uns erst dann mit einem von den Kojoten ein, wenn wir sicher sind, dass er zuverlässig ist. Diesmal fallen wir auf keinen Betrüger rein, da kannst du Gift drauf nehmen.«

Wir versuchen noch mehr aus ihm rauszukriegen, vor allem über das, was bei seinem ersten Aufenthalt in der Stadt passiert ist, und über die »wahren« Möglichkeiten, hier Geld zu verdienen. Aber er will nichts weiter verraten. Also sitzen wir nur da und beobachten das Treiben auf der anderen Seite des Flusses.

»Na, ich hab genug davon«, sagt Jaz schließlich. »Ich werd nur trübsinnig, wenn ich mir das länger ansehe. Außerdem bin ich müde. Lasst uns wieder zur Herberge gehen.«

»Gut, hauen wir ab«, sagt Fernando. »Will mir schließlich nicht vorwerfen lassen, dass du wegen mir deinen Schönheitsschlaf nicht kriegst.«

Wir drehen uns um, springen von der Mauer und laufen über die Straße. Als wir auf der anderen Seite sind, blickt Fernando noch mal zum Fluss zurück.

»Mach's gut«, sagt er. »Wir sehen uns wieder. In der Nacht, wenn's so weit ist.«

Die ersten drei Nächte, die wir in der Stadt sind, schlafen wir in der Herberge. Tagsüber lassen wir uns durch die Straßen treiben und versuchen herauszufinden, was sich andere so einfallen lassen, um an Geld zu kommen.

Zum Glück müssen wir keine übertriebene Angst vor den Bullen haben, das merken wir schnell. Eigentlich scheint es nur vier Sorten von Menschen in der Stadt zu geben. Erstens die Narcos, die in protzigen Schlitten und mit Goldketten behängt durch die Straßen fahren. Viele sind kaum älter als Fernando. Zweitens die Soldaten, die die Typen eigentlich bekämpfen sollen, ihnen aber lieber aus dem Weg gehen und nur dafür sorgen, dass das Leben in der Stadt irgendwie weitergeht. Drittens die Leute von den Zügen, die über die Grenze wollen. Und viertens die *gringos*, die US-Amerikaner, die hier sind, um sich in den Puffs und Bars und Drogenspelunken mal so richtig zu amüsieren. Normale Leute sieht man kaum, die scheinen alle aus der Stadt geflohen zu sein.

Am ersten Tag sind wir noch zu dritt unterwegs, aber am zweiten setzt Fernando sich von Jaz und mir ab und lässt uns alleine rumziehen. Am Abend warten wir vergebens auf ihn und am Morgen ist er immer noch verschwunden. Nach dem

Frühstück müssen wir raus aus der Herberge. Wir sind ziemlich ratlos, was wir ohne ihn anfangen sollen, aber als wir auf die Straße treten, sehen wir ihn gegenüber im Schatten an der Hauswand lehnen.

Kaum hat er uns bemerkt, winkt er uns, ihm zu folgen. Wir gehen in einen Park, wo wir ungestört sind. Die ganze Zeit kann ich ihm ansehen, dass was Besonderes passiert ist, in seinen Augen ist so ein wilder und triumphierender Blick. Aber er sagt nichts, sondern lässt uns zappeln. Erst als wir in einem abgelegenen Teil des Parks sind, wo uns keiner beobachten kann, lässt er die Katze aus dem Sack.

»Manchmal gibt's eben Nächte, die sich lohnen«, sagt er und zieht ein Bündel mit Dollarscheinen aus der Hosentasche, steckt es aber sofort wieder ein.

Jaz und ich kriegen große Augen. Halb ungläubig und halb erschrocken sehen wir uns an. Mir ist gleich klar, was passiert ist.

»Du hast den Typen also gefunden?«

»Klar. Ich wusste ja, wo ich ihn suchen muss. Musste nur den richtigen Zeitpunkt abwarten. Dann hab ich's ihm heimgezahlt.«

»Was hast du mit ihm gemacht?«

Fernando lehnt sich an einen der Bäume und sieht an mir vorbei. »Das willst du nicht wissen.«

Eine Zeit lang ist es still. Jaz steht mit hochgezogenen Schultern da, die Hände in den Hosentaschen. »Du hast ihn doch nicht ...«, beginnt sie.

»Nein, hab ich nicht«, sagt Fernando. »Aber ich hab ihm klargemacht, dass ich's tun würde, wenn ich die Kohle, um die er mich beschissen hat, nicht wiederkriege. Ich hab's ihm so klargemacht, dass er's nie vergessen wird. Ein kleines Andenken, das er sein Leben lang behält.«

»Sag's lieber nicht«, murmelt Jaz. »Die Einzelheiten will ich gar nicht wissen.«

Fernando winkt ab. »Tut auch nichts zur Sache. Jedenfalls hat es seinen Zweck erfüllt.«

»Und das Geld?«, frage ich. »So viel, wie er dir schuldet, hatte er ja wohl kaum dabei.«

»Nein. Aber ich hab ihm vor seiner Wohnung aufgelauert. Ein richtiges Rattenloch, in allen Ritzen war was versteckt. Möchte nicht wissen, wie viele Leute er dafür ans Messer geliefert hat. Na egal. Jedenfalls hab ich mir die Kohle von ihm zurückgeholt.«

»Die ganzen 1200?«

»Ja. Und dann hab ich ihn in aller Freundlichkeit davon überzeugt, dass es gesünder für ihn ist, wenn er noch ein bisschen was draufpackt. Zinsen und Schmerzensgeld sozusagen. Ist nur gerecht, wenn ihr mich fragt.«

»Hast du keine Angst, dass er irgendwann mit ein paar Typen vor dir steht?«, fragt Jaz.

Fernando zuckt mit den Schultern. »Er weiß ja nicht, wo er mich finden kann. Irgendeinen Vorteil muss es schließlich haben, wenn du kein Zuhause hast.« Er grinst, dann wird er ernst. »Zum Glück hat der Kerl nichts mit den Kartellen zu tun, sonst wär mein Leben keinen Pfifferling mehr wert. Aber dann hätte ich die Aktion auch nicht gestartet.«

»Trotzdem«, sagt Jaz. »So einfach hinnehmen wird er die Sache ja wohl nicht.«

»Nein, aber das Risiko ist es mir wert. Klar, er wird bestimmt ein paar Leute zusammentrommeln und versuchen, sie auf mich zu hetzen. Aber die müssen mich erst mal finden. Ab jetzt hab ich hinten Augen, da könnt ihr sicher sein. Und es ist nur ein weiterer Grund dafür, dass wir uns beeilen müssen.«

Er klopft auf seine Hosentasche. »Immerhin ist der Anfang gemacht. Jetzt müssen wir nur noch den Rest zusammenkriegen – und einen finden, der uns rüberbringt.«

»Du könntest doch schon alleine gehen«, sage ich zu ihm. »Für dich würde das Geld locker reichen.«

»Ja, stimmt.« Fernando nickt. »Könnte ich tun. Aber ich bring's einfach nicht übers Herz, euch zwei Grünschnäbel hier alleine zu lassen. Außerdem wär's unterlassene Hilfeleistung, und das ist strafbar.«

»Ich dachte ja nur. Von wegen, was du unten in Chiapas gesagt hast.«

»Ach ja? Was hab ich denn gesagt?«

»Na, dass am Ende jeder auf sich gestellt ist und keine Hilfe erwarten darf. Das hast du gesagt.«

»Ach, das! Und jetzt kapierst du nicht, wie das zusammenpasst, was?«

»Nein, irgendwie nicht.«

»Tja.« Fernando zuckt mit den Schultern. »Das wird dann wohl daran liegen, dass du so einiges nicht kapierst.«

»Ist ja auch egal«, unterbricht Jaz uns. »Jeder erzählt mal was und meint's nicht so. Was mich mehr interessiert, ist: Wo sollen wir ab jetzt eigentlich schlafen?«

Fernando seufzt. »Siehst du, da geht's schon wieder los. Euch kann man einfach nicht allein lassen. Ihr würdet jeden Tag mindestens zehnmal draufgehen, wenn euch nicht einer sagt, wo's langgeht. Und jede Nacht mindestens zwanzigmal.«

»Halt keine langen Reden«, sagt Jaz. »Wie ich dich kenne, hast du dir bestimmt schon was überlegt.«

»Falsch! Dafür muss ich gar nicht überlegen, weil ich's nämlich schon so weiß. Also: Ich geh jetzt und regle die Sache.«

Fernando marschiert los und tut, als würde er uns nicht mehr beachten. Aber dann dreht er sich doch noch mal um.

»Und ihr schwingt eure faulen Ärsche und seht zu, dass ihr auch mal ein bisschen Kohle ranschafft«, ruft er. »Und zwar noch heute. Ich will schließlich nicht *alles* alleine machen!«

Ein paar von ihnen sind jünger als ich. So wie Ángel vielleicht. Aber die meisten sind in meinem Alter. Sie stehen an der Straße und warten. Manche gleich vorne an der Bordsteinkante, herausfordernd, die Beine gespreizt, die Hände in den Hosentaschen, sodass nur die Daumen hervorschauen. Andere lehnen im Schatten an der Mauer, die Arme schützend um den Körper geschlungen, wie ängstliche, scheue Tiere, die sich kaum trauen, den Kopf zu heben. Jeder spielt seine Rolle. Und die meisten spielen sie verdammt gut.

Ab und zu rollt ein Auto die Straße entlang. Viele Gringos stehen auf mexikanische Jungs, hat Fernando erzählt. Vor allem, wenn sie arm sind – und schmutzig. Manche Autos rollen vorbei, ohne dass was passiert. Andere halten, irgendwann schwingt die Beifahrertür auf, einer der Jungs steigt ein, das Auto fährt weiter.

Ein paar von den Typen kommen auch zu Fuß. Auf der anderen Straßenseite bleiben sie stehen. Bei manchen geht es schnell, bis sie sich entscheiden, bei anderen dauert es ewig. Sie taxieren die Jungs, bis ihr Blick an einem von ihnen hängen bleibt. Der Junge geht los, der Typ folgt auf der anderen Straßenseite. Dann verschwinden sie im Dunkel.

»Auf dich werden sie fliegen«, flüstert Fernando, während wir zweien von ihnen nachblicken. »Ich kenne die Typen. Du bist genau nach ihrem Geschmack, Süßer.«

Wir hocken ein Stück entfernt in einer düsteren Einfahrt

und beobachten das Treiben auf der Straße. Seit einer guten Stunde sind wir jetzt schon hier, allmählich haben wir genug gesehen.

»Deine dummen Sprüche kannst du dir ausnahmsweise mal sparen«, flüstere ich zurück. Mir ist nicht danach. Ich habe das Gefühl, dass bei dem, was wir vorhaben, der unangenehmere Teil eindeutig bei mir liegt.

»Na schön, dann zum Geschäft«, sagt Fernando. »Hast du dir den Weg gemerkt?«

»Was denkst du denn? Glaubst du, ich würd das hier machen, wenn ich den Weg nicht wüsste? Ich hab keine Lust, dass mir eins von den perversen Schweinen wirklich an die Wäsche geht.«

»Gut, dann ist ja alles geregelt. Ich hau ab und bezieh meinen Posten. Und denk dran: Stell ihn mir so hin, dass er mir den Rücken zudreht.«

»Ja, geht klar, Mann. Jetzt mach, dass du wegkommst!«

Fernando klopft mir noch mal aufmunternd auf die Schulter, dann verschwindet er. Ich bleibe allein zurück mit dem mulmigen Gefühl in der Magengegend, das mich schon seit einiger Zeit begleitet. War es wirklich richtig, mich auf das hier einzulassen? Ich weiß es nicht. Aber jetzt ist es sowieso zu spät, darüber nachzudenken. Außerdem habe ich es selbst so gewollt.

Seit zehn Tagen sind wir inzwischen in Nuevo Laredo. Fernando hat uns eine Unterkunft besorgt in einem Lager vor den Toren der Stadt, wo Hunderte von Leuten hausen, die über die Grenze wollen. Allerdings ist Unterkunft nicht ganz das richtige Wort. Es ist eine winzige Hütte aus Pappe und Wellblech mit zerschlissenen, fleckigen Matratzen darin, die zwischen ein paar Hundert anderen winzigen Hütten steht. Das ist alles. Immerhin ist es ein Dach über dem Kopf.

Jaz und ich, wir wollten das, was Fernando gesagt hat, nicht auf uns sitzen lassen. Also haben wir noch an dem Tag, an dem wir die Herberge verlassen mussten, angefangen, selbst Geld zu verdienen. Ich hatte zuerst einen miesen, schlecht bezahlten Job in einem Warenlager. Dann habe ich von dem Lohn ein paar Putzsachen gekauft und an den Kreuzungen die Scheiben der wartenden Autos gewaschen. Damit lässt sich mehr verdienen, aber es ist auch gefährlicher. Man muss aufpassen, nicht überfahren zu werden, und wenn man so blöd ist, sich von den Soldaten erwischen zu lassen, kann in einer Sekunde alles vorbei sein.

Jaz hat angefangen, auf der Straße Süßigkeiten und Kaugummis zu verkaufen. Sie bekommt das Zeug von einem schmierigen Burschen im Lager, der eine ganze Reihe von Leuten für sich laufen lässt, und muss ihm die Hälfte ihrer Einnahmen abliefern – manchmal sogar mehr, wenn er was an ihr auszusetzen hat. Deswegen ist es nicht viel, was uns am Abend bleibt, schließlich müssen wir auch noch unser Essen und die Hütte davon bezahlen.

Fernando sehen wir nur selten. Er ist meistens in der Nacht unterwegs und schläft am Tag. Über das, was er tut, erzählt er wenig. Aus den Andeutungen, die er macht, können wir raushören, dass er versucht, Gringos auszunehmen, die unvorsichtig genug sind, sich nach Einbruch der Dunkelheit noch in den Gassen herumzutreiben. Ich würde gern wissen, wie weit er dabei geht, frage ihn aber lieber nicht.

Jedenfalls scheint die Sache sich zu lohnen. Als wir gestern alles zusammengeworfen haben, was jeder von uns verdient hat, war mein Anteil gegenüber dem von Fernando so mickrig, dass ich mich richtig geschämt habe. Auch Jaz saß ganz geknickt in der Ecke. Fernando hat mir in die Augen gesehen und dann ist er mit dem Vorschlag rausgerückt, er und ich könnten ja was zusammen auf die Beine stellen. Eben das hier.

Ich löse mich aus der Einfahrt und gehe über die Straße. Die Jungs auf dem Bordstein beobachten mich misstrauisch. Ich stelle mich auf einen Platz, der gerade frei geworden ist, und lehne mich gegen die Mauer.

»Hey, was willst du?«, schnauzt mich einer von ihnen an. Er gehört zu denen, die vorne an der Bordsteinkante stehen. »Das ist Marcos Platz.«

»Na und? Der ist doch nicht mehr da.«

»Der kommt aber wieder, du Wichser.«

»Bis dahin bin ich weg.«

Er macht drohend ein paar Schritte auf mich zu. »Anscheinend kapierst du's nicht. Muss dir wohl erst einer klarmachen, dass du hier nichts verloren hast.«

»Ach, reg dich ab. Und dreh dich mal um. Ich glaub, der Fettsack dahinten will was von dir.«

Auf der anderen Straßenseite steht ein Typ im Hawaiihemd und glotzt zu uns rüber. Ich habe den Eindruck, dass er sich besonders für den Wüterich interessiert. Der wirft mir noch einen bösen Blick zu, dann wendet er sich ab, kurz darauf verschwindet er mit dem Dicken.

Nach ein paar Minuten haben die anderen sich an mich gewöhnt. Übertrieben freundlich guckt keiner von ihnen, aber immerhin lassen sie mich in Ruhe. Ich halte mich vorsichtshalber erst im Hintergrund, dann gehe ich weiter nach vorn und fange an, mich auf die Typen zu konzentrieren, die vorbeikommen.

Ihre Blicke sind ekelhaft. Je mehr ich von ihnen zu sehen kriege, umso übler wird mir. Das Einzige, was mich die Sache ertragen lässt, ist der Gedanke, dass ich nicht hier bin, um mich von ihnen verarschen zu lassen, sondern um sie selbst zu verarschen.

Der Erste, der sich für mich interessiert, sitzt in einem Wagen mit abgedunkelten Scheiben. Er rollt die Straße entlang, bleibt vor mir stehen und fährt das Seitenfenster runter. Aber den Kerl kann ich nicht brauchen. Ich schüttle den Kopf und winke ab. Er funkelt mich wütend an und streckt den Mittelfinger aus dem Fenster, dann fährt er weiter.

Der Nächste ist einer von der anderen Straßenseite. Er sieht mich an, ich sehe zurück. Dann nickt er. Ich versuche abzuschätzen, wie viel Kohle er bei sich haben könnte. Fernando ist Experte darin, der kann so was geradezu riechen und irrt sich fast nie. Ich kann das nicht, keine Ahnung, was ich von dem Typen halten soll. Aber dann gebe ich mir einen Ruck und gehe los. Schließlich ist einer so gut wie der andere. Und ich habe keine Lust, mein halbes Leben hier zu verbringen.

Aus den Augenwinkeln sehe ich, dass er mir auf der anderen Straßenseite folgt. Als wir weit genug weg sind, überquert er die Straße und dackelt auf dieser Seite hinter mir her. Ich gehe langsamer und lasse ihn ein Stück herankommen. Er grinst mich an, ich quäle mir auch ein Lächeln ab.

Dann biege ich in eine Seitenstraße ein. Den Weg hat Fernando ausgetüftelt, vor einer Stunde sind wir ihn noch zusammen abgegangen. Nur jetzt keinen Fehler machen! Sonst habe ich den Kerl an den Hacken und muss sehen, wie ich alleine mit ihm fertigwerde. Na, zur Not haue ich einfach ab, ich bin auf jeden Fall schneller als er.

Von der Seitenstraße geht es in eine Gasse, dann um ein paar Ecken und schließlich in ein noch kleineres, düsteres Gässchen. Jetzt ist es nicht mehr weit zu der Stelle, an der Fernando wartet. Ich laufe weiter, spüre aber, dass der Typ nicht mehr folgt. Als ich mich umdrehe, steht er da und blickt misstrauisch den finsteren Gang runter, in dem keine Menschenseele zu sehen ist.

»Where you going?«, fragt er.

»To my room.« Ich kratze die paar englischen Brocken zusammen, die ich mir in der Zeit hier draufgeschafft habe. »My room is small. And dirty.« Mit der rechten Hand greife ich mir zwischen die Beine.

Er grinst wie ein Idiot. Jetzt habe ich ihn. Als ich mich wieder in Bewegung setze, überlegt er nicht mehr, sondern kommt mir nach. Er ist jetzt direkt hinter mir, ich kann ihn riechen und seinen Atem spüren. Ohne es zu wollen, gehe ich schneller und suche dabei mit den Augen die beiden Seiten des Gässchens ab. Endlich, da vorne ist es! Da sind die Mülltonnen, hinter denen Fernando hockt und auf uns wartet.

Ich bleibe vor ihnen stehen. Dann zeige ich auf ein Fenster des Hauses auf der anderen Seite des Gässchens. Es ist eine alte, verlassene Bruchbude.

»My room.«

Der Typ sieht zu dem Fenster hoch. Er ist jetzt so nah, dass ich trotz der Dunkelheit zum ersten Mal sein Gesicht erkennen kann. Eigentlich sieht er ganz normal aus, jedenfalls nicht wie ein Perverser, aber bevor ich weiter darüber nachdenken kann, taucht hinter ihm schon Fernando auf. Er kommt hinter den

Mülltonnen vor, lautlos wie ein Schatten, und hebt etwas über den Kopf – eine Art Knüppel, mit dem er sich bewaffnet hat.

Doch bevor er zuschlagen kann, dreht der Mann sich auf einmal um. Vielleicht hat mein Blick ihm verraten, dass hinter ihm etwas vor sich geht. Er hebt den Arm, deshalb wird Fernandos Schlag abgelenkt und trifft nicht seinen Kopf, sondern nur seine Schulter. Für einen Moment ist er benommen und schwankt, fängt sich aber sofort wieder und knallt Fernando mit einer Kraft, die ich ihm gar nicht zugetraut hätte, die Faust ins Gesicht.

Fernando taumelt zurück und kracht in die Mülltonnen. Der Typ will auf ihn losgehen, aber ich springe ihn von hinten an und umklammere ihn, so fest ich kann. Zum Glück rappelt Fernando sich wieder auf. Er wirft dem Mann einen wütenden Blick zu und stößt ihm den Knüppel in die Magengrube.

Der Gringo gibt ein lautes Pfeifen von sich und klappt nach vorne, dann übergibt er sich. Er kotzt einfach auf den Boden, anscheinend hat er ganz schön was getrunken. Ich lasse ihn los, er sinkt auf die Knie. Fernando schlägt zu. Der Mann fällt nach vorne und bleibt liegen, ohne sich zu rühren.

Schwer atmend lässt Fernando den Knüppel fallen und tastet sein Gesicht ab. »Scheiße! Musstest du mich so anstarren? Demnächst kannst du gleich mit dem Finger auf mich zeigen.«

»Reg dich ab, ist ja nichts passiert«, erwidere ich.

»Ja, toll. Deine Zähne sind's ja nicht.«

Als er das sagt, dringen vom Ende des Gässchens dumpfe Stimmen zu uns her. In einem Fenster ein Stück weiter geht das Licht an. Der Lärm, als Fernando in die Mülltonnen gerauscht ist, war auch wirklich nicht zu überhören.

»Los, mach hin!«, flüstere ich. »Wir müssen hier weg.«

Fernando kniet sich neben den Mann und zieht ihm die Brieftasche aus der Hose. Er durchsucht sie, nimmt die Geldscheine raus und wirft ihm den Rest wieder hin.

»Wie viel ist es?«

»Weiß nicht genau. Hundertfünfzig oder so.« Er steht auf und grinst mich an. »Nicht schlecht fürs erste Mal. Du bist ein echtes Naturtalent. Hast ordentlich mit dem Arsch gewackelt, was?«

»Ich hab dir eben schon gesagt, bei der Sache ist mir nicht nach Witzen zumute. Los, lass uns abhauen!«

Wir sehen zu, dass wir aus dem Gässchen verschwinden. Dann laufen wir durch ein paar abgelegene Straßen zum Lager zurück. Wir müssen uns nicht absprechen, wir wissen beide, dass es genug ist für heute Nacht. Fernando geht neben mir und zählt das Geld, das wir dem Mann abgenommen haben.

»Ist schon verrückt, oder?«, sage ich zu ihm.

»Was ist verrückt?«, fragt er, ohne sich beim Zählen stören zu lassen.

»Na, was wir alles tun für so ein paar komische bedruckte Papierfetzen.«

Fernando lacht. »Die Welt ist nun mal verrückt. Warum sollten wir die Ausnahme sein?«

»Was macht diese kranke Stadt mit uns, Fernando?«

Er steckt das Geld weg und vergräbt die Hände in den Hosentaschen. »Tut dir der Kerl etwa leid?«

»Weiß nicht. Vielleicht ist er ja einfach nur eine arme Sau, die nicht anders kann.«

Fernando öffnet ein paarmal den Mund und klappt ihn wieder zu, als ob er nachprüfen will, ob mit seinem Kiefer noch alles in Ordnung ist. »Ich weiß nur eins«, sagt er. »Für uns ist die Kohle, die wir ihm abgenommen haben, unsere Fahrkarte in die Freiheit. Für ihn ist es nichts. Wenn er sich von seinem Brummschädel erholt hat, fährt er zurück über die Grenze, hält bei der nächsten Bank und hebt das Dreifache ab. Wegen dem brauchst du dir wirklich keinen Kopf zu machen, Mann.«

Vielleicht hat er recht, ich antworte nichts darauf. Nur eines weiß ich ganz sicher: Wir dürfen uns nicht mehr viel Zeit lassen, bis wir über die Grenze gehen. Irgendwie bringt diese Stadt nur das Schlechteste in uns zum Vorschein. Und ich habe keine Lust, noch mehr davon zu sehen.

Eigentlich will ich es nicht mehr tun, aber es ist wie ein Zwang. Wie eine Sucht, nachdem es einmal funktioniert hat. Alles in dieser Stadt ist wie eine Sucht. Und so bin ich die nächste Nacht wieder mit Fernando unterwegs – und dann jede Nacht. Zuerst geht es gut. Die anderen Jungs werden zwar immer feindseliger, je öfter ich bei ihnen aufkreuze, versuchen mich zu verjagen und stoßen Drohungen aus, aber mehr passiert zunächst nicht.

Dann finden sie anscheinend heraus, was wir mit den Gringos anstellen, und kriegen Angst, wir könnten ihnen das Geschäft verderben. Als ich mich das nächste Mal zu ihnen stelle, tauchen auf einmal zwei Männer auf, und bevor ich kapiere, was los ist, packen sie mich, verschwinden mit mir in einer dunklen Ecke und schlagen mich zusammen. Zum Abschied versetzen sie mir noch ein paar Fußtritte und drohen, ich würde es nicht überleben, wenn ich mich noch mal hier blicken ließe.

Ich bleibe eine Zeit lang liegen, dann quäle ich mich hoch und schleiche zu Fernando, der wie üblich in dem kleinen Gässchen hinter den Mülltonnen auf mich wartet. Als er mich sieht, stellt er erst gar keine Fragen, er weiß auch so, was passiert ist. Wir müssen nicht lange darüber reden. Es ist klar, dass die Sache vorbei ist.

Fernando macht sich woanders auf die Jagd und ich schleppe mich ins Lager zurück. Ich freue mich darauf, Jaz zu sehen, doch als ich in unserer Hütte ankomme, ist sie nicht da. Ich warte auf sie, aber sie erscheint nicht. Es wird immer später und allmählich kriege ich Panik und fürchte, es könnte ihr was passiert sein. Schließlich gehe ich los, erst durchs Lager und dann in die Stadt, laufe durch die Straßen und suche sie an allen möglichen und unmöglichen Orten, an denen wir schon zusammen waren und von denen ich denke, sie könnte dort sein.

Aber sie ist wie vom Erdboden verschluckt. Eine ganze Weile bin ich unterwegs, inzwischen halb krank vor Sorge, dann weiß ich nicht mehr, wo ich noch suchen soll, und kehre ins Lager zurück. Als ich wieder in unserer Hütte bin, ist sie immer noch nicht da. Ich stelle mir vor, was ihr in der Stadt alles zustoßen könnte, und bin völlig verzweifelt.

Doch dann steht sie plötzlich vor mir. Sie kommt gebückt durch die winzige Tür der Hütte nach drinnen und zuckt zusammen, als sie mich sieht.

»Jaz, Gott sei Dank!«, sage ich. »Wo warst du?«

»Na, unterwegs, wo sonst? Und du? Was machst du hier? Ich denke, du bist mit Fernando los.«

»Nein, das hat sich erledigt. Es gab ein paar Leute, die was dagegen hatten.«

Sie setzt sich zu mir. Es gibt keinen Strom in der Hütte, aber im schwachen Mondlicht kann sie sehen, was die Männer mit meinem Gesicht angestellt haben.

»Miguel!« Sie tastet nach meiner geschwollenen Backe. »Wer hat das getan?«

»Ist doch egal.« Ich wehre ihre Hand ab. »Was meinst du damit: Du warst unterwegs? Wo denn?«

»Ich musste noch – na ja, ein bisschen neue Ware holen für morgen und so.«

Sie kann nicht lügen. Wenn sie es versucht, wird sie sofort rot und fängt an zu stammeln. Das mag ich an ihr, es ist irgendwie süß. Eine der vielen Sachen, die ich an ihr mag. Aber jetzt versucht sie zu lügen und ich weiß nicht, warum. Ich sehe ihr in die Augen. Sie guckt weg. Und dann wird mir mit einem Schlag klar, wo sie war und was sie getan hat.

»Jaz!« Mir wird richtig schlecht. »Sag, dass das nicht wahr ist.«

Sie reagiert nicht.

»Du sagst jetzt sofort, dass das nicht wahr ist!«

Erst stöhnt sie nur genervt, dann zieht sie ihre Schuhe aus und schleudert sie in die Ecke. »*Du* hast doch damit angefangen«, stößt sie hervor. »Du und Fernando.«

»Jaz! Wir machen aber nicht rum mit den Typen, wir nehmen sie nur aus.«

»Na und? Ist doch auch nicht besser.«

»Natürlich ist das besser. Die Kerle haben's nicht anders verdient. Aber sich selbst verkaufen …«

Jaz zieht die Knie an den Körper und umschlingt sie mit den Armen. Sie sieht auf einmal so zerbrechlich und schutzlos aus, es tut weh, sie anzusehen.

»Ich hab's nicht getan«, sagt sie leise.

»Wie, du hast es nicht getan? Was denn jetzt?«

»Ich wollte es tun. Aber als ich dann … Na, ist ja auch egal. Jedenfalls konnte ich's nicht.«

Jetzt weiß ich gar nicht mehr, was ich denken soll. Eine Zeit lang sehe ich sie nur von der Seite an.

»Wie kommst du eigentlich auf so eine bescheuerte Idee?«

»Na, wie schon? Ist doch klar, oder? Ich hab keine Lust, mich von euch einfach mit rüberschleifen zu lassen, ohne dass ich selbst auch was dafür tue.«

»Aber doch nicht so! Mensch, Jaz, meinst du, auf die Art will ich über die Grenze? Da fahr ich lieber zurück. Und zwar noch diese Nacht. Auf der Stelle!«

»Tust du nicht.«

»Tu ich wohl. Wenn du mir nicht hier und jetzt versprichst, dass du nie wieder so eine dämliche Aktion startest, bin ich weg, da kannst du sicher sein.«

Jaz blickt zur Seite, dann kurz zu mir, schließlich zu Boden. Ihre Hände zittern.

»Na, was ist? Versprichst du's?«

Erst zögert sie, dann nickt sie langsam. Als sie so dasitzt, die Arme um die Knie geschlungen, und ich ihr ins Gesicht sehe, das irgendwie so trotzig, aber auch so hilflos ist, macht es mich unendlich traurig – und wütend zugleich.

»Welcher Scheißkerl hat dich überhaupt auf die Idee gebracht? Ich meine, wer hat dir gesagt, wo du …«

Sie wendet sich von mir ab. »Spielt doch keine Rolle.«

»Und ob es eine Rolle spielt. Es spielt sogar eine verdammt große Rolle.« Plötzlich habe ich einen Verdacht. »Sag nicht, dass es Fernando war.«

»Ach, hör auf damit. Ich hab dir versprochen, was du wolltest. Also lass es gut sein.«

»Ich fasse es nicht!« Jetzt ist nur noch die Wut da, ich springe auf. »Den kauf ich mir.«

»Miguel!«, ruft Jaz hinter mir her, als ich schon an der Tür bin. »Bleib hier!«

Ich höre nicht auf sie. Schon bin ich draußen und laufe durch das Lager in Richtung Stadt. Mit einem Mal habe ich einen unbändigen Hass auf Fernando. Wie konnte er Jaz das antun? All die Dinge, die wir zusammen erlebt haben, die wir gemeinsam durchgestanden haben, all das, was er für uns getan hat – nichts davon ist jetzt noch etwas wert.

Ich kenne die Orte, an denen er sein könnte, er hat sie mir gezeigt. Einen nach dem anderen suche ich sie ab. Als ich daran denke, dass wir beide es gewesen sind, er und ich, die Jaz auf den Gedanken gebracht haben, auf diese schmutzige Art das Geld für den Kojoten zusammenzubringen, wird mir schlecht. Aber den Tipp, wo und wie sie es tun kann, hat er ihr alleine gegeben. Und dafür soll er mir büßen.

Schließlich finde ich ihn. Gegenüber einer der Bars, in denen die Gringos sich vergnügen, auf der anderen Straßenseite – wo das Licht der Laternen nicht mehr hinfällt – steht er im Dunkeln und wartet, dass ein Betrunkener auf die Straße torkelt. Einer, der noch um ein paar Ecken zu seinem Auto muss. Ich gehe an ihm vorbei und remple ihn an.

»Los, komm mit!«

»Hey, was ist denn mit dir los?«, fragt er und zieht die Augenbrauen hoch. »Noch nicht genug Ärger gehabt heut Nacht?«

»Du sollst mitkommen!«

Ich gehe einfach weiter. Er stößt ein kurzes Lachen aus, tut aber, was ich sage, und folgt mir. Wir gehen schweigend hintereinander, biegen in ein paar andere Straßen ein, schließlich sind wir in einem düsteren Durchgang zu einem Hinterhof. Ein alter Blechkanister liegt im Weg, ich trete ihn zur

Seite. Dann bleibe ich stehen und drehe mich zu Fernando um.

»Hast *du* Jaz gesagt, wo sie anschaffen gehen kann?«

Er sieht mich an. Dann seufzt er, dreht den Kopf zur Seite und stemmt die Hände in die Hüften.

»Ja, aber …«

Im nächsten Moment gehe ich auf ihn los. Fast hätte ich ihm ins Gesicht geschlagen, tue es dann aber doch nicht, dafür bin ich nicht der Typ. Ich versetze ihm nur einen heftigen Stoß, sodass er nach hinten taumelt, über die eigenen Füße stolpert und lang auf den Rücken fällt. Dann bleibe ich mit geballten Fäusten über ihm stehen. Ich spüre, wie mir die Tränen übers Gesicht laufen.

Er zuckt kurz, als wenn er am liebsten aufspringen und mir eine knallen würde. Aber dann bleibt er einfach liegen, wie er hingefallen ist, und stützt sich nur auf die Ellbogen.

»Sie ist zu mir gekommen, Miguel«, sagt er mit müder Stimme. »Genau wie du. So wie du auch gekommen bist und diese Scheiße machen wolltest.«

»Das ist gelogen. Du hast es mir vorgeschlagen.«

»Du weißt, dass das nicht stimmt. Du hattest ein schlechtes Gewissen und hast mich gefragt, ob es was gibt, womit du mehr Geld verdienen kannst. Erst dann hab ich dir davon erzählt. Und du wolltest es machen.«

»Na und?« Vielleicht hat er recht, ich weiß es nicht mehr. »Das hat nichts mit Jaz zu tun.«

»Kann sein, aber bei ihr war's das Gleiche. Es war ihre Idee. Ich hab versucht, ihr die Sache auszureden, aber da war nichts zu machen, sie wollte es so. Sie ist stur, wenn sie sich was in den Kopf setzt, das weißt du doch. Also hab ich ihr vor ein paar Tagen gesagt, wo sie hingehen kann. So«, er rappelt sich hoch und steht auf, »und wenn du jetzt immer noch denkst, dass ich's verdient hab, kannst du mir eine reinhauen. Ich wehr mich auch nicht.«

Natürlich kann ich es nicht. Die ganze Wut, die sich in mir angesammelt hat, ist mit einem Schlag weg. Ich fühle mich nur noch leer und kraftlos.

»Hier kommt keiner ohne Beulen durch«, sagt Fernando nach einer Weile. »Und als Heiliger geht auch keiner aus der Sache raus. Wenn du lieber der kleine Heilige geblieben wärst, der du unten am Río Suchiate vielleicht noch warst, dann hättest du zu Hause bleiben müssen.«

Er legt mir die Hand auf die Schulter. »Du bist immer noch ein besserer Mensch als die meisten hier – mich eingeschlossen. Und Jaz sowieso. Ganz egal was sie in den letzten Nächten getan hat.«

Ich sehe an ihm vorbei und versuche, wieder einen halbwegs klaren Gedanken zu fassen.

»Aber jetzt muss Schluss damit sein«, sage ich schließlich. »Lass uns verschwinden, Fernando. Bevor die Stadt uns kaputtmacht.«

Er überlegt kurz, dann nickt er. »Okay, vielleicht reicht das Geld ja schon. Geh mal ins Lager zurück und pass auf, dass Jaz keine Dummheiten macht. Am besten, ihr haltet euch ruhig und wartet auf mich.«

»Was hast du vor?«

»Na, was schon?« Er grinst. »Es ist Zeit, mit den Kojoten zu heulen.«

Die Wege sind wie schmale weiße Striche in der Unendlichkeit, wie kleine Bäche voller Milch. Von Süden fließen sie heran, vereinigen sich und enden in Nuevo Laredo. Nördlich davon gibt es keine Bäche mehr, nur weiße Punkte. Winzig sind sie – und grässlich weit voneinander entfernt.

»Hier war's, wo sie Emilio vom Zug geworfen haben«, sagt Jaz und zeigt auf einen Punkt der Karte. Wir sind in der *Iglesia de San José*, der Kirche des heiligen Josef, wo es für Leute wie uns ab und zu umsonst was zu essen gibt, und stehen vor der Landkarte am Eingang des Gemeindesaals. Tausende von Leuten sind den Weg, der sie hergeführt hat, mit dem Finger nachgefahren, sodass die Farbe entlang der Bahnlinien ganz abgewetzt ist. Andere haben die Städte im Norden berührt, als ob sie sich schon mal mit ihnen anfreunden wollten. Überall da, wo ihre Finger gelegen haben, sind jetzt weiße Flecken.

»Ja, und hier ist Tierra Blanca«, sage ich. »Irgendwo da ist der Padre. Und hier – in San Luis Potosí – ist La Santa.«

Wir stehen seit ein paar Minuten da und erinnern uns an die Erlebnisse unserer Fahrt. Neben uns drängeln Leute nach drinnen, die zur Essensausgabe wollen.

»Wir sind ganz schön weit gekommen«, sagt Jaz. Ihr Finger wandert nach oben. Sie sucht Chicago und Los Angeles. Die Entfernung dazwischen ist fast so groß wie der Weg durch Mexiko. Nachdem sie die Strecke mit dem Finger nachgefahren ist, lässt sie entmutigt den Kopf sinken.

»Das schaffen wir schon.« Ich lege ihr den Arm um die Schulter und ziehe sie an mich. »Wir lassen uns nicht trennen. Wir finden schon irgendwie wieder zusammen da oben, glaub's mir.«

»Ja, hoffentlich«, sagt sie. »Na komm! Lass uns sehen, ob Fernando schon da ist.«

Wir gehen rein. Seit jener Nacht, in der diese üblen Sachen passiert sind und in der ich mich fast mit Fernando geprügelt hätte, haben Jaz und ich das Lager nicht mehr verlassen, weil wir am liebsten nie wieder was mit der Stadt zu tun haben wollten. Dabei ist uns erst aufgefallen, was für ein Elend in den Hütten herrscht. Bisher waren wir immer nur zum Schlafen da und haben es kaum gemerkt – jetzt ist es uns so richtig klar geworden.

Es ist ein schmutziges, stinkendes Nest voll mit heimatlosen Leuten, die nicht mehr wissen, wohin. Viele sind auf Drogen, die an jeder Ecke verkauft werden. Sie haben keine Kraft mehr, über den Fluss zu gehen, aber zurückfahren wollen sie auch nicht. Also sind sie im Lager gestrandet, dämmern vor sich hin und werden allmählich zu Gespenstern, mehr tot als lebendig. Manche sind so kaputt, dass es wirkt, als wären sie durchsichtig – kaum noch da.

Als wir das gesehen haben, haben wir endgültig kapiert, dass wir so schnell wie möglich hier wegmüssen, damit es uns nicht irgendwann genauso geht. Fernando hat angefangen, sich nach einem geeigneten Kojoten umzusehen, und für heute Mittag haben wir uns an der Kirche verabredet, um zu hören, was er rausgefunden hat.

Der Saal ist rappelvoll, als wir eintreten. Fast alle Plätze sind besetzt, das Besteck klappert und von den Gesprächen summt es wie in einem Bienenstock. Fernando ist schon da, er sitzt in einer Ecke und schaufelt das Essen in sich rein. Es gibt Suppe, dazu kann jeder so viel Brot nehmen, wie er will.

Wir holen unsere Portionen und quetschen uns zu Fernando. Als er uns bemerkt, sieht er nur kurz hoch und winkt mit dem Löffel, dann schaufelt er weiter. Anscheinend hat er eine lange Nacht hinter sich.

»Ah, das war gut«, seufzt er, als sein Teller leer ist, und schiebt ihn weg. Dann grüßt er zur gegenüberliegenden Wand. Da ist ein großes Bild von Jesus, der die Hände von sich streckt, als ob er die Leute im Raum segnen wollte. »Danke, Mann!«

»Du siehst müde aus«, sagt Jaz. »Warst du die ganze Nacht auf Achse?«

»Klar.«

»Und?«

Fernando scheint immer noch nicht satt zu sein. Er reißt sich ein Stück von meinem Brot ab, tunkt es in Jaz' Suppe und steckt es in den Mund. »Bin jetzt der Welt größter Kojotenexperte«, sagt er schmatzend.

»Was hast du rausgefunden?«, frage ich ihn.

Er schluckt das Brot runter, beugt sich vor und senkt die Stimme. »Also: Es gibt so ungefähr zehn oder fünfzehn Kojotenbanden in der Stadt, zu jeder gehören ein paar Dutzend von den Typen. Sie schmieren die Bullen und kriegen so raus, wann und wo die beste Zeit für die Aktion ist. Außerdem zahlen sie Schutzgeld an die Diebe unten am Fluss, sodass von denen keine Gefahr droht. Wer zu den Banden gehört, ist im Prinzip okay. Sind zwar Halsabschneider vor dem Herrn, aber zumindest bringen sie einen rüber und bescheißen einen nicht – so wie der Kerl, mit dem ich damals zu tun hatte.«

»Und wie kommen wir an die ran?«

»Schon passiert. Ich hab zu einem von den Typen Kontakt aufgenommen. Sein Name ist *El Anfibio*.«

»Der Lurch? Wow! Hört sich ja echt vertrauenerweckend an«, meint Jaz.

»Ach, halt die Klappe und iss deine Suppe«, erwidert Fernando. »Ich hab doch gesagt, dass die in Ordnung sind. Jedenfalls treffe ich mich heute Abend mit ihm. Um über den Preis zu verhandeln.«

»Was gibt's denn da zu verhandeln?«

»Na, eine Menge. Die versuchen natürlich erst mal, so viel Kohle wie möglich aus dir rauszupressen. Und das darfst du eben nicht mit dir machen lassen.«

»Du meinst, so wie bei dem Dicken am Río Suchiate?«, sage ich.

»Ja, so in der Art. Nur geht's hier um mehr und die Typen sind raffinierter. Wir müssen versuchen, den Preis so weit wie möglich zu drücken. Aber ohne den Kerl zu verärgern – schließlich brauchen wir ihn.«

»Und du glaubst, du schaffst das?«

Fernando grinst. »Glücklicherweise hab ich mir inzwischen einen Namen in der Stadt gemacht. Es hat sich rumgesprochen, was ich mit dem Kojoten angestellt habe, der mich damals aufs Kreuz gelegt hat. Das wird helfen, schätze ich.«

Er lehnt sich zurück, verschränkt die Arme hinter dem Kopf und streckt sich genüsslich. Dann beugt er sich wieder zu uns hin und legt die Hand auf den Tisch, mit der Handfläche nach oben.

»Wir schaffen's«, sagt er und blickt uns auffordernd an.

Für einen Moment zögere ich und muss daran denken, was

in den letzten Tagen passiert ist. Aber als ich ihm in die Augen sehe, die wie üblich halb spöttisch und halb ernsthaft sind, ist alles vergessen.

»Wir schaffen's«, wiederhole ich und schlage ein.

Jaz lacht. »O Mann, ihr seid schon zwei Spinner«, sagt sie und legt ihre Hand auf unsere.

»Aber gut, wenn ihr meint, dass es hilft. Wir schaffen's!«

Am Abend liegen wir lange wach in unserer Hütte, Jaz und ich. Fernando ist losgezogen, um den geheimnisvollen Lurch zu treffen, und wir stellen uns vor, wie die beiden vielleicht gerade jetzt in einer düsteren Ecke zusammenhocken und versuchen, sich gegenseitig über den Tisch zu ziehen. Wir sind viel zu aufgeregt, um zu schlafen.

»Fernando macht das schon«, sage ich und ziehe Jaz an mich, die unter meine Decke gekrochen ist.

»Ja, wahrscheinlich.« Sie lacht. »Eigentlich müsste er Banker werden oder so was, wenn er bei seinem Vater ist. Da könnte er mächtig Karriere machen.«

»Weißt du eigentlich, in welcher Stadt sein Vater lebt? Mir hat er immer nur gesagt, irgendwo in Texas.«

»Nein, weiß ich auch nicht. Er hat mir nur einmal was über seine Eltern erzählt.«

»Und was?«

»Ach«, Jaz seufzt, »ziemlich traurige Sachen. Seine Mutter ist wohl schon bei seiner Geburt gestorben.«

»Shit.«

»Ja. Deswegen ist er bei seinem Vater aufgewachsen. Aber der ist irgendwann in die USA gegangen. Ich weiß nicht genau, warum, hörte sich fast so an, als wenn er fliehen musste. Jedenfalls ist Fernando in ein Heim gekommen. Aber jetzt ist er schon seit einiger Zeit nur unterwegs.«

Ich muss an unsere Fahrt denken. Wie oft habe ich stundenlang dagesessen und Fernando und seinen Geschichten zugehört. Manchmal die halbe Nacht. Hunderte von Geschichten, sie wollten gar kein Ende nehmen. Aber über diese Dinge hat er nie ein einziges Wort mit mir gesprochen.

Jaz stützt sich auf die Ellbogen, legt das Kinn in ihre Hände und sieht mich an. »Weißt du, es ist komisch. Manchmal hab ich bei Fernando das Gefühl, er sagt nur, er will zu seinem Vater, aber in Wahrheit, tief in ihm drin, liegt ihm gar nichts daran.«

»Wie kommst du darauf?« Ich richte mich ebenfalls auf. »Warum sollte er dann immer von Neuem losziehen?«

»Ich weiß nicht, es ist nur ein Gefühl. Aber vielleicht will er ja einfach nur unterwegs sein. Verstehst du? Weil er sich dann immer einreden kann, dass es da, wo er hinfährt, besser ist als da, wo er herkommt. Sobald du einmal angekommen bist, ist es vorbei damit. Dann siehst du, dass es kein Stück besser ist. Eigentlich ist es nirgendwo besser. Aber solange du unterwegs bist, kannst du's dir immerhin vormachen.«

»Jaz, das ist nicht wahr. Das ist Blödsinn. Natürlich ist es woanders besser. Wieso bist du so mies drauf? Du solltest dich freuen, dass wir bald hier abhauen.«

»Ich bin nicht mies drauf. Mir geht nur viel durch den Kopf in letzter Zeit.« Sie sieht mich nachdenklich an. »Weißt du, was ich zum Beispiel heute beim Essen gedacht hab? Als ich euch beide gesehen hab, Fernando und dich?«

»Was denn?«

»Dass du immer mehr so wirst wie er. Du redest inzwischen

auch wie er. So cool irgendwie, als gäb's nichts, was dich erschüttern könnte. So Fernando-mäßig eben.«

»Stimmt doch gar nicht.«

»Stimmt wohl. Als wir uns kennengelernt haben, unten am Río Suchiate, da hast du noch aus großen neugierigen Augen in die Welt geguckt. Richtig süß. Inzwischen sind's misstrauische Schlitze. So wie bei Fernando.«

»Jetzt hör aber auf. Du spinnst ja!«

»Siehst du«, sie blickt mich traurig an, »so hättest du in Chiapas auch noch nicht geredet.«

»Ach, Jaz! Wer sich auf der Fahrt nicht verändert, ist ein Roboter. Aber bestimmt kein Mensch. Und wenn das hier vorbei ist, verändern wir uns eben wieder. Vielleicht zurück, vielleicht auch in eine ganz neue Richtung.«

Sie zögert, dann rutscht sie enger an mich heran. »Glaubst du, du kriegst deine alten Augen dann wieder?«

»Natürlich krieg ich die wieder. Das ist das Allererste, was ich wiederkriege. Ich merke schon richtig, wie sie zurückkommen.«

»Ach, hör auf, mich zu verarschen. Ich mein's ernst.«

»Ich auch. Ich weiß doch selbst nicht, was mit uns passiert. Ich weiß nur eins: Allein wegen dir hat sich die Sache gelohnt. Egal was jetzt noch kommt.«

Sie sieht mich an, dann lässt sie sich auf die Matratze zurücksinken und schließt die Augen. »Gut, dass du das sagst. Dann ist alles okay.«

Ich drehe mich ebenfalls auf den Rücken und sehe nach oben zur Decke. Ob es stimmt, was sie sagt? Mir kommt es gar nicht so vor, als wenn ich mich verändert hätte. Ich bin doch immer noch der Gleiche wie früher. Ich denke gleich und fühle gleich – und überhaupt …

Obwohl: Da war das Dickicht in La Arrocera, es gab die Bullen, die uns ausgeraubt haben, die Banditen auf dem Zug, die Zetas in dem verfluchten Haus und es gibt diese Stadt hier. So viele Dinge, von denen ich vorher keine Ahnung hatte. So viel, was passiert ist, und nichts davon lässt einen einfach gehen. Vielleicht hat Jaz recht. Aber es ist nicht schlimm, ein bisschen wie Fernando zu sein, oder? Es stört mich nicht, wenn sie das sagt. Ein bisschen so wie er, das geht schon in Ordnung.

Ich frage mich, wo er bleibt. Er ist schon ewig unterwegs. So lange kann es doch nicht dauern, sich mit diesem Typen zu einigen. Und außerdem: Er hat unser ganzes Geld bei sich. Wenn ihm etwas zustößt – er könnte irgendwelchen Soldaten in die Arme laufen oder in einer dunklen Gasse überfallen werden oder dieser Kojote könnte ihn linken –, dann sind wir alle drei verloren. Dann ist es vorbei.

Jaz stöhnt leise. Sie dreht sich zu mir, legt den Kopf auf meine Schulter und schlingt den Arm um mich. Ich kann ihre gleichmäßigen Atemzüge hören, anscheinend ist sie gerade eingeschlafen. Ich wage kaum, mich zu bewegen, um sie nicht zu wecken, umarme sie nur vorsichtig. Es ist schön, sie so zu spüren, es tut gut, nach allem, was passiert ist.

Und dann frage ich mich, ob ich wirklich noch über die Grenze will. Denn da drüben, auf der anderen Seite, werden wir uns trennen müssen. Werden in zwei Städte gehen müssen, die so elend weit voneinander entfernt sind, dass keiner sagen kann, ob wir uns jemals wiedersehen. Und die Vorstellung ist einfach grauenhaft. Einen Moment überlege ich, wie es wäre, wenn wir hierblieben – nicht in dieser Stadt, aber irgendwo in Mexiko – und uns zusammen durchschlagen. Das müssten wir doch schaffen nach allem, was wir auf der Reise gelernt haben. Aber es ist natürlich Blödsinn. Ich weiß ja selbst, dass es nicht geht.

Von irgendwoher dringen Stimmen zu uns herein, ein dumpfes Gemurmel. Erst sind es zwei, dann noch eine dritte. Ich glaube, ich weiß, wem sie gehören: den Jungs in der Hütte neben uns, die so aussehen, als würden sie schon ewig hier hausen. Ich kenne sie nicht besonders gut, ein paarmal habe ich gesehen, wie sie durchs Lager wanken, um Stoff zu besorgen. Wahrscheinlich ist der Weg von der Hütte zu ihrem Dealer so ziemlich der einzige, den sie noch schaffen.

Während ich ihnen zuhöre, werde ich langsam müde. Hin und wieder erhebt sich eine Stimme aus dem Gemurmel, wird deutlicher, ich kann ein paar Worte verstehen. Aber sie ergeben keinen Sinn, zumindest nicht für mich. Es ist unzusammenhängendes Zeug, wirres Gerede, wie Halluzinationen in der Wüste. Anscheinend sind die drei mal wieder ganz weit weg, irgendwo in ihrer eigenen bunten Welt, in der es keine Grenzen mehr gibt.

Die bunten Bilder, es hat etwas Seltsames mit ihnen auf sich. Sie sind so schön, so berauschend in der Zeit, in der man sie kennenlernt. Ist man vertraut mit ihnen, wirken sie auf einmal unheimlich. Und sobald man ihnen verfallen ist, zeigen sie ihr wahres, ihr hässliches Gesicht.

Ich kenne sie gut. Ich kenne sie seit der Zeit, in der meine Verwirrung und Trauer über die Trennung umgeschlagen ist in Wut und Verachtung über den Verrat. Seitdem habe ich endgültig keine Freude mehr an den Geschenken, die meine Mutter mir schickt. Und erst recht nicht an dem Geld. Es liegt vor mir wie eine lahme Entschuldigung, wie eine Bestechung, die mich nur dazu bringen soll, nicht über die wahren Gründe, warum sie mich und Juana verlassen hat, nachzudenken.

Ich fange an, dumme Sachen mit dem Geld anzustellen. Das ist meine Art, mich an ihr zu rächen für ihren Verrat. Sie gibt mir gute Ratschläge, was ich mit dem Geld tun soll. Aber sie hat kein Recht, mir Ratschläge zu geben – nicht mehr. Und ich habe nicht die Pflicht, mich daran zu halten.

Zuerst werfe ich das Geld für alles Mögliche zum Fenster hinaus – so schnell wie möglich, damit es weg ist und mich nicht mehr an sie erinnert. Für Süßigkeiten, Zigaretten, irgendwelchen Blödsinn. Wenn ich es nicht schnell genug loswerde, gebe ich Juana den Rest. Ist mir egal, was sie damit macht.

Dann lerne ich ein paar neue Typen kennen. Ich freunde mich mit ihnen an, weil ich weiß, wie meine Mutter es hassen würde, mich mit ihnen zu sehen. Wir hängen auf der Straße ab, den ganzen Tag, von morgens bis abends, und manchmal in der Nacht. Weil es langweilig ist, machen wir eine Dummheit nach der anderen – vor allem, wenn neues Geld reinkommt.

Wir kaufen Stoff und schnüffeln. Irgendwie gibt es nichts anderes zu tun. Die Farben sind bunter, die Sonne ist wärmer und die Witze sind lustiger, wenn das Zeug erst mal wirkt. Wir pöbeln die Leute an, und wenn sie anfangen, sich schwarzzuärgern, geht es uns gut. Man kann sie richtig büßen lassen – für Sachen, von denen sie nicht mal eine Ahnung haben.

Dann kommt der Brief von meiner Mutter. Hoch und heilig hat sie versprochen, uns diesen Sommer endgültig zu holen, nichts könnte sie davon abhalten. Doch jetzt schreibt sie – und schon zum dritten Mal –, dass jemand sie um ihr Geld betrogen hat. Es sind immer die gleichen Sätze. Ihr dürft die Hoffnung nicht aufgeben. Ein wenig Geduld müsst ihr noch haben, dann hole ich euch zu mir. Und am Ende: »Ich werde es tun, Miguel. Irgendwann, das musst du mir glauben. Irgendwann werde ich es tun.«

Jetzt ist mir alles egal. Die nächste Nacht schnüffele ich ohne Pause durch, bis ich solche Hirngespinste habe, dass ich kaum noch aus den bunten Bildern herausfinde. Als ich am Morgen doch wieder zu mir komme, liege ich irgendwo auf der Straße in meinem eigenen Erbrochenen. Ein paar Meter vor mir kriecht ein Mann wie ein Hund durch den Staub, halb blind und fast lahm. Ich ekele mich vor mir selbst.

Schließlich wache ich endgültig auf, diesmal nicht aus der einen Nacht, sondern aus all den Wochen zuvor. Und dann weiß ich, dass ich sie nicht hassen kann – sosehr ich es auch versuche. Ich kann sie weder verachten noch vergessen und es liegt an mir, das Richtige zu tun.

Schon ein paarmal habe ich den verrückten Plan im Kopf gehabt, nach Norden zu gehen. Wenn sie es nicht schafft, uns zusammenzubringen, muss ich es eben tun. Es ist meine Aufgabe, keiner kann sie mir abnehmen. Viel zu lange habe ich es vor mir hergeschoben und den Mut nicht gehabt.
Jetzt gibt es keine Entschuldigung mehr. Nächste Nacht werde ich gehen.

»Miguel! Jaz!«

Eine Hand schüttelt mich. Ich schrecke hoch. Fernando hockt vor uns und versucht verzweifelt, uns wach zu kriegen.

»Jetzt kommt schon, verdammt. Ich hab nicht viel Zeit.«

Jaz hebt den Kopf von meiner Schulter und reibt sich den Schlaf aus den Augen.

»Was ist passiert?«, murmelt sie.

»Es ist so weit«, sagt Fernando. »Morgen Nacht geht's los. Der Typ bringt uns rüber. Für dreitausend Dollar.«

»Haben wir denn so viel?«, fragt Jaz, sie klingt immer noch verschlafen.

»Ja, haben wir. Sogar ein bisschen mehr. Was auch nötig ist. Schließlich brauchen wir drüben auch was.«

»Wie ist die Sache denn gelaufen?« Ich setze mich auf. »Erzähl doch mal.«

Fernando winkt ab. »Keine Zeit für Erklärungen. Ich muss wieder los, hab noch einiges zu erledigen. Ich wollte es euch nur sagen, damit ihr morgen – na ja, alles tun könnt, was ihr eben hier noch zu tun habt. Ich hol euch dann ab.«

Er steht auf und ist schon wieder an der Tür. Als er sich bückt, um durchzugehen, sieht er uns noch mal an und grinst. »Ich hab euch ja gesagt, dass wir's schaffen.« Dann ist er verschwunden.

Wir bleiben verdattert auf der Matratze hocken. Auf einmal geht alles so schnell. Ich weiß gar nicht, ob ich mich über die Nachricht freuen oder Angst haben soll vor dem, was morgen Nacht auf uns wartet.

Ich sehe Jaz an. In ihren Augen liegt der gleiche Zweifel. Ich umarme sie und drücke sie an mich.

»Eine Nacht und ein Tag noch, Jaz. Dann geht's los.«

»Miguel?«

»Fernando hat recht. Wir müssen sehen, dass wir morgen alles vorbereiten, damit wir ...«

»Miguel!«

Ich werde hellhörig. Ihre Stimme hat so einen merkwürdigen Klang, den ich noch nie darin gehört habe.

»Ja?«

Statt etwas zu sagen, zieht sie ihr T-Shirt über den Kopf. Im nächsten Moment breitet sie die Decke über uns.

»Was – was machst du da?«

»Wer weiß, wie lange es dauert, bis wir uns wiedersehen«, flüstert sie und schmiegt sich an mich. »Und ob überhaupt.«

Ich mag den Kerl nicht. Er ist mir unsympathisch von dem Moment an, als ich ihn zum ersten Mal treffe. Ein schmieriger Typ, klein und dünn, mit dreckigen Bartstoppeln und verschlagenen Augen, die ständig in Bewegung sind, einen aber nie richtig ansehen. Keine Ahnung, wie alt er ist, vielleicht erst dreißig, vielleicht auch schon fünfzig. Er stinkt nach Fisch, und wenn sich ein Lurch in einen Menschen verwandeln würde, sähe er wahrscheinlich genauso aus wie er. Das ist er also: El Anfibio, der Kojote, von dem Fernando erzählt hat.

»Wie jung ihr seid!«, sagt er zu Jaz und mir, als wir vor ihm stehen, mit einer heiseren, schmeichelnden Stimme, die zu flüstern scheint, obwohl er in ganz normaler Lautstärke redet. »Und trotzdem schon so weit herumgekommen. Und all das Geld habt ihr verdient. Das schöne Geld!«

Er kichert vor sich hin. »So jung«, sagt er noch einmal, »und dabei schon so erfahren!« Dabei wirft er Jaz einen lüsternen Blick zu. Alleine dafür könnte ich ihm eine reinhauen.

»Hast du alles vorbereitet?«, fragt Fernando ungeduldig. Auch ihm scheint das Gequassele auf die Nerven zu fallen.

»Der Lurch bereitet immer alles vor«, antwortet der Kerl und grinst selbstgefällig. »Bei ihm seid ihr so sicher wie im Schoß eurer Mutter. Wer unter dem Schutz des Lurches steht, muss nichts und niemanden fürchten.«

»Ja, ist ja gut«, unterbricht Fernando ihn. »Dann los jetzt. Ich hab keine Lust, die Zeit mit deinem Geschwätz zu verplempern.«

»Dein Wort ist mir Befehl«, sagt El Anfibio. »Aber vielleicht sollten wir das Finanzielle gleich hier erledigen. Dann müssen wir uns später nicht mehr damit aufhalten.«

Fernando zögert kurz, dann sieht er ihn drohend an. »Wir machen's wie vereinbart«, knurrt er. »Du kriegst die eine Hälfte unten am Fluss. Und die zweite, wenn wir über die Grenze und in Sicherheit sind. Dabei bleibt's.«

El Anfibio zuckt seufzend mit den Schultern. »*Como quieras*«, erwidert er. »Ganz wie du willst. Du bist der *jefe* – und ich nur ein armer kleiner Lurch.«

»Ja, denk immer daran«, sagt Fernando. »Und versuch nicht, uns aufs Kreuz zu legen. Du weißt, was dem Kerl passiert ist, der das zuletzt mit mir versucht hat.«

Der Lurch sieht ihn beleidigt an. »Vielleicht sollte ich euch lieber nicht nach drüben bringen, wenn ich so behandelt werde«, sagt er. »Wenn meine Dienste nicht erwünscht sind …«

Fernando stöhnt genervt. Aber noch bevor er etwas entgegnen kann, mischt sich Jaz ein.

»Ich bin sicher, dass du deine Sache gut machst«, sagt sie zu El Anfibio. »Ich vertraue dir.«

Inzwischen kenne ich sie gut genug, um zu wissen, dass der Spruch nicht gerade ernst gemeint ist, aber dem Lurch scheint er zu gefallen. »Das ist die Sprache, die der Lurch versteht«, sagt er und grinst Jaz an. »Ich danke dir, junge Dame.«

Er wirft Fernando noch einen bösen Blick zu, dann dreht er sich um und geht los.

Den ganzen Tag waren wir in heller Aufregung, Jaz und ich. Wir haben die Hütte leer geräumt und uns von den Leuten verabschiedet, die wir im Lager inzwischen kennen, besonders schwergefallen ist es uns nicht. Am Nachmittag sind wir ein letztes Mal durch die Stadt gegangen, am Abend hat Fernando uns abgeholt. Wir sind zu dem Treffpunkt geschlichen, an dem er sich mit dem Lurch verabredet hatte, auf halber Strecke vom Lager zum Fluss, und jetzt laufen wir hinter dem Kerl her und fragen uns, ob wir ihm vertrauen können.

Es geht durch einen Außenbezirk der Stadt, viel los ist hier nicht. Am Rand der Straße liegen ein paar schäbige Taco-Buden, ab und zu ein Fitnesscenter, jemand verkauft gebratene Hähnchen. Einmal sehen wir einen Polizeiwagen aus einer Seitenstraße auf uns zufahren. Fernando, Jaz und ich, wir brauchen keine drei Sekunden, um uns unsichtbar zu machen. El Anfibio geht einfach weiter. Er grüßt die Bullen, als sie an ihm vorbeifahren, sie nicken ihm würdevoll zu.

Als der Wagen um die nächste Ecke verschwunden ist und wir zu ihm laufen, sieht er uns fragend an. »Warum versteckt ihr euch?«, sagt er vorwurfsvoll. »Was glaubt ihr eigentlich, wofür ihr mich bezahlt?« Kopfschüttelnd setzt er sich wieder in Bewegung.

Ich sehe Fernando an, er zieht die Augenbrauen in die Höhe und nickt anerkennend. Jaz grinst und stößt ihm den Ellbogen in die Seite. Die beiden gehen weiter und ziehen mich mit.

Ein paar Minuten später – nachdem wir einige Straßen überquert haben, über einen Zaun geklettert und eine Böschung hinuntergerutscht sind – stehen wir am Fuß der Mauer, auf der wir an unserem ersten Abend in der Stadt gesessen haben. Wie wir es uns vorgenommen hatten, sind wir seitdem nicht mehr hier gewesen, nicht mal in der Nähe des Flusses. Jetzt sind wir also zurück und er liegt vor uns: der »Todesstreifen«, wie Fernando das Flussufer auf dieser Seite damals genannt hat.

Eigentlich ist es eine wunderschöne Nacht. Es ist lauwarm

und nach der langen Zeit in der Stadt und im Lager riechen wir zum ersten Mal wieder den süßen Duft der Bäume und Sträucher, die entlang des Ufers wachsen. Der Mond steht am Himmel, alles wirkt friedlich und still.

Aber das ist natürlich eine Täuschung. Die Wirklichkeit ist eine andere. Die Wirklichkeit sind die Typen, die aus der Dunkelheit auftauchen, ein Stück entfernt stehen bleiben und uns belauern. El Anfibio winkt ihnen zu, er scheint sie zu kennen. Einige von ihnen verschwinden daraufhin, andere bleiben abwartend stehen und scheinen nicht sicher zu sein, was sie tun sollen.

El Anfibio grinst. »Wenn ihr jetzt alleine wärt, müsstet ihr gegen sie kämpfen«, sagt er und diesmal flüstert er wirklich. »Ihr würdet es nicht mal bis zum Ufer schaffen.« Dabei sieht er Fernando an. »Du vielleicht schon. Aber es würde dir nicht mehr gut gehen, wenn du da wärst. O nein! Gar nicht gut.«

Fernando versteht den Hinweis. Er zieht die erste Hälfte der vereinbarten Bezahlung aus der Tasche und übergibt sie – heimlich und versteckt, sodass die Typen, die uns beobachten, nichts davon mitkriegen. El Anfibio nimmt das Geld und lässt es mit einer blitzartigen Bewegung verschwinden.

»Die Stelle hier ist nämlich beliebt«, sagt er dann und zeigt auf den Fluss. »Seht ihr?«

Ziemlich genau in der Mitte des Flusses kann ich eine schmale, lang gestreckte Insel erkennen. Sie erhebt sich als dunkler Schatten aus dem Wasser. Im Licht der Scheinwerfer, das von Zeit zu Zeit über sie wandert, zeichnen sich ein paar Büsche auf ihr ab.

Bevor wir fragen können, was es mit der Insel auf sich hat, wird es laut. Der Hubschrauber, den wir schon an unserem ersten Abend hier gesehen haben, kommt den Fluss herauf. Eine Weile bleibt er über der Insel stehen, dann fliegt er weiter.

»Er kommt alle zehn Minuten«, zischt El Anfibio, während das Knattern in der Ferne verklingt. »Los jetzt!«

Wir folgen ihm und laufen geduckt auf den Fluss zu. Als wir das Ufer erreichen, bleibt der Lurch stehen, sieht sich suchend um und zieht einige Zweige zur Seite, die ein Stück weiter wie zufällig liegen. Darunter kommen vier prall mit Luft gefüllte Autoreifen zum Vorschein.

»Jeder nimmt einen«, befiehlt El Anfibio. »Und im Wasser bleibt ihr hübsch in meiner Nähe, wenn euch euer Leben lieb ist. Nur der Lurch kennt alle Strudel!« Er kichert vor sich hin, während er einen der Reifen hochwuchtet, zum Ufer schleppt und ins Wasser wirft.

Wir machen es ihm nach. Anscheinend gehen wir absichtlich ein Stück oberhalb der Insel in den Fluss, damit wir uns auf sie zutreiben lassen können. Das Wasser ist ziemlich kalt. Wir waten ein Stück hinein, legen uns auf die Reifen und stoßen ab. Gleich darauf treiben wir auf den Fluss hinaus.

»Paddeln!«, ruft El Anfibio von vorn. »Immer aufs andere Ufer zu. Und schlagt aufs Wasser. Das vertreibt die Schlangen.«

Kaum hat er es gesagt, weht ein Windstoß über den Fluss und peitscht mir einen Schwall Wasser ins Gesicht. Kurz bleibt mir die Luft weg, dann fange ich an, mich mit Händen und Füßen voranzuarbeiten. Links von mir, flussaufwärts, tun Jaz und Fernando das Gleiche, auf der anderen Seite ringelt sich etwas davon, über das ich lieber nicht nachdenke.

Es ist ganz schön mühsam, auf die Art den Fluss zu überqueren. Wir müssen gegen die Strömung ankämpfen und dabei den Strudeln ausweichen und die ganze Zeit bete ich, dass mein Reifen durchhält und nicht plötzlich den Geist aufgibt. Als wir endlich die Insel erreichen, bin ich völlig kaputt und durchgefroren.

Wir haben gerade noch Zeit, die Reifen unter ein überhängendes Gebüsch zu schieben, als wir wieder das Geräusch des Hubschraubers hören. Noch ist es leise, wird aber schnell lauter.

»Tauchen!«, brüllt El Anfibio mit seiner heiseren Stimme. »So lange ihr könnt!«

Ich ziehe Jaz an mich, dann ist der Hubschrauber da. Wir holen tief Luft und verschwinden im Fluss. Gleich darauf fällt das Licht des Suchscheinwerfers zu uns herab, die Rotoren wühlen das Wasser auf, dass es nur so in den Ohren gurgelt. Mit der einen Hand halte ich Jaz fest, mit der anderen erwische ich eine Wurzel und klammere mich daran fest, damit wir nicht abgetrieben werden.

Wir bleiben so lange unten, bis mir fast die Lungen platzen. Endlich wandert das Licht der Scheinwerfer weiter, das Brodeln des Wassers lässt nach. Ich tauche auf und schnappe nach Luft, neben mir schießt Jaz in die Höhe. Der Hubschrauber hat abgedreht und fliegt den Fluss hinauf.

»Schnell, beeilt euch!«, japst Fernando von irgendwo. »Wir müssen rüber, bevor er zurückkommt.«

Wir zerren die Reifen unter dem Gebüsch hervor und laufen über die Insel, die nicht mehr als eine bewachsene Sandbank ist. Als wir die andere Seite erreichen, wirkt das jenseitige Ufer schon fast zum Greifen nah. Meine Achtung vor El Anfibio wächst. Er hat die Stelle, an der wir uns befinden, so gewählt, dass sie genau in der Mitte zwischen zwei der großen Wachtürme liegt. Einer ist ein paar Hundert Meter stromaufwärts, der andere genauso weit den Fluss hinab. Das Licht ihrer

Scheinwerfer wandert ohne Pause über das Wasser, aber zu uns dringt es nur noch schwach.

El Anfibio zeigt auf eine Stelle des Ufers uns gegenüber, ein Stück stromab. Zu erkennen ist dort nichts, zumindest nicht von der Insel aus. »Da müssen wir hin«, flüstert er. Anders als wir ist er kein bisschen außer Atem, es macht wirklich den Eindruck, als ob er im Wasser zu Hause wäre.

»Warum gerade da?«, fragt Fernando.

»Seht ihr dann. Los jetzt, gehen wir baden! Aber passt auf die Strömung auf, sie ist stärker als auf der anderen Seite. Ihr müsst stromaufwärts paddeln, sonst treibt ihr ab.«

Er schlängelt sich in den Fluss, wirft seinen Reifen auf die Wellen und kriecht darauf. Jaz folgt ihm. Beim ersten Versuch, sich aufs Wasser zu legen, rutscht sie ab und taucht unter. Aber gleich darauf ist sie wieder da, bekommt ihren Reifen zu fassen und zieht sich nach oben.

»Bleib in ihrer Nähe«, flüstert Fernando mir zu. »Dann kannst du ihr helfen, wenn sie keine Kraft mehr hat.« Er grinst kurz. »Aber erzähl ihr nicht, dass ich das gesagt hab, sonst macht sie mich wieder fertig.«

»Schon klar. Viel Glück!«

Wir waten in den Fluss und schwingen uns ebenfalls auf die Reifen. Kaum sind wir vom Ufer weg, spüre ich, was El Anfibio gemeint hat. Die Hauptströmung des Flusses scheint auf dieser Seite der Insel zu sein. Ein kräftiger Sog packt mich und droht mich mitzureißen. Wie verrückt fange ich an zu paddeln. Jaz, die nur ein paar Meter von mir entfernt ist, tut das Gleiche. Ich kann sie keuchen hören, anscheinend ist sie kräftig genug, gegen die Strömung anzukämpfen.

Die ganze Zeit habe ich mehr oder weniger erfolgreich versucht zu vergessen, dass ich nicht schwimmen kann. Jetzt, in der Mitte des Flusses, als das Wasser an allen Seiten an mir vorbeirauscht, ist es aus damit. Für einen Moment lähmt mich der Gedanke, was passieren würde, wenn ich von dem Reifen abrutschen sollte. Keiner der anderen könnte mir helfen, sie haben genug mit sich selbst zu tun. Dann brüllt Fernando mir irgendwas zu. Wie mechanisch setze ich die Arme wieder in Bewegung.

Als ich schließlich am Ufer ankomme, ist alles an mir taub. Ich schaffe es gerade noch, aus dem Wasser zu klettern, dann rutschen mir die Beine weg, ich klappe richtig zusammen. Ein paar Meter weiter hockt Jaz. Gott sei Dank, sie hat es auch geschafft! Sie hustet, anscheinend hat sie Wasser geschluckt. El Anfibio und Fernando sind ebenfalls da. Sie ziehen die Reifen auf das Ufer und verstecken sie.

»Wir sind zu weit unten«, flüstert El Anfibio, als sie fertig sind. »Los, schnell, bevor der Moskito da ist.« Anscheinend meint er den Hubschrauber damit. »Und keinen Laut!«

Fernando kümmert sich um Jaz und hilft ihr auf die Beine. Irgendwie schaffe ich es auch, nach oben zu kommen. Dann stolpern wir am Ufer entlang flussaufwärts. Zum Glück ist es dunkel, wir sind im toten Winkel der Scheinwerfer. Auch die Grenzsoldaten, die auf dem Weg über uns patrouillieren, können uns nicht sehen.

Schon bald bleibt El Anfibio stehen. Aus der Dunkelheit tauchen die Umrisse eines Abwasserrohres auf, aus dem irgendeine stinkende Brühe in den Fluss tropft. Das Ende des Rohres ist mit einem Gitter gesichert, an dem ein Schloss hängt. Ehe ich kapiere, was los ist, hat El Anfibio einen Schlüssel in der Hand und schließt es auf. Das Gitter schwingt uns entgegen.

»Hey, Mann«, sagt Fernando. »Du willst uns nicht ernsthaft erzählen, dass wir da reinsollen?«

»Ihr müsst sogar da rein«, erwidert der Lurch und irgendwie habe ich das Gefühl, dass dieser Teil der Sache ihm richtig Spaß macht. »Wenn ihr es nicht tut, erwischt euch der Moskito. Oder die Grenzer da oben. Dann ist es aus mit euch!«

Wir sehen uns an. Da stehen wir also und können nicht mehr zurück, aber in das widerliche Rohr will auch keiner steigen. Fernando überlegt kurz, dann packt er El Anfibio mit beiden Händen an seinem triefnassen Hemd.

»Aber du gehst mit!«, sagt er drohend.

El Anfibio scheint den Griff gar nicht zu bemerken. »Natürlich gehe ich mit«, sagt er. »Der Lurch geht überallhin mit. Der Lurch lässt euch nicht allein.«

Kurz ist es still. Nur das Rauschen des Flusses ist zu hören, dann wird es verdrängt vom Lärm des Hubschraubers, der in der Ferne schon wieder erklingt.

Jaz legt Fernando die Hand auf den Arm. »Lass ihn los«, sagt sie. »Es wird schon gut gehen. Weißt du noch, wie wir auf der anderen Seite gesessen und überlegt haben, wie wir über die Grenze kommen? Das hier ist die Antwort. In dem Ding da erwartet uns bestimmt keine Polizei.«

Fernando zögert. Er sieht in das Rohr, dann in Richtung des Hubschraubers, der unaufhaltsam lauter wird. Schließlich lockert er seinen Griff. »Na gut«, sagt er zu dem Lurch. »Geh vor. Aber wehe, du verarschst uns.«

El Anfibio bückt sich und kriecht in das Abwasserrohr, gleich darauf ist er verschwunden. Fernando winkt mir zu.

»Los, schnell«, sagt er. »Und pass auf, dass uns der Kerl nicht türmt. Ich mach den Schluss.«

Der Hubschrauber ist inzwischen fast auf unserer Höhe. Ich hole tief Luft, krieche mit dem Kopf voran in das Rohr und arbeite mich auf Händen und Knien vor. Nach ein paar Metern stoße ich auf El Anfibio, der auf uns wartet. Hinter mir folgen Jaz und Fernando. Sie schaffen es gerade noch, in das Rohr zu steigen, dann ist der Hubschrauber da. Er bleibt über der Insel stehen und das Knattern der Rotorblätter hallt in dem engen Rohr wider, dass mir fast die Ohren abfallen.

Endlich fliegt er davon. Der Lärm verklingt, schließlich ist alles ruhig. Niemand scheint uns bemerkt zu haben.

»Weiter!«, krächzt El Anfibio von vorn, irgendwie hört sich seine Stimme gespenstisch an.

Er kriecht los, wir setzen uns auch wieder in Bewegung. Es ist stockdunkel, der Gestank ist bestialisch. Das Rohr ist so eng, dass wir auf allen vieren kriechen und den Kopf einziehen müssen. Meine Hände, Knie und Füße versinken in einer undefinierbaren Flüssigkeit, ich bin froh, dass ich sie nicht sehen kann. Sie riecht wie eine Mischung aus Putzwasser, Petroleum und Pisse. Die Wände des Rohres sind bedeckt mit einem schleimigen, glitschigen Zeug, das sich anfühlt wie ein nasses Tierfell, wenn man es berührt.

Mir ist kotzübel. El Anfibio, den ich nicht mehr sehen, sondern nur noch hören kann, scheint damit keine Probleme zu haben. Er pfeift ein Lied vor sich hin, während wir uns durch die Brühe kämpfen. Anscheinend befindet er sich hier in seiner natürlichen Umgebung. Es würde mich nicht wundern, wenn er in einem Rohr wie diesem seinen Schlafplatz hätte. Oder darin zur Welt gekommen wäre.

Der Weg scheint gar kein Ende zu nehmen. Irgendwann wird El Anfibio langsamer, dann stoppt er ganz. Ein Stück vor uns ist ein schwacher Lichtschein zu sehen, er fällt aus einem Schacht herab. Wir kriechen hin. Eiserne Sprossen führen in die Höhe, ganz oben ist ein heller Kreis. Der Ausstieg. Und dahinter Licht!

Mit einem Schlag sind der Gestank und die Gefahren vergessen. Wir stecken die Köpfe zusammen, bis wir alle das Licht am Ende des Schachtes sehen können.

»Hab ich's euch nicht gesagt?«, flüstert El Anfibio und zeigt nach oben. »Da ist es.«

»Was?«, fragt Jaz.

»Na, das Land«, sagt El Anfibio. »Das Land, in das ihr wollt.«

Der Lurch will die Sprossen nach oben steigen, aber Fernando hält ihn zurück und schiebt ihn zur Seite. Anscheinend vertraut er ihm noch immer nicht.

»Nein, du bleibst hier«, sagt er. »Ich gehe als Erster.«

El Anfibio verzieht beleidigt das Gesicht. »Du machst dir keine Freunde, Jefe. Gar keine Freunde. Du läufst in dein Unglück, wenn du alleine gehst.«

Fernando winkt ab. Er gibt uns ein Zeichen, auf ihn zu warten, dann klettert er den Schacht hoch. Wir verfolgen mit angehaltenem Atem, wie er Sprosse um Sprosse hinaufsteigt. Als er oben ist, streckt er vorsichtig den Kopf nach draußen. Aber schon im nächsten Moment zieht er ihn zurück, krümmt sich zusammen und kommt in einem Affentempo wieder zu uns runter. Er packt El Anfibio, zerrt ihn ein Stück das Rohr entlang und drückt ihn in die stinkende Brühe.

»*Cabrón*«, zischt er ihn an. »Du Scheißkerl! Du willst uns ans Messer liefern.«

El Anfibio ist so verblüfft, dass er sich nicht mal wehrt. »Was – was redest du? Der Lurch würde nie ...«

»Der Lurch, der Lurch! Dein Lurchgeschwätz geht mir auf die Nerven. Da oben sind Bullen, neben dem Ausstieg. Als würden sie nur auf uns warten.«

El Anfibio quiekt, als Fernando ihn fast mit dem Kopf untertaucht. »Ich schwöre, ich habe keine Ahnung davon. Warte! Hier, nimm!«

Er zieht den Packen Geld hervor, den er am anderen Ufer bekommen hat, und streckt ihn hoch. Fernando zögert, hält ihn aber weiter fest.

»Bis gestern war der Weg sicher«, jammert El Anfibio. »Irgendeiner muss aufgeflogen sein und ihn verraten haben. Lass mich los, Jefe, ich muss selbst nachsehen.«

Fernando überlegt. Dann gibt er El Anfibio frei, reißt ihm jedoch im gleichen Moment das Geld aus der Hand. »Na gut, geh hoch. Aber die Kohle behalt ich erst mal hier.«

Der Lurch windet sich von ihm weg und kriecht zu Jaz und mir. Er schüttelt sich und klettert gleich darauf seinerseits den Schacht in die Höhe. Aber es dauert nicht lange, da ist er schon wieder auf dem Rückweg. Als er bei uns ankommt, sieht er ziemlich geknickt aus.

»Ich schwöre euch, ich habe nichts damit zu tun«, sagt er mit weinerlicher Stimme.

»Was ist denn überhaupt los?«, fragt Jaz. »Könnt ihr uns vielleicht mal aufklären?«

»Der Schacht führt ins Freie«, sagt Fernando. »Ein paar Bullen bewachen den Ausstieg. Sie stehen an ihren Wagen, ein Stück entfernt, hören können sie uns nicht. Aber sobald wir nach draußen klettern, laufen wir ihnen genau in die Arme.«

Er blickt düster nach oben, dann dreht er sich zu El Anfibio um. »Kannst du die Typen schmieren?«

»Wie stellst du dir das vor, Jefe? Es sind keine mexikanischen Bullen, bei denen läuft die Nummer nicht. Die verdienen zu viel, die haben keine Zusatzgeschäfte nötig.«

»Gibt's dann wenigstens einen anderen Weg hier raus?«

»Keinen, der so schön ist wie der hier. Es sei denn …« El Anfibio zeigt dahin, wo wir hergekommen sind.

»Vergiss es«, sagt Fernando. »Durch das vollgeschissene Rohr geht keiner von uns mehr zurück.«

Eine Zeit lang hocken wir am unteren Ende des Schachtes und zerbrechen uns den Kopf, was wir tun sollen. Aber keinem fällt etwas ein. Wir sind gefangen im Niemandsland, können weder vor noch zurück. Auf der einen Seite die Bullen, auf der anderen der Fluss mit den Strudeln und den Schlangen und dem Hubschrauber: Es gibt keinen Ausweg.

Schließlich rührt sich Fernando. »Na schön«, sagt er, mehr zu sich selbst als zu einem von uns. »Dann muss es wohl sein.«

Er greift in die Tasche, holt beide Raten der vereinbarten Bezahlung hervor und hält sie El Anfibio hin. »Hier, nimm«, sagt er und deutet mit dem Kopf auf Jaz und mich. »Du bringst sie sicher zu den Wagen. Wenn ich rauskriege, dass ihnen was zugestoßen ist, stehe ich irgendwann hinter dir, wenn du es am wenigsten erwartest. Und was dann passiert, weißt du ja.«

El Anfibio nimmt das Geld und steckt es ein. »Du kannst dich auf mich verlassen, Jefe«, sagt er. »Der Lurch ist nicht lebensmüde. Er bringt deine Freunde in Sicherheit.«

»Hey, Moment mal«, sagt Jaz und sieht Fernando verständnislos an. »Was soll das heißen? Wieso soll er nur uns beide bringen? Was ist mit dir?«

»Ich lenk die Bullen ab. Wenn alles klappt, ist danach der Weg für euch frei.«

Jaz will protestieren, aber ich unterbreche sie. »Das wirst du hübsch bleiben lassen«, sage ich stattdessen selbst zu Fernando. »Wir gehören zusammen. Und wir gehen zusammen. Ohne dich hätten Jaz und ich es nie so weit geschafft. Ohne dich hätten wir es nicht mal nach Chiapas geschafft.«

»Eben«, sagt Fernando. »Und ohne mich würdet ihr's vielleicht auch nicht mehr schaffen. Denkt doch mal nach. Selbst wenn sie mich schnappen und zurückkarren: Na und? Spätestens in ein paar Wochen bin ich wieder da. Ihr beide kriegt vielleicht nie mehr die Gelegenheit. Glaubt mir: Es ist die einzige Chance, die wir haben. Zusammen kommen wir an denen nicht vorbei.«

»Dann suchen wir eben einen anderen Weg. Und wenn nicht jetzt, dann nächste Nacht. Oder übernächste. Fernando!« Ich packe ihn an der Schulter. »Da draußen ist Texas. Da ist irgendwo dein Vater. Wirf das nicht einfach weg!«

Er sieht mich nachdenklich an. Dann wischt er meine Hand zur Seite und zeigt nach oben. »Komm mit!«

Er steigt auf die Sprossen. Ich fange einen verwunderten Blick von Jaz auf, dann folge ich ihm. Ungefähr auf halber Höhe macht er halt und wartet, bis ich bei ihm bin. Wir stehen nebeneinander auf den schmalen Eisenstiegen, es ist kaum Platz für uns beide.

Fernando hält den Kopf gesenkt. Er sagt erst nichts, aber irgendwas arbeitet in ihm, das spüre ich. Schließlich blickt er auf. »Es ist nicht so, wie ich gesagt habe. Mein Vater ist nicht in Texas.«

»Nicht? Aber – wo dann?«

»Nirgendwo«, sagt Fernando. »Er ist nirgendwo.«

Ich sehe ihm in die Augen. Dann wird mir klar, was er sagen will. »Du meinst doch nicht …«

Fernando nickt. »Er wollte nach Texas, aber er ist nie angekommen. Der Zug hat ihn …« Er deutet in die Richtung, in der Mexiko liegt. »Du weißt schon.«

Überfahren?, will ich sagen, bringe das Wort aber nicht raus. »Wann denn?«, frage ich nur. »Wann war das?«

»Spielt doch keine Rolle.«

»Aber ...« Ich kann es nicht fassen. »Warum machst du dann das Ganze? Das ergibt doch keinen Sinn!«

»Sinn?« Fernando lacht bitter. »Als wenn irgendwas hier Sinn machen würde. Sieh dich doch um, dann weißt du's selbst.«

Er hat recht. Egal wohin man sich dreht und wendet: Nichts hier ergibt einen Sinn. Auch nicht das, was Jaz und ich tun, das habe ich in den letzten Tagen doch selbst gespürt. Irgendwie ist alles, was hier abgeht, einfach nur komplett verrückt.

»Das, was dein Vater nicht geschafft hat – das willst du jetzt schaffen, oder? Immer wieder und wieder.«

»Ach, ich weiß nicht. Ich denke nicht groß drüber nach, ich tu's einfach. Und ich stelle mir vor, dass es irgendwann eine Menge Geschichten geben wird, und sie werden von mir handeln. Das ist eigentlich das Schönste, was man erreichen kann, oder?«

»Keine Ahnung. Vielleicht gibt's ja irgendwo noch was anderes, Fernando.«

Er schüttelt den Kopf. »Nicht für Leute wie uns.« Dann scheint er sich an etwas zu erinnern. Sein Gesicht hellt sich auf, das kann ich sogar in der Dunkelheit sehen. »Erinnerst du dich noch an den Sonnenuntergang über dem See in Chiapas?«, fragt er.

»Klar.«

»Und – wie die Leute in der Kirche alle aufgestanden sind und sich vor uns gestellt haben?«

»Vergess ich nie.«

»Und – wie wir den Dicken auf dem Río Suchiate aufs Kreuz gelegt haben?«

»Daran werd ich mich ewig erinnern.«

Fernando nickt. »Ja, ich auch«, sagt er. Er lacht und im nächsten Moment – ich kann es nicht erklären, es ist einfach so – sieht er vollkommen glücklich aus.

»Wir werden uns nicht wiedersehen, oder?«, frage ich ihn.

»Ist doch egal. Jetzt hol die anderen. Und pass auf Jaz auf. Sie hat's wirklich verdient. Sie hat alles verdient. Sogar dich.«

Damit verschwindet er nach oben. Ich will ihn eigentlich nicht gehen lassen, alles in mir sträubt sich dagegen – aber wie könnte ich einen wie ihn aufhalten? Einen wie ihn kann keiner aufhalten.

Ich steige nach unten zu den anderen. Jaz will wissen, worüber wir geredet haben, aber ich vertröste sie auf später. Ich erzähle es ihr irgendwann mal, wenn Zeit dafür ist.

»Will er es wirklich versuchen?«, fragt sie.

»Ach, lass ihn, Jaz. Er weiß schon, was er tut.«

»Ja, aber – glaubst du, er kommt durch?«

»Wenn es überhaupt einer schafft, dann er.« Aber das ist natürlich nur so dahingesagt. Er will es ja gar nicht schaffen.

Wir klettern nach oben, bis wir bei Fernando sind. Er wechselt noch ein paar leise Worte mit El Anfibio, es klingt, als würde er ihm Anweisungen geben. Dann dreht er sich zu uns um.

»Sperrt die Ohren auf«, sagt er und grinst. »Gleich wird's laut.« Damit springt er nach draußen.

Für einen Augenblick ist es still, ich höre nur seine Schritte, aber gleich darauf setzt der Lärm ein. Schreie, das Getrappel von Stiefeln, Befehle, die von irgendwo gebrüllt werden. Vorsichtig steige ich über die letzten Sprossen nach oben und strecke den Kopf ins Freie – gerade so weit, dass ich was erkennen kann.

Der Schacht endet auf einem Platz, anscheinend der Parkplatz von einem Supermarkt oder etwas Ähnlichem, auf dem jetzt in der Nacht aber nur wenige Autos stehen. Einige Laternen leuchten, nicht direkt bei uns, eher in der Mitte des Platzes. Ein paar Meter weiter liegt ein Gullydeckel, mit dem der Schacht wohl normalerweise verschlossen wird.

Fernando läuft quer über den Platz und gibt sich alle Mühe, gesehen zu werden. Zwei Typen in Uniform rennen von der Seite auf ihn zu, ein dritter will ihm den Weg abschneiden. In der Nähe der Laternen stehen noch zwei. Einer brüllt in sein Funkgerät, der andere zieht seine Waffe und hält sie in die Luft. Es sieht aus, als wenn er einen Warnschuss abgeben wollte.

El Anfibio taucht neben mir auf. »Los, raus hier!«, flüstert er und klettert aus dem Schacht.

Ich tue es ihm nach, Jaz ist mir direkt auf den Fersen. Wir laufen zu einem Wagen, der im Halbdunkel parkt, und werfen uns dahinter. Der Zeitpunkt ist günstig. Anscheinend sind die Grenzer so überrascht von Fernandos Auftauchen, dass sie nicht darüber nachdenken, ob noch wer mit ihm gekommen sein könnte.

Ich lege mich flach auf den Boden und blinzele unter dem Wagen hindurch. Der Platz ist auf drei Seiten von Mauern umgeben, nur auf der vierten Seite, uns gegenüber, ist er zur Straße offen, und genau dorthin versucht Fernando sich durchzuschlagen. Eigentlich ist es aussichtslos, gleich vier der Uniformierten sind zwischen ihm und der Straße. Der fünfte – der mit der Waffe – brüllt ihm etwas zu, dann feuert er in die Luft.

Fernando lässt sich nicht beirren und läuft weiter, er scheint sicher zu sein, dass hier niemand auf ihn schießen wird. Wie ein Hase schlägt er einen Haken nach dem anderen, um zwischen den Grenzern hindurchzuschlüpfen, und arbeitet sich Meter um Meter in Richtung der Straße vor. Trotzdem zieht sich das Netz um ihn zusammen, bald scheint es keinen Ausweg mehr zu geben. Im letzten Moment schafft er es, einen der Männer, der ihn packen will, ins Leere laufen zu lassen, sich unter einem zweiten hindurchzuwinden, einen dritten zur Seite zu stoßen – und plötzlich ist der Weg zur Straße frei.

Doch gerade in dem Augenblick schießt dort ein weiterer Streifenwagen heran. Er bremst mit quietschenden Reifen, die Türen springen auf. Fernando hält inne, sieht sich gehetzt um und läuft auf eine der Mauern zu. Jetzt sind sie ihm zu siebt auf den Fersen.

El Anfibio zieht mich am Arm. »Los, weiter!«, flüstert er. »Jetzt oder nie!«

Wir rennen los. Um zur Straße zu kommen, müssen wir einen Teil des Platzes überqueren, der hell beleuchtet ist und keine Deckung bietet. Aber Fernando ist es inzwischen gelungen, die Grenzer derart zu reizen, dass sie nur noch Augen für ihn haben. Außerdem führt er sie genau in die andere Richtung. Ohne dass uns jemand sieht, erreichen wir die Straße.

Als wir dort sind, drehe ich mich noch mal um. Fernando versucht gerade, über die Mauer zu klettern. Eigentlich ist sie zu hoch, aber irgendwie schafft er es, auf einem Vorsprung Halt zu finden und mit den Händen den oberen Rand zu erreichen. Als er sich hochziehen will, erwischt einer der Grenzer seinen Fuß und hält ihn fest. Fernando holt aus und tritt ihm mitten ins Gesicht. Doch gleich darauf sind die anderen da, zerren ihn zu sich herunter und fangen an, mit ihren Stöcken auf ihn einzuprügeln.

Im ersten Moment will ich zu ihm hin und ihm helfen, aber El Anfibio hält mich zurück.

»Du kannst nichts daran ändern«, zischt er mir ins Ohr. »Wenn wir jetzt nicht verschwinden, war alles umsonst, was er für euch getan hat.«

Es reißt mich fast auseinander. Ich weiß ja, dass der Kerl recht hat, aber ich kann Fernando nicht einfach zurücklassen. Ich bin wie gelähmt und Jaz neben mir scheint es genauso zu gehen. Wahrscheinlich hätten wir dagestanden bis ans Ende aller Tage, wenn El Anfibio uns nicht gepackt und mitgeschleift hätte.

Von dem Weg, den wir nehmen, kriege ich nicht viel mit. Es geht durch irgendwelche Gassen, über Zäune, unter einer Brücke durch, ich registriere es kaum. Alles ist verschwommen, ich begreife es nicht. Plötzlich ist es, als wäre Fernando in all der Zeit nur ein Geist gewesen, und erst jetzt, als wir uns zum allerletzten Mal in die Augen gesehen haben, hat er mir gezeigt, wer er wirklich ist.

Schließlich verschnaufen wir für ein paar Augenblicke unter einer Brücke. Ich frage El Anfibio, was sie jetzt mit Fernando tun werden.

»Sie stecken ihn ins Gefängnis von Liberty«, sagt er. »Ein beschissener Knast. O ja, verflucht beschissen! Aber euer Freund wird es schon schaffen. Ich kenne Typen wie ihn. In ein paar Wochen steht er wieder vor mir und ich werde mich nicht mal darüber wundern.« Er lacht sein glucksendes Lachen. »Und dann muss der Lurch ihm erzählen, dass er euch sicher wie zwei Babys abgeliefert hat, weil euer Freund sonst nämlich verdammt wütend wird. O ja, verdammt wütend! Also los, die Wagen warten auf uns.«

Wir laufen weiter. Inzwischen sind wir schon fast raus aus der Stadt, die auf dieser Seite des Flusses liegt. Ich weiß gar nicht, wie sie heißt, und Fernando ist nicht mehr da, um es mir zu sagen. El Anfibio führt uns, er scheint jeden Winkel hier zu kennen. Keine Menschenseele begegnet uns. Ich sehe Jaz an. Sie hat nasse Augen, ich weiß nicht, ob es wegen Fernando ist oder weil sie jetzt auch – genau wie ich – daran denken muss, dass es für lange Zeit der letzte Weg ist, den wir zusammen gehen.

Schließlich liegt die Stadt hinter uns, wir erreichen ein düsteres, zerklüftetes Gelände, das aussieht wie ein alter Steinbruch. Zwei Wagen stehen in der Dunkelheit. Als wir näher kommen, springen die Türen auf, zwei Männer steigen aus, ich kann nur ihre Umrisse sehen.

El Anfibio bleibt stehen. »Hier trennen sich unsere Wege«, sagt er. »Die beiden bringen euch nach Los Angeles und Chicago.«

»Wo ist der Wagen für Fernando?«, fragt Jaz.

»Oh, er wollte keinen. Er hat mir von Anfang an gesagt, dass er keinen braucht.« El Anfibio macht eine knappe Handbewegung. »Wartet hier.«

Er geht zu den Männern und spricht mit ihnen. Trotz der Dunkelheit kann ich erkennen, wie er ihnen einen Teil des Geldes gibt, das er von Fernando erhalten hat.

Ich drehe mich zu Jaz hin. Sie zögert, dann macht sie einen Schritt auf mich zu. Ich drücke sie an mich. Sie hält mich fest, als wenn sie am liebsten nie wieder loslassen wollte.

»Das ist der Moment, vor dem ich seit Tagen eine Scheißangst habe«, sagt sie.

»Ich auch. Aber es geht nicht anders, Jaz. Wir müssen die Sache zu Ende bringen, sonst würden wir's uns nie verzeihen.«

»Ja, ich weiß.« Sie stöhnt. »Irgendwie bist du so furchtbar erwachsen geworden.«

»Ach, wart's ab. Das legt sich wieder.«

Sie hebt den Kopf und sieht mich an. »Wie lange wird es dauern?«

»Ich weiß nicht. Hoffentlich nicht zu lange. Aber irgendwann, wenn du schon gar nicht mehr daran denkst – an einem Tag, an dem du richtig schlechte Laune hast, weißt du? Es ist kalt, es regnet und irgendwie ist alles scheiße. Du läufst über die Straße und auf einmal hast du das Gefühl, dass dich einer beobachtet. Du drehst dich um und da bin ich. Ich stehe einfach da. Mitten im Regen, auf der anderen Straßenseite. Verstehst du?«

Sie lächelt. »Hoffentlich regnet es viel. Hoffentlich regnet es jeden Tag in Strömen.«

Sie will noch mehr sagen, aber El Anfibio ist zurück und unterbricht sie. »Ihr müsst jetzt los«, sagt er ungeduldig. »Ihr dürft nicht länger warten.«

Wir gehen zu den Wagen. El Anfibio dirigiert Jaz zu einem von ihnen hin. Der Typ, der ihn fahren soll, macht den Kofferraum auf. Jaz winkt mir zu, dann klettert sie rein. Das Letzte, was ich von ihr sehe, ist, wie sie den Kopf einzieht. Im nächsten Moment klappt der Deckel zu, der Typ geht nach vorne und fährt los.

Ich seufze und gehe zu dem Wagen, der für mich bereitsteht. El Anfibio lehnt neben dem offenen Kofferraum und macht eine einladende Handbewegung.

»Sie schafft es schon«, sagt er. »Mach dir keine Sorgen um sie.«

Fast fange ich an, ihn zu mögen. »Und du?«, frage ich. »Was tust du jetzt?«

Er grinst. »Ich gehe zum Fluss, bringe die Reifen zurück und schlafe mich erst mal aus. Morgen warten die nächsten kleinen

Kanalratten auf die Hilfe des Lurches.« Ein letztes Mal höre ich sein Kichern, dann verschwindet er in der Dunkelheit.

Ich steige in den Kofferraum. Er ist groß genug für mich und mit einer Decke ausgepolstert, auf der eine Wasserflasche liegt und etwas zu essen. Kaum bin ich drin, wird der Deckel zugeknallt. Der Typ, der mich fahren soll, hat bisher noch kein einziges Wort gesagt, ich glaube, er hat mich nicht mal richtig angesehen. Ich kann hören, wie er nach vorne geht und einsteigt. Gleich darauf ruckelt der Wagen an.

Am Anfang ist die Fahrt ziemlich holprig, ich werde hin und her geschleudert und muss mich festhalten, um nicht mit dem Kopf anzustoßen. Aber irgendwann haben wir den Steinbruch hinter uns und sind auf einer Straße. Vielleicht auf einem von diesen breiten Highways, die man aus dem Fernsehen kennt. Der Wagen schnurrt vor sich hin, ich merke kaum, dass er sich bewegt.

Eine Zeit lang zittere ich noch vor Aufregung unter dem Eindruck all der verrückten Dinge, die passiert sind. Alles kommt wieder hoch: der Fluss mit den Strudeln und den Schlangen, der Hubschrauber, wie er uns ins Wasser drückt, das eklige stinkende Rohr – und natürlich die Grenzer, wie sie auf Fernando einprügeln. Erst jetzt wird mir klar, wie gefährlich und knapp die ganze Sache war und dass wir alle dabei hätten draufgehen können.

Ich habe ein mulmiges Gefühl in dem dunklen, engen Kofferraum. Ob jetzt immer noch was passieren kann? Klar, wir könnten in eine Polizeikontrolle geraten. Oder der Typ könnte einen Unfall bauen. Oder mich irgendwo abliefern, wo ich gar nicht hinwill. Bei Leuten, die sonst was mit mir anstellen. Tausend Sachen können passieren. Aber was soll's? So ist es seit

Wochen. Es bringt nichts, sich darüber Sorgen zu machen, das habe ich von Fernando gelernt.

Das Surren des Motors und das Schaukeln des Wagens haben was Beruhigendes. Ich lausche auf die Geräusche der Straße und sehe in die Dunkelheit. Und dann wird mir zum ersten Mal so richtig klar, dass ich es geschafft habe. Wenn mir in Tajumulco jemand gesagt hätte, was mir alles bevorsteht, hätte ich wahrscheinlich gar nicht erst den Mut aufgebracht loszufahren. Aber zum Glück hat es mir keiner gesagt und jetzt habe ich es geschafft – gegen alle Wahrscheinlichkeit.

In ein paar Stunden, wann auch immer – irgendwann morgen im Lauf des Tages, ich weiß es nicht –, wird es so weit sein. Der Typ wird anhalten, mich aus dem Kofferraum steigen lassen und wegfahren. Ich werde dastehen in einer fremden Stadt, werde auf ein fremdes Haus zugehen, an einer fremden Tür klingeln, eine fremde Treppe hochsteigen und dann wird er da sein, der eine, winzige Moment, in dem sich alles entscheidet. Wir werden uns gegenüberstehen, sie wird sich nicht verstellen können und in ihren Augen werde ich lesen, ob sich die Fahrt gelohnt hat – oder ob alles umsonst war.

Ich versuche es mir lieber nicht vorzustellen. Ich denke an die anderen und daran, wie es ihnen jetzt wohl geht. So lange haben wir alles zusammen durchgestanden, jetzt sind wir wieder in alle Himmelsrichtungen verstreut. Emilio – kein Mensch weiß, wo er geblieben ist. Er ist einfach gegangen, wortlos, wie es seine Art ist. Ángel – er ist hoffentlich wieder daheim. Bei seinen Großeltern, wo er vielleicht so was wie ein Zuhause findet. Fernando – er ist jetzt wahrscheinlich auf dem Weg in den Knast und erholt sich von den Prügeln. Bald schaffen sie ihn zurück, quer durch Mexiko, und wie ich ihn kenne, gabelt er am Río Suchiate ein paar neue Grünschnäbel auf, denen er Geschichten erzählen und über die er sich lustig machen kann. Und Jaz – sie hockt auch in einem Kofferraum, so wie ich. Während es für mich nach Westen geht, fährt sie genau in die andere Richtung. Mit jeder Minute wird die Entfernung zwischen uns größer. Aber es ist trotzdem, als wenn sie bei mir wäre. Ich glaube, von jetzt an wird es immer so sein, als wäre sie bei mir.

Ich muss daran denken, wie wir uns kennengelernt haben. Das Frühstück in der Migrantenherberge von Tecún Umán. Wie ich einen freien Tisch gesucht habe und wie die anderen nach und nach dazugekommen sind. Ich kann mich noch gut erinnern: Im Frühstücksraum bin ich nach links gegangen. Einfach so, ich habe mir nichts dabei gedacht. Was wäre gewesen, wenn ich nach rechts gegangen wäre? Wenn ich ganz andere Leute kennengelernt hätte? Keinen Fernando, keine Jaz? Wäre ich dann auch hier?

Es ist schon seltsam. Irgendwie hängt das Schicksal an so winzigen Fäden. Sie sind so fein und dünn, dass man sie gar nicht sehen kann. Eigentlich sind sie fast nicht da.

Ich drehe mich um und rolle mich auf der Decke zusammen. Es ist besser, nicht darüber nachzudenken. Wenn man zu viel darüber nachdenkt, macht es einem nur Angst.

Liebe Juanita!

Als ich Dir zuletzt geschrieben habe, war ich noch in Mexiko. In der Herberge von La Santa. Die Wüste lag vor uns und vor allem: die Grenze im Norden. Als ich sie zum ersten Mal gesehen habe, hätte ich fast den Mut verloren. Sie wird mit Soldaten bewacht, mit Türmen und Hubschraubern. Es hat lange gedauert, bis wir einen Weg auf die andere Seite gefunden haben. Leider haben es nicht alle von uns geschafft. Nur Jaz und ich. Wie genau – na ja, das erzähle ich Dir irgendwann mal.

Jedenfalls bin ich jetzt angekommen in der Stadt, in der Mamá lebt. Vor ein paar Tagen, früh am Morgen, im Kofferraum von einem Auto. Los Angeles ist unglaublich groß, mit riesigen Hochhäusern, Du kannst es Dir gar nicht vorstellen. Auch die Adresse unter meinen Füßen gehörte zu einem der Hochhäuser. Neben dem Eingang waren Hunderte von Klingelschildern. Ich bin mit dem Finger darübergefahren, über eins nach dem anderen. Und dann habe ich ihren Namen gefunden.

Ich weiß nicht, wie lange ich einfach nur dagestanden habe, ohne mich zu trauen, auf die Klingel zu drücken. Auf einmal hatte ich furchtbare Angst, in das Haus zu gehen. Angst, auf jemanden zu treffen, den ich nicht mehr kannte. Angst vor mir selbst. Immer wieder hatte ich den Finger auf der Klingel, jedes Mal habe ich ihn zurückgezogen. Ein paarmal war ich kurz davor, einfach wieder zu gehen. Dann habe ich an die Sachen gedacht, die ich durchgemacht hatte, ich habe an Jaz und Fernando gedacht – und vor allem an Dich. Da habe ich geklingelt.

Die Wohnung war im sechsten Stock. Drinnen war ein Aufzug, aber ich habe die Treppe genommen, damit es länger dauerte. Es hat komisch gerochen im Treppenhaus, und als ich hochgestiegen bin, war mir übel. Ich bin keine Häuser mehr gewohnt, irgendwie bin ich mir fremd vorgekommen und fehl am Platz. Zum Glück ist mir keiner begegnet, ich sah bestimmt schrecklich aus nach der langen Reise.

Als ich aus dem Treppenhaus gekommen bin, stand sie in der Wohnungstür. Erst hat sie mich nicht erkannt. Ich war acht, als sie mich zum letzten Mal gesehen hat! Sie wollte wieder in ihrer Wohnung verschwinden, wahrscheinlich hat sie gedacht, ich bin einer, der sie ausrauben will. Dann ist sie stehen geblieben und hat sich ganz langsam umgedreht. Sie hat die Hände vor den Mund geschlagen, und als ich in ihre Augen gesehen habe, in dem einen winzigen Moment, in dem sie mich erkannt hat, da wusste ich, dass es gut ist.

In den letzten Tagen hatten wir uns viel zu erzählen. Es ist seltsam: Manchmal kommt es mir vor, als müssten wir uns ganz neu kennenlernen, und dann wieder ist es, als wären wir nie getrennt gewesen. Manchmal verstehen wir uns nicht, manchmal streiten wir uns auch. Auf der Fahrt habe ich mir ein paar Sachen angewöhnt, die sie nicht leiden kann. Aber es macht nichts, soll sie schimpfen – dann weiß ich wenigstens, dass ich ihr nicht egal bin. Und eins habe ich gemerkt: Sie hat uns nie vergessen. Vor allem Dich nicht. In all der Zeit hat sie jeden Tag an Dich gedacht, da kannst Du sicher sein.

Gestern habe ich Arbeit gefunden. Es ist nicht leicht, eigentlich darf ich hier nicht arbeiten – darf nicht mal hier sein. Ich muss höllisch aufpassen, dass mich keiner erwischt. Aber es geht schon, ich bin auf der Fahrt schließlich nicht dümmer geworden, ich hatte einen guten Lehrmeister. Ich räume Regale in einem Supermarkt ein. Es ist nichts Tolles, aber für den Anfang ganz okay.

Alles, was ich verdiene, werde ich sparen, Juanita, und wenn ich genug zusammenhabe, hole ich Dich nach. Aber nicht auf dem Weg, den ich gekommen bin, dafür bist Du zu jung. Ich finde einen anderen, der sicherer ist. Vorher muss ich noch etwas erledigen, etwas sehr Wichtiges, das mir viel bedeutet. Aber wenn ich das getan habe und wenn ich es geschafft habe, genug Geld zu verdienen, dann hole ich Dich nach und wir sind alle wieder zusammen. Es wird eine Zeit lang dauern, Du darfst die Geduld nicht verlieren. Aber ich werde es tun, Juanita. Irgendwann, das musst Du mir glauben.

Irgendwann werde ich es tun.

Miguel

Nachwort

»*No vayas allí*«, sagt Felipe und zeigt auf eine Gruppe von Männern. »Geh nicht dahin. Sie sind gefährlich. Es sind Diebe.«

Wir hocken unter einem Güterwaggon auf dem Bahnhof von Arriaga. Seit der Hurrikan »Stan« vor einigen Jahren die meisten Brücken in der Region zerstört hat, starten die Züge nach Norden bis auf Weiteres von hier. Hunderte von Migranten verstecken sich auf dem Bahnhof. Auch Felipe, Catarina, José und León gehören dazu, sie zählen zu den Jüngsten. Ich habe ihnen etwas zu essen spendiert, jetzt erzählen sie mir von den Abenteuern, die sie unterwegs erlebt haben, und warnen mich vor den »falschen« Gesprächspartnern.

Schätzungsweise 300 000 Migranten kommen Jahr für Jahr illegal über die Südgrenze Mexikos, um das Land zu durchqueren und die USA zu erreichen. Damit begeben sie sich auf eine Reise, die nach Ansicht von Amnesty International zu den »gefährlichsten der Welt« gehört. Nur ein Bruchteil von ihnen wird das Ziel erreichen. Sie müssen damit rechnen, gejagt, geschlagen, ausgeraubt, vergewaltigt oder von den Zügen überfahren zu werden. Viele von ihnen werden es nicht überleben.

Warum tun sie das?

Die Länder, aus denen sie stammen – Guatemala, Honduras, El Salvador, Nicaragua –, gehören zu den ärmsten der Welt. Eine kleine Gruppe von Grundbesitzern, Unternehmern, Politikern und Militärs teilt die Ressourcen unter sich auf, während die Masse der Bevölkerung in bitterer Armut lebt. In

Guatemala zum Beispiel gelten über 60 % der Bevölkerung als arm, auf dem Land etwa 80 %. Von einem gut bezahlten Arbeitsplatz können die meisten nur träumen. Da die Kinder zum Lebensunterhalt der Familien beitragen müssen, besuchen viele entweder gar keine Schule oder verlassen sie früh. Dementsprechend hoch ist der Anteil der Analphabeten. Und die mangelnde Bildung wiederum bedeutet: Die Familien haben keine Perspektive, dass sich ihre Situation jemals ändern wird.

Auf dem Bahnhof von Arriaga sitzen Migranten unter einem Waggon und warten darauf, dass ein Zug nach Norden fährt.

So erstaunt es nicht, dass viele auf den Gedanken kommen, ihre Heimat zu verlassen. Nicht weit entfernt, nur durch Mexiko von Mittelamerika getrennt, liegen die USA, eines der reichsten Länder der Welt. Man erzählt sich Wunderdinge, wie schnell es dort gelingen kann, genug Geld zu verdienen, um zurückzukehren und fortan ein sorgenfreies Leben zu führen, sich ein Häuschen zu bauen, die Kinder zur Schule zu schicken …

Anfangs sind es vor allem die Männer, die gehen. Sie verlassen ihre Familien, arbeiten in der Fremde, versuchen regelmäßig Geld zu senden. Aber inzwischen gibt es auch in Mittelamerika immer mehr zerbrochene Familien und für alleinerziehende Mütter ist die Lage besonders hart. Die wenigen Jobs sind so schlecht bezahlt, dass der Verdienst kaum für das Nötigste reicht. Selbst wenn die Kinder mitarbeiten, ist oft nicht einmal genug Geld für die Miete oder das Essen vorhanden.

Die Reise beginnt: Flößer bringen Migranten auf selbst gebauten Gefährten heimlich über den Río Suchiate.

So stehen viele Mütter vor einer schweren Entscheidung: Sie können weiterleben wie bisher, aber zu dem Preis, dass sich Elend und Armut in der nächsten Generation fortsetzen. Oder sie können versuchen woanders Geld zu verdienen, um ihren

Kindern ein besseres Leben und einen Schulabschluss zu ermöglichen – müssen sie dazu aber verlassen.

Viele von ihnen entscheiden sich schließlich zu gehen, denn in den USA sind Frauen aus Lateinamerika als Haus- und Kindermädchen beliebt. Sie gelten als fleißig, anspruchslos und können nicht für ihre Rechte kämpfen, da sie oft illegal im Land sind. Die meisten von ihnen verlassen ihre Kinder in dem festen Glauben, nach ein oder zwei Jahren im »Gelobten Land« genug verdient zu haben, um zurückkehren zu können, aber das ist fast immer ein Irrtum. In Wahrheit bleiben sie viele Jahre.

Die Kinder leiden unter der Trennung. Nur über Briefe und gelegentliche Telefonate halten sie Kontakt zu ihren Müttern. Sie fühlen sich verstoßen, verraten, orientierungslos. Und so machen sich viele von ihnen, wenn sie alt genug sind, auf den langen Weg, um ihre Mütter wiederzufinden und sie zu fragen, warum sie sie so lange allein gelassen haben.

Etwa 50 000 von ihnen sind ständig in Mexiko unterwegs. Da die Straßen kontrolliert werden, versuchen sie – wie die erwachsenen Migranten – das Land auf Güterzügen zu durchqueren. Und so werden die Bahnstrecken für sie zu einer Heimat auf Zeit. Nur die Glücklichsten schaffen es auf Anhieb – das heißt in etwa einem Monat – zur Grenze im Norden. Die meisten brauchen viele Anläufe, scheitern, probieren es erneut. Manche von denen, die ich getroffen habe, sind seit über einem Jahr unterwegs, versuchen es zum zwölften oder fünfzehnten Mal. So lange, bis sie es schaffen – oder schließlich doch aufgeben.

Die Gefahren, die auf sie warten, sind groß – und umso größer, je jünger sie sind. Banditen lauern an der Strecke, um sie auszurauben, denn sie haben alles bei sich, was sie zum Teil über Jahre für die Reise zusammengespart haben. An besonders gefährlichen Orten wie La Arrocera kommt es häufig zu Zwischenfällen, die blutig verlaufen oder sogar tödlich enden.

Auch das organisierte Verbrechen hat die Migranten als Einnahmequelle entdeckt. Im Süden Mexikos sind es vor allem die Maras, Jugendbanden aus Mittelamerika, die das »Zuggeschäft« kontrollieren und zum Teil beträchtliche Summen als Schutzgeld kassieren. Im Norden gehen die Drogenkartelle, allen voran die Zetas, noch brutaler vor. Sie kidnappen ihre Opfer direkt von den Zügen, um Lösegeld für sie zu erpressen. Gelingt dies nicht, töten sie die Gefangenen – wie am 24. August 2010, als auf einer Hacienda in Tamaulipas gleich 72 Migranten von den Zetas erschossen wurden.

Gräber auf dem Friedhof von Tapachula, in denen verstorbene Migranten beigesetzt sind, deren Herkunft nicht geklärt werden konnte

Von den Behörden ist kaum Hilfe zu erwarten. Im Gegenteil: Viele Polizisten reißen sich um den Job, die Züge zu kontrollieren. Sie bessern ihr karges Gehalt auf, indem sie den Migranten ihr Geld wegnehmen – als »Belohnung« dafür, dass sie sie nicht verhaften. Um sie einzuschüchtern, verprügeln sie sie danach häufig noch. Amnesty International hat viele dieser Vorfälle dokumentiert. Ernsthafte Konsequenzen für die beteiligten Polizisten ergeben sich daraus in der Regel nicht.

Die mexikanische Migrationsbehörde »Instituto Nacional de Migración«, kurz La Migra, ist dafür zuständig, Menschen, die sich illegal im Land befinden, aufzuspüren und in ihre Heimatländer abzuschieben. Die Grenzen des gesetzlich Erlaubten werden dabei häufig überschritten. Nur die sogenannten »Grupos Beta« kümmern sich in humanitärem Auftrag um die Migranten. Aber sie haben gerade einmal 144 Mitarbeiter für ganz Mexiko: der berühmte Tropfen auf den heißen Stein.

Schutz bieten nur die meistens von kirchlichen Einrichtungen betriebenen Migrantenasyle und -herbergen (in Tapachula z.B. die Casa del Migrante Scalabrini, http://www.migrante.com.mx/Tapachula.htm, und die Albergue Jesús el Buen Pastor, http://www.alberguebuenpastor.org.mx). Dort bekommen die Migranten etwas zu essen und einen Platz zum Schlafen, können sich und ihre Kleider waschen, durchatmen und auf andere Gedanken kommen – zumindest für drei Tage und drei Nächte, dann müssen sie die Einrichtungen wieder verlassen.

Diese Form der Migration gibt es natürlich nicht nur in Mexiko, sondern weltweit. Viele Millionen Menschen sind auf der Flucht vor Armut, Gewalt, Krieg oder Verfolgung und versuchen in Länder mit besseren Lebensbedingungen zu gelangen. Fast die Hälfte sind Kinder und Jugendliche. Für die meisten Migranten aus Afrika und Asien ist Europa das Ziel ihrer Träume und so spielen sich am Mittelmeer, vor allem vor den

Der gute Engel der Migranten: Padre Flor María Rigoni, Leiter der Migrantenherberge in Tapachula

Küsten Spaniens, Italiens und Griechenlands, ähnlich dramatische Szenen ab, wie sie in diesem Roman geschildert werden.

Nirgendwo sonst aber ist die Situation so extrem wie in Mittelamerika, liegen Armut und Reichtum so dicht beieinander. Die kleinen mittelamerikanischen Länder gehören zu den ärmsten der Welt, die USA zu den reichsten. Dazwischen liegt Mexiko, ein typisches Schwellenland, in dem das Problem in seiner ganzen Schärfe zutage tritt. Gerade hier – entlang der Bahnstrecken – lassen sich die Auswirkungen der weltweiten Migration an vielen Einzelschicksalen beobachten.

In gewisser Weise haben die USA den Ansturm der Migranten mit zu verantworten, da sie in den zurückliegenden Jahrzehnten immer wieder diktatorische Regime in Mittelamerika unterstützt und gut daran verdient haben. Auf diese Weise wurden politische Reformen in den Ländern verhindert und

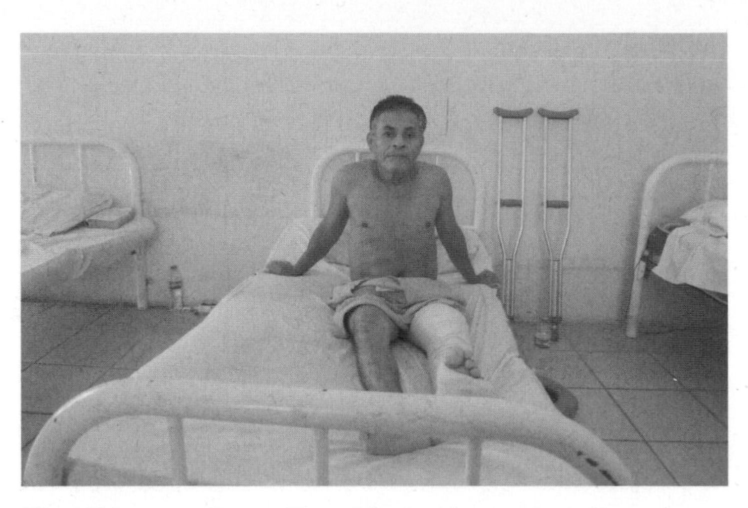

Wenn Träume zerplatzen: älterer Migrant, der von einem Zug verletzt wurde, in der Albergue Jesús el Buen Pastor in Tapachula.

soziale Ungerechtigkeiten aufrechterhalten. Erst die daraus resultierende Armut treibt nun so viele Menschen nach Norden.

Will man wirklich etwas tun, um dieses Problem anzugehen, so kann die Lösung nicht darin bestehen, die Grenzen abzuriegeln und Migranten zu jagen, als wären sie Kriminelle. Langfristig ist es sinnvoller, die Wirtschaft in den mittelamerikanischen Ländern zu stärken und die Armut zu bekämpfen. Zum Beispiel, indem man Handelsbenachteiligungen für Produkte aus der Region aufhebt und durch Entwicklungshilfe zur Verbesserung der Lebensverhältnisse und insbesondere auch der Bildung beiträgt. Würde all das Geld, das heute aufgewendet wird, um die Migration zu stoppen, für solche Zwecke eingesetzt, wäre schon einiges erreicht.

Felipe, Catarina, José und León wissen nicht viel von solchen Zusammenhängen und haben auch nicht die Zeit, darüber nachzudenken. Sie versuchen einfach nur, das Beste aus ihrer Situation zu machen. Was das bedeutet, haben sie mir in zahllosen Geschichten erzählt. An jenem Tag in Arriaga fuhr spät am Abend, nach langem Warten, schließlich doch noch ein Zug. Die vier krochen aus ihrem Versteck, brüllten einen Abschiedsgruß und sprangen auf. Einige Wagen weiter hinten kletterten auch die »Diebe« nach oben, vor denen Felipe mich gewarnt hatte.

Ich habe keinen der vier jemals wiedergesehen. Was aus ihnen geworden ist, werde ich wohl nicht mehr erfahren. Aber ihre Geschichten und die der anderen Migranten, die ich kennengelernt habe, bleiben. Und viele von ihnen finden sich – in der einen oder anderen Form – in diesem Buch wieder.

Dirk Reinhardt

Aussprache der spanischen Wörter

c vor a, o, u	wie k, z. B. Tecún Umán (Aussprache »Tekun Uman«)
c vor e, i	in Südamerika wie s, z. B. Alicia (Aussprache »Alisia«)
ch	wie »tsch«, z. B. Chiapas (Aussprache »Tschiapas«)
g vor a, o, u	wie g, z. B. Nogales
g vor e, i	wie ch in »Bach«, z. B. Ángel (Aussprache »Anchel«)
h	stumm, z. B. Ciudad Hidalgo (Aussprache »Siudad Idalgo«)
j	wie ch in »Bach«, z. B. Juana (Aussprache »Chuana«)
r	gerollt
z	in Südamerika wie s, z. B. Orizaba (Aussprache »Orisaba«)

Der Akzent auf einer Silbe zeigt an, dass diese betont ist.